워라밸과 52시간 근무시대를 살아가는 지혜!

일하는 방식의 혁명

가재산
장동익

NODE MEDIA
노드미디어

CONTENTS

프롤로그 8

제 I 장 지금 왜 스마트 워라밸인가 **Why**

1 워라밸의 빛과 그림자 21

저녁이 있는 삶인가, 저녁 굶는 삶인가 21

생산성이 없는 근무시간 단축의 그림자 24

칼퇴근과 야간근무의 역설 28

실리콘 밸리의 사람들은 왜 행복하다고 할까? 31

중소기업, 위기이자 기회다 34

2 워라밸의 성공요건 생산성 향상 40

아마존 CEO가 '워라밸'을 평가절하한 이유 40

애플과 같은 선진기업들은 왜 생산성에 집중하는 걸까? 44

한국인들이 열심히 일해도 성과가 나지 않는 이유 47

생산성 수수께끼, 구글은 이렇게 풀었다 52

3 'Smart 워라밸'의 미래와 행복방정식 55

경영의 대이동과 직원 행복경영 55

한국형 행복한 일터K-GWP 모델과 기업들의 사례 58

4차 산업혁명이 가져올 인사조직의 새 물결 64
삼성은 왜 컬처 혁신과 뉴New삼성을 시작했을까? 67
일과 삶 그리고 행복 방정식 71

제 II 장 워라밸, 스마트워킹으로 승부하라 **What**

1 워라밸을 위한 스마트워킹 77
진화해가는 스마트워킹 77
그간 우리 기업들 워라밸 시행의 문제점 84
스마트폰만으로도 쉽고 간단한 스마트워킹 적용 사례 90
2 클라우드를 활용한 스마트워킹 96
왜 우리나라 기업들은 안 되는가? 96
클라우드에 대한 빗장이 풀렸다 105
스마트워킹을 위한 클라우드/모바일 시스템 구축 109
인공지능Artificial Intelligence 기술 활용 113
최신 앱을 활용한 혁신적인 업무 수행과 의사소통 기법 119
52시간 근무시간 단축과 업무혁신을 위한 시스템 소개 132

CONTENTS

스마트워킹이 성공하려면 147

3 스마트워킹을 위한 하우투How to 워라밸 150

제대로 된 스마트워킹을 위해 무엇을 해야 하나 150

개인과 조직의 생산성 향상을 위한 하우투 워라밸 153

제Ⅲ장 하우투How to 워라밸 | 개인편

1 하드워커에서 스마트워커가 되라 161

워크 하드Work Hard와 워크 스마트Work Smart의 차이 161

이제 반복되는 일은 인공지능과 로봇에 맡겨라 163

최신 스마트 기기의 달인이 돼라 169

일이 재미있어 미치도록 만들어라 172

몰입을 통한 즐거움과 행복 찾기 176

자기 충족적 실현의 예언: 피그말리온 효과 179

2 '나' 주식회사 CEO가 되라 184

나는 왜 일을 해야 하는가의 물음 184

자기만의 인생의 설계도를 가져라 188

좋아하는 일을 찾아 즐겨라 190
협업하는 기술을 터득하라 192
평생 학습하는 능력을 키워라 197

제IV장 하우투How to 워라밸 II **조직편**

1 사내 회의 80%를 없애라 210
정보전달, 지시 및 진척도 확인을 위한 회의 축소 211
모바일 영상으로 갈등/이해관계 조정 및 문제 해결 213
효율적인 의사결정을 위한 회의방법 214
창의적 기획(개발)을 위한 스마트 회의 법 216
2 보고서 작성 시간을 50% 줄여라 220
일하는 방식을 바꾸면 보고서는 준다 220
효율적인 각종 자료 검색 기법 224
3 품의 절차를 수평적으로 바꾸고 보고서는 폐기하라 228
4 국내 및 해외 출장을 대폭 줄여라 232
해외 현지법인이나 지점에서의 혁신적인 의사소통 기법 232

CONTENTS

5 근무형태를 다양하게 바꿔라 237
구성원의 다양성을 관리하라 237
다양한 근무제도 유형 239
다양한 근무 형태를 지원하는 인사관리 시스템 242
다양한 유연근무제 시행에 따른 각종 정부 지원 243
6 공유 오피스와 일하는 방식의 혁신 246
7 스마트 팩토리로 획기적인 생산성 향상 250

제V장 하우투How to 워라밸 III 리더/상사편

1 수평적으로 소통하라 257
수평적 소통과 공감의 힘 257
역멘토링Reverse mentoring 261
수평적 의사소통을 위해서는 265
2 과감하게 권한을 위임하라 270
캐논 코리아의 무간섭 경영 270
공감을 통한 신뢰의 무서운 힘 273

자기 주도적 업무환경 조성 277
직원들의 자발적인 노력을 어떻게 끌어낼까? 281

3 성과관리는 통제하지 말고 코칭하라 293
성과관리 방식이 달라지고 있다 293
관리자의 역할을 통제·감독에서 코칭으로 303
우리나라 기업에서 코칭이 어려운 이유 310
코칭에 대한 올바른 접근법 318

4 직원을 육성하고 전문가로 키워라 332
4차 산업혁명의 주체는 사람이다 332
협력하는 괴짜를 키워라 333
분야별 핵심인재를 키우고 영입하라 337

5 한국형 리더십을 발휘하라 343
공감과 신뢰의 '한마음 경영' 343
한국의 강점 극단의 한국인, 극단의 창조성 346
조직에 한국인 특유의 신바람 문화를 일으켜야 349
이제는 경영 한류로 나가야 한다 352

에필로그 356

프롤로그

무늬만 워라밸이 아닌가?

한 바이킹이 부잣집에 들어가 도적질을 하다가 신기한 물건 하나를 발견하고 그것을 집에 가져갔다. 그리고 그것을 곱게 포장해 아내에게 선물이라며 자랑스럽게 건넸다. 부인이 무엇에 쓰는 물건인지 궁금해하자 그는 의기양양하게 이 물건의 꼭지를 조금씩 틀기 시작했다. 그가 훔쳐 온 물건은 바로 '황금빛 수도꼭지'였다. 그런데 그것을 훔칠 때는 분명히 꼭지를 돌리기만 하면 물이 콸콸 쏟아졌는데, 집에 가져오니 아무리 틀어봐도 물이 나오지 않았다. 연세대 윤정구 교수가 쓴 '황금 수도 꼭지'에 나오는 어느 유럽 만화의 내용이다.

요즘 워라밸이 화제가 되고 있다. 워라밸은 일과 삶의 균형을 뜻하는 'Work and Life Balance'의 앞글자를 딴 신조어이다. 매년 이듬해 트렌드를 예측해 보이는 서울대 김난도 교수와 소비 트렌드 분석센터가 2017년 트렌드로 선정해 더욱 주목받기 시작했다. 워라밸은 주 52시간 근무제가 시작된 대기업은 물론 중소기업에 확산하고 있으며, 정부와 공공기관까지 확산하면서 앞으로 개개인의 삶과 라이프스타일에 큰 변화의 흐름이 될 것은 분명하다.

더구나 문재인 정부가 내세우는 사람 중심의 국정철학에 맞추어 일하는 시간을 1,800시간 이내로 줄이기 위해 주 52시간 단축과 맞물려 '저녁이 있는 삶'에 집중할 것임은 틀림없다. 고용노동부는 워라밸을 알리고 확산시키기 위해 '오래 일하지 않기', '똑똑하게 일하기', '제대로 쉬기'를 삶에서 실천할 수 있도록 '일과 삶의 균형 국민 참여 캠페인'을 진행하고 있다.

그런데도 워라밸에 대한 시선이 마냥 곱지만은 않은 게 사실이다. 중소기업의 경우 더욱더 그렇다. 조직이든 개인이든 제대로 된 변화나 혁신을 만들어내기 위해서는 공들여 설계해야 할 여러 가지 성공요소가 있다. 지속적인 성과를 내는 회사나 사람들은 삶의 '이유' 즉 왜Why를 분명히 한 후 '목적Purpose'을 발견한 사람들이다. 이들의 삶을 관찰해보면 삶의 궁극적인 이유인 '목적'의 관정을 찾았고, 거기에 제대로 된 파이프라인을 연결해 혁신적인 방식으로 물을 퍼 올려 수도꼭지에 잘 연결했다는 것이다.

내가 25년 전 『한국형 팀제』 책을 내고 팀제가 전국으로 막 확산할 때 기존의 내부 조직을 재편하고 의사결정 과정, 팀원과 리더들의 일하는 방식이나 역할은 그대로 두고 무늬만 팀제를 도입한 경우가 많았다. 워라밸이 회사 홍보나 외부에 알리기 위한 보여주기식이나 법에 규제를 벗어나기 위해 칼퇴근 만을 강조하는 물리적인 시간 싸움으로 생각한다면 회사와 직원 간의 제로섬적인 논리와 현상에서 벗어나지 못한다. 모처럼 확산되고 있는 워라밸이 '무늬만 워라밸'이 되어서야 하겠는가?

지금 당신의 수도꼭지는 어디에 연결되어 있나 질문을 던져보아야만 한다!

지금은 Happiness hungry 시대

2018년에는 10년 이상 제자리 뛰기만을 하던 우리나라가 드디어 '3050' 클럽에 가입하는 세계 일곱 번째 국가가 될 것이라고 한다. 즉 국민소득 3만 불에 인구 오천만 명이 넘는 국가 대열에 서게 된다. 돌이켜보면 6·25 전쟁의 참화로 잿더미로 쌓였던 우리나라가 60년대만 하더라도 최빈국의 위치에서 대외원조를 받았던 'Hungry 국가'에서 대외 원조국으로 탈바꿈한 세계 최초의 자랑스러운 나라다.

이미 10대 경제 대국이 되어 세계시장을 석권하는 반도체, 자동차, 핸드폰 같은 제품이 많고, 무역 규모도 6위에 올라섰다. 후진을 면치 못하던 스포츠도 하계올림픽과 동계 올림픽 그리고 월드컵까지 개최한 몇 안 되는 스포츠 선진국 대열에 서 있을 뿐 아니라 스포츠 실력도 10위권 이내에 드는 당당한 나라다. 이뿐 아니라 K-POP을 선두로 한 한류가 동남아에 그치지 않고 미국은 물론 유럽과 중동까지 확산하였고 남미의 쿠바, 아프리카에 이르기까지 열풍이다. 2017년 말 112개국의 한류 현황을 조사한 결과 총 92개국의 1천594개 동호회에서 7천312만 명으로 남북한 합친 인구를 세계 한류 팬들이 돌파했다.

그러나 유감스럽게도 행복 관련한 지표로는 세계 최하위권에서 맴돌고 있다. 행복으로만 본다면 최빈국 수준으로 'Happiness hungry' 국가요, 심지어는 곳곳에서 묻지마 폭력 같은 분노까지 분출되는 Angry 현상까지도 나타나고 있다. 즉 경제협력개발기구OECD가 34개 회원국을 비교한 지표에는 산재사망률 1위, 자살률 1위, 한국이 노동시간 2위, 국민행복지수 33위, '삶의 질 지수'는 조사 대상 135개국 중 한국이 75위를 기록하고 있다. 이는 필리핀(40위)이나 이라크(73위)보다 낮음을 보여 주고 있다.

더구나 한국의 2016년 기준 국내 근로자 1인당 평균 노동시간은 2069시간으로 세계 2위다. OECD 회원 35개국 평균(1764시간)보다 305시간 많다. 한 달 평균 22일 일한다고 가정했을 때 OECD 평균보다 1.7개월 가까이 더 일한 꼴이다. 불행하게도 한국 근로자는 미국보다는 1.6개월 더 일하고, 연간 평균 실질임금은 53.9%, 시간당 실질임금은 46.4% 수준으로 받은 셈이다.

의학적으로 본다면 인간은 호랑이에 쫓기는 정도의 스트레스만 견딜 수 있다고 한다. 만약 집 앞에 오랫동안 호랑이가 지키고 있다면 과도한 스트레스 때문에 수면 주기가 달라지고 모든 면역체계가 무너질 것이다. 스트레스 때문에 회사에 근무하는 직원의 두뇌 세포 간 연결이 끊어졌다고 생각해보자. 그 직원이 창의적인 발상으로 뛰어난 성과를 거둔다는 것은 불가능에 가깝다.

유대인들이 가진 창의성의 비밀 세계에서 가장 창의적인 민족이라는 유대인이 '휴식' 때문에 그렇게 됐다는 해석도 존재한다. 유대인의 일요일안식일은 매우 철저하게 지켜진다. 또 6년을 일했으면 무조건 7년째는 1년간을 쉬어야 한다. 이렇게 7년씩 7번을 쉬고 나면 49년이 된다. 그리고 50년째 역시 또 무조건 1년을 쉬어야 한다. 그러니까 인간이 태어나서 50년을 일했으면 무려 8년이라는 긴 시간을 중간중간 쉰다는 이야기다.

인디언들은 말타기를 좋아하지만 한참 달리다가 가끔은 달리기를 멈추고 뒤를 되돌아본다고 한다. 내 영혼이 쫓아오는지 되돌아보기 위해서라고 하는데, 우리도 이제 효율과 성과라는 목표 아래 앞만 보고 고속질주로만 달려온 발걸음을 잠시 멈추고 뒤를 돌아보며 이러한 질문을 해볼 때가 되었다.

"행복이란 무엇이고, 행복은 과연 무엇을 통해 얻을 것인가?"

"왜 우리는 3만 불의 높은 소득에도 불구하고 행복과는 거리가 있는 걸까?"

워라밸은 시혜가 아닌 생존의 문제

2천500년 전 초楚나라에 섭공葉公이라는 제후가 있었다. 춘추전국시대에 섭공이 공자에게 "선생님, 날마다 백성들이 국경을 넘어 도망하니 천리장성을 쌓아서 막을까요?"라고 물었다. 이에 잠시 생각하던 공자는 여섯 글자를 남기고 떠났다.

"근자열 원자래近者說 遠者來"

정치는 '가까이 있는 사람들을 기쁘게 만들고 멀리 있는 사람들을 찾아오게 만들어야 한다.'는 강력한 메시지였다. 공자가 살아갈 당시는 춘추전국시대였다. 그 시절 국경 개념은 오늘날과 달라서 백성들은 정치를 잘하고 살기 좋은 곳으로 이주할 수 있었다. 개인적으로 할 수도 있고 집단으로도 원하기만 한다면 충분히 가능한 일이었다. 당대 정치의 평가 기준이 바로 근자열近者說, 원자래遠者來였던 것이다.

요즘 경영환경이 마치 춘추전국시대와 같아졌다. 이제 직원들은 비전이 없고 매력적이지 않은 회사라고 판단되면 과감하게 발길을 돌려버리는 시대가 되었다. 더구나 매력적이지 않은 회사에는 아무리 채용 광고를 많이 해도 인재는 고사하고 지원자가 거의 없다. 반면 장기비전이 명확하고 행복경영을 내세운 마이다스 아이티처럼 평판이 좋은 회사는 특별한 채용 광고나 캠페인을 하지 않아도 취업 경쟁률이 1000대 1을 넘어선다. 회사 구성원의 중추를 이루는 요즘 밀레니얼 세대들은 기성세대와 완전히 생각과 행동이 다르다. 이제 새가 나무를 선택하는 시대가 된 것이다. 한국경영자총협회가 2016년 전국 306개 기업을 대상으로 실시한 설문조사 결과에 의하면 신입사원 조기 퇴사 이유는 조직 직무·적응 실패가 49%, 급여·복리후생 불만 20%, 근무지역·환경불만 15.9% 등으로 응답해 조직 적응 문제가 신입사원 조기 퇴사의 주요 원인으로 드러났다. 또한, 대졸 신입사원 채용 후 1년 내 퇴사율도 2012년 23.6%, 2014년 25.2%, 2016년 27.7%로 증가하는 추세이다. '삶의 질'을 중시하는 요즘 젊은 세대가 상명하복의 소통 부재 기업문화를 감내할 필요성을 못 느끼는 것이 신입사원 조기 퇴사의 주요 원인 중의 하나이다.

반면 기업들은 신입사원 채용과 교육에 투자한 비용을 고려하면 이들의 조기 퇴사는 반갑지 않은 결과이다. 경총 조사에 의하면 대졸 신입사원이 제 몫을 하려면 평균 19.5개월의 교육 기간과 연간 6천여만 원의 교육비가 소요된다는 조사도 우리에게 조기퇴직은 기업 경쟁력에 마이너스를 가져다준다는 사실을 잘 보여주고 있다.

이러한 시대 변화에 따라 워라밸 경영의 선두주자인 휴넷 조영탁 사장이 생각한 개념이 바로 '홈퍼니 경영Home+Company'이다. 가정과 직장을 하나의 범주로 묶고 그 안에서 직원을 최대한 배려하고 지원해야 한다는 의미다. 또한 직원의 경쟁력 자체를 한 명의 개인에게서 나오는 것으로 보지 않고 그가 속한 가

정의 안정, 평화, 행복에서 총체적으로 생겨나는 것으로 봐야 한다. 기업에서 워라밸을 실천하는 방법에는 무엇보다 근무시간에 있다. 불필요한 잔업과 야근을 없애고, 정시에 퇴근하는 문화를 정착시키는 것이다.

물론 여기에는 심리적, 현실적 장벽이 있다. 경영자 입장에서야 주말이나 휴일에도 필요하면 나와서 일을 해줬으면 하는 게 솔직한 심정일 것이다. 게다가 가정을 위한 프로그램을 실행하려면 돈이 들 수도 있다. 그럼에도 직원들이 일과 가정을 양립할 수 있도록 경영자가 직접 나서는 것은 매우 중요한 일이다.

참으로 다행스러운 사실은 최근에는 많은 경영자들이 행복경영을 내세우면서 직원에게 매력적인 회사로 다가가려고 노력하고 있다는 사실이다. 직원이 행복한 회사를 만들기 위해 요즘 유행하는 워라밸이 대기업은 물론이고 공공기관 그리고 중소기업에까지 확산되고 있다. 먼저 내부 직원이 행복해야 고객을 행복하게 해 줄 수 있다는 '경영의 대이동'이 시작된 것이다. 최근 터져 나오는 몇몇 대기업들의 갑질 문화나 직원을 옛날 방식으로 함부로 대하다가 호된 질책과 심지어는 경영위기로까지 번지는 것을 보면 워라밸은 이제 직원들에게 베푸는 시혜가 아니라 생존전략의 하나로 자리를 잡고 있다.

무늬만의 워라밸을 넘어서

본서는 워라밸 시리즈 2탄이다. 지난 3월에 출간한 '스마트 워라밸'이 왜Why를 중심으로 쓰였다면 이 책은 철저하게 워라밸 실천을 위한 방법론인 하우How를 중심으로 구성되었다. 다만 워라밸에 대한 근본적인 '왜'에 대한 내용은 본서 1장에서 중복해서 다시 한번 강조하여 기술했는데 보다 상세하게 알고 싶다면 1권인 '스마트 워라밸'을 다시 읽으면 된다.

이 책에는 워라밸을 무늬만이 아니라 제대된 '스마트 워라밸'을 실행하기 위한 방법론How을 개인 측면, 조직 측면 그리고 리더십 세 부문으로 나누어 접근하였다. 왜냐하면 워라밸은 사실상 개인과 조직 측면에서 관심사와 이해관계가 늘 상충하게 되며 이 상충하는 이해관계를 조정하고 선도해야 하는 것이 경영자와 관리자들의 리더십이기 때문이다.

이처럼 방법론을 중심으로 내용을 구성한 이유는 이제 기존의 '일하는 방식의 변화New ways of work'를 통해 생산성과 효율을 높이는 것을 전제로 하지 않는 워라밸은 여러 가지 독소를 품고 있기 때문이다. 효율과 생산성 향상을 위한 노력 없이 단지 칼퇴근 만을 강조하는 보여 주기식 제도나 법망을 피하기 위한 방편에 그친다면 기업으로부터 외면당할 것이고 그 조직과 사회는 경쟁력을 잃고 퇴행의 길을 걷게 되고 만다.

일과 행복이 연결고리로 꿰어져 순환되고, 선순환에 의해 기업

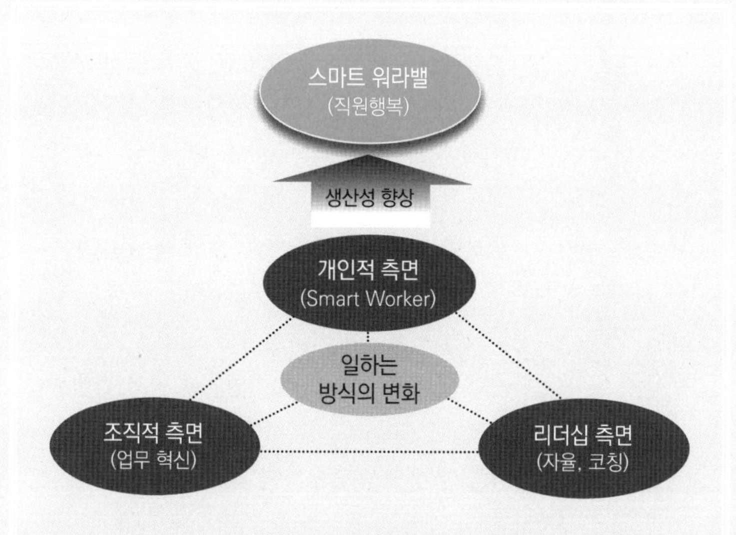

그림〈1〉 일하는 방식의 변화를 통한 생산성 향상

의 발전이 가능해지는 원리다. 기업이 존재하기 위해서 변화해야 하는데 과거와 같이 몰아붙여서 반 강압적으로 일을 해서는 경영성과가 나오지 않는 상황이다. 칼퇴근은 목적이 아닌 수단에 불과하다.

따라서 워라밸의 의도와 목적을 확실히 하고 난 뒤에는 근무 관행을 과감하게 바꾸어 업무혁신을 통해 생산성을 끌어올리면서 근무시간을 과감하게 축소하여 근로자에게 돌려주어 진정한 '저녁이 있는 삶'이 되도록 해야만 한다.

더구나 코앞에 다가온 4차 산업혁명은 어려움을 겪고 있는 기업들에게 위기이기도 하지만 한국호가 도약할 수 있는 마지막 기회라고도 말할 수 있다. 4차 산업혁명은 상상력과 창조를 전제로 한다. 상상력이나 창조는 과거의 통제형 경영방식이나 경직된 조직문화에서는 결코 발아하지 못한다. 4차 산업혁명 시대에는 세련된 해군보다는 해적이 필요하고 실패와 엉뚱한 일을 저지르는 괴짜가 아니라 '협력하는 괴짜'가 필요로 하는 시대이기 때문에 근본적인 조직문화의 혁신이 필요하다. 이제 개인들이 스마트 워커로 변화할 수 있도록 기업들은 업무 관행을 과감하게 혁신하고 생산성을 높이는 동시에 직원 행복, 행복경영을 통해 자발적인 집단 몰입을 유도하여 4차 산업혁명이라는 희망 돛을 올리고 다시 한번 한국호의 노를 힘차게 저어나가야만 한다.

공저자 **가재산** 씀

제 I 장

지금 왜 스마트 워라밸인가 (Why)

1 워라밸의 빛과 그림자

저녁이 있는 삶인가, 저녁 굶는 삶인가

'초과근무 제로 운동', '자율 휴가제', '야간 PC 사용 금지'…

근로시간 단축을 위해 기업들이 비효율적인 업무방식을 없애고자 각종 정책을 내세우고 있다. 한 회사는 밤에 회장이 회사에 전화를 걸었을 때, 직원이 바로 응답하면 다음 날 직속 임원에게 불호령이 떨어진다고 한다. 그러나 기업, 정부, 사회 전반이 야근 줄이기에 앞장서는데도 일주일에 한 번 이상 야근한다고 답변한 직장인은 여전히 85%를 넘는다는 조사를 보면 일이 많아 초과근무를 할 수밖에 없는 경우도 있겠지만, 본질적으로 조직문화나 업무 관행의 비효율성으로 인한 요인도 있지 않을까?

생산성 향상을 위해 사내 빅데이터를 분석하여 근무시간을 줄이는 솔루션인 잡컨트롤Job Control에서 조사해본 바에 의하면 직원들의 하루 근무시간 중 실제 업무시간은 겨우 4.8시간에 불과하다는 사실과, 세계에서 멕시코 다음으로 일을 많이 하는 우리나라 생산성이 선진국에 비해서 50%도 안 되게 낮다는 사실이 이를 직접 대변해주고 있다.

2018년 7월 1일부터 '주 52시간 근무제' 시대가 열렸다. 2004년 주 5일제 도입 이후 가장 큰 노동 환경 변화다. 300인 이상 기업과 공공기관 노동자는 1주일 동안 평일과 휴일 근로를 포함해 52시간 이상 일할 수 없다. 50~299인 기업은 2020년 1월, 5~49인 기업은 2021년 7월부터 주 52시간 근무를 시작한다.

이러한 법제화에 주요 대기업은 선택적 근로시간제 등 유연근무제도를 도입해 적응 훈련을 마쳤다. 고용노동부가 300인 이상 사업장 3,627개를 조사한 결과 59%는 이미 주 52시간 이내로 근무하고 있다. 그러나 300인 이상을 고용한 일부 중소·중견기업은 근로시간 단축을 위한 준비 기간이 촉박하다고 말한다. 이에 고용노동부는 최대 6개월간 처벌을 피할 수 있는 시정 기간을 마련했다.

근로시간 단축이 정착된 선진기업은 자발적 몰입을 통한 근무 윤리가 보편화되어 있다. 선진기업의 직원들은 업무시간에 개인적인 전화를 하거나 SNS 등 동료와 사적인 대화로 시간을 낭비하기보다는 업무시간에 온전히 일에 집중한 뒤 정시에 퇴근하여 가족, 친구와 저녁을 즐기는 삶을 우선시한다. 직원들은 근무시간에 업무에만 집중하여 생산성을 높이고, 회사는 직원에 대한 신뢰를 바탕으로 다양한 유연근무제나 휴가를 제공하는 것이다.

이처럼 근로시간 단축에 대응하기 위해서는 직원의 업무 몰입도를 향상하기 위한 노력이 필요하다는 기업의 문제 인식이 중요하다. 또한 직원들의 자발적인 인식의 전환과 조직문화 개선 등을 통해 주어진 근무시간을 효과적으로 활용하려는 노력이 절대 필요하다. 기업은 적극적으로 직원의 업무몰입을 방해하는 환경 개선과 불필요한 관행 제거에 나서고, 직원은 업무에 대한 명확한 목표 의식과 태도를 가지고 규정된 근로시간 내에 업무에 몰입하는 일하는 방식을 정착시켜야 한다.

주 5일제 도입이 그랬듯이 근로시간 단축은 시대의 거스를 수 없는 흐름이며, 이제 우리 기업들은 근로시간의 양Quantity보다 질Quality을 중시하는 고부가가치 업무 방식으로 생산성을 높여야 하는 중대한 기로에 서 있다. 햇빛이 강하면 그림자도 진하게 드리우게 마련이다. 생산성 없는 근무시간 단축은 한편으로 길게 보면 회사의 경쟁력을 약화시킬 수 있다.

따라서 이를 달성하기 위해서는 기업이나 조직의 생산성을 높이는 혁신을 해나가면서도 기업의 구성원인 근로자 스스로의 의식전환과 실행도 같이 이루어져야만 한다.

여러 가지 부작용과 문제점이 있는 것을 알면서도 정부가 강하게 추진하는 근로시간 단축은 우리의 노동시장 관행을 바꾸는 중요한 변화다. 근로자는 저녁이 있는 행복한 삶과 건강, 기업은 생산성 향상, 청년들에게는 일자리 확대를 약속한 것이다. 그러나 실제 근로시간이 줄어 저녁이 있는 삶을 살 수 있지만, 임금이 감소한다는 비판도 나온다. 당연히 앞으로 가야만 하는 주 52시간 근무제도 때문에 저녁이 있는 삶이 아니라 저녁 굶는 삶이 되어서야 되겠는가?

생산성이 없는 근무시간 단축의 그림자

평일 하루 8시간, 토요일과 일요일을 포함해 연장 근로는 일주일에 12시간까지 할 수 있다. 12시간을 넘으면 사업주는 2년 이하의 징역 또는 2,000만 원 이하의 벌금형에 처한다. 휴일, 야간근무수당이 사라지면 노동자가 타격을 받을 수 있다. 국회 예산정책처는 주 52시간 단축 근로제를 적용하는 300인 이상 사업장에서 14만 9,000명의 임금이 평균 7.9% 정도 줄어들 것으로 예상했다.

주 52시간 근로제를 바라보는 대기업과 중소기업 고용주와 근로자의 시선은 4인 4색이다. 노동자 개인과 사회 전반에 몰아칠 부작용을 걱정하는 목소리도 커지고 있다. 누군가에겐 삶의 질을 높여주는 선물이겠지만 또 다른 이에게는 오히려 삶을 더 팍팍하게 해 줄지 모르는 양날의 칼 같다. 주 52시간 근로제 시행을 앞두고 중소기업 근로자들의 한숨이 깊다. 중소기업의 경우 대기업처럼 수당 감소분을 보전할 수 있는 여유가 없다. 급여가 줄어들어 겪게 될 생계 부담은 온전히 근로자와 가족이 감내해야 할 몫이다. 가뜩이나 대기업 근로자의 처우에 한참 못 미치는 중소기업 근로자의 상대적 박탈감은 더욱 커지게 됐다.(월간중앙, 2018.6.5)

"저녁이 있는 삶보다 풍족한 저녁을 먹는 삶을 원합니다. 근무시간 단축에다 최저임금 인상 때문에 오히려 근무시간이 줄어 생계가 위협받고 있어요. 요즘 저 같은 사람 많아요!" 한 유통업체 근무자의 이야기다. 좀 더 구체적인 예를 하나 들어보자.

국내 최대 이커머스전자상거래업체 쿠팡이 속한 도소매·유통업(특례제외업종)은 내년 7월부터 주 52시간 근로제가 적용된다. 쿠팡은 정부 정책에 적극 호응한다는 취지에서 300인 이상 일반 기업처럼 제도 시행에 들어갔다. 하지만 한 달여 시간이 지나면서 회사 측과 근로자 누구도 웃기 힘든 상황이 벌어지고 있다.

쿠팡 맨은 쿠팡이 2014년 3월 도입한 빠른 배달 시스템 '로켓 배송'을 담당하는 핵심 인력이다. 쿠팡맨들은 7월부터 '주 50시간제'를 적용받고 있다. 종전에 비해 하루 근로시간이 11시간에서 10시간으로 한 시간 줄었다. 추가 연장근로나 주말 근로를 원칙적으로 금지해 주 50시간(주 5일×10시간)을 맞추고 있다. 평균 연봉이 3,750만 원 수준으로 비교적 처우가 좋은 편인 데다 2년 이상의 운전 경력만 있으면 지원할 수 있어 인기를 끌었다. 하지만 2016년 3,600여 명에 달하던 쿠팡 맨이 올해 들어 2,800여 명까지 줄어든 것으로 알려졌다. 회사의 한 관계자는 "여러 문제가 섞여 있지만, 최근엔 근로시간 단축에 따른 임금 감소도 영향을 미친 것으로 알고 있다."라고 말했다.(한경, 2018. 7. 23)

실제로 300인 이상 사업장을 대상으로 7월 1일부터 시행된 주 52시간 근로제(근로시간 단축제)가 곳곳에서 어려움을 호소하는 게 사실이다. 나름대로 적응해가고 있는 대기업과 달리 약자인 중소기업과 저임금 근로자에게는 가혹한 피해를 주는 '주 52시간'이 될 소지도 많다. 특히 계절을 유난히 많이 타는 유통업체의 경우 탄력근로제의 확대가 절실하다고 호소한다.

한 아웃도어 용품업체는 최근 베트남 이전을 결정했는데 "1년 중 6개월은 바쁘고 나머지 6개월은 한가한 업종 특성상 성수기에 초과근로가 불가피하다."며 "탄력근로제 단위 기간을 지금의 3개월에서 1년으로 늘려줬다면 굳이 해외에 공장을 지을 필요가 없었을 것"이라고 지적했다. 이 결과 회사측은 생산량이 20% 감소하고 종업원 임금은 평균 12% 줄어들었다. 노사 양측 어느 쪽도 근로시간 단축의 승자는 아니었다.

주 44시간에서 40시간으로 단 4시간을 줄이는 데 7년을 준비하고도 7년의 연착륙 기간을 거쳐 겨우 정착될 수 있었다. 그에 비하면 52시간 근로제는 혁명적 변화라 할 수 있는데 연착륙 기간이 너무 짧다. 인천의 주조업체 S 사장은 "기업과 근로자에게 막대한 영향을 주는 정책은 적어도 10년 이상의 중장기 로드맵을 갖고 시행해야 부작용을 막을 수 있다. 이렇게 단칼에 무 자르듯 하면 기업과 근로자만 골병이 든다."고 했다.(한경, 2018.2.27)

근로시간 단축이 워라밸의 핵심 요소인 것은 틀림없다. 올해에 이어 내년 예정된 최저임금의 29%에 이르는 급격한 인상이 겹쳐지는 바람에 경쟁력을 갖추지 못한 업종이나 생산성 향상이 따라주지 못하는 근무시간 단축은 그림자를 드리우면서 이를 극복하기 위한 많은 과제와 숙제도 동시에 안고 있다.

칼퇴근과 야간근무의 역설

"자! 자! 이제 불 끄고 퇴근합시다!"

이처럼 칼퇴근을 위해 사무실 불을 강제적으로 소등하는 진풍경들이 늘어나고 있다. 여기에 회의 시간 단축과 PC 오프 제도 등을 동원하면서 많은 기업이 잔업이나 야근 시간을 줄이는 데도 열을 올리고 있다.

세상의 모든 일이 일어나기 위한 기본적 구성요소는 '무엇을What, 어떻게How, 왜Why'다. 이 셋 중에서 세상을 바꿀 수 있는 구성요소는 존재 이유를 설명해주고 목적에 대한 해답을 주는 '왜'가 가장 중요하다. 세상을 제대로 변화시켜 성공을 거두는 사람들의 비결은 '왜'를 중심으로 나머지를 잘 정렬시켰다는 사실이다. '어떻게'나 '무엇을'은 그 자체로 의도를 구성할 수 없기 때문에 변화의 원인이 되지 못한다.

예를 들어보자. 공부 잘하고 있던 우수한 고등학생이 학생으로서의 자기 삶의 질을 높인다고 공부하는 방법은 바꾸지 않고 단순히 '공부하는 시간'만을 줄였다고 생각해보자. 하루 12시간씩 공부하던 것을 법정 노동시간인 8시간으로 줄였다면 그 결과는 어떻게 될까? 당연히 시험 성적은 떨어질 것이다. 결국 이 학생의 인생 전체로 볼 때 삶의 질도 본인의 의도와는 다르게 나타날 것이다. 그리고 계속 고집하다가 상황이 여의치 않으면 원래 방식으로 복귀하게 될 것이다. 문제의 해결을 문제의 원인이나 목적이 아니라 결과의 수준에서 풀었기 때문이다.

워라밸이나 주 52시간 근무제도 마찬가지다. 근본적인 생각이나 일하는 방식의 변화 없이 법적 제재를 피하기 위해 근로시간만을 단축할 경우 생산할 수 있는 가치는 그만큼 감소될 것이고 가치가 창출되지 못한다면 회사는 결국 경쟁력을 잃고 어려움에 몰리는 악순환을 반복하기 시작할 것이다. 또한 대한상공회의소와 컨설팅 회사 맥킨지가 국내 100개 기업 근로자 4만 명을 조사한 보고서에 따르면 평균 수준인 주 2~3일 야근을 하는 직장인의 업무 생산성은 57%이지만, 주 5일 야근을 하는 근로자의 생산성은 45%에 불과했다. 근무시간이 짧아질 경우 오히려 생산성이 높아진다는 의미인데 노동연구원 보고서에서도 행복도가 가장 높은 것은 주 5일 근무로 6.5점이었다.

한국개발연구원KDI의 보고서에 따르면, 초과근무 시간을 줄여 주 40시간을 유지한 기업의 노동생산성이 오히려 2.1% 높아진 것으로 확인되었다. 경쟁력과 생산성이 받쳐주지 못하는 회사직원들은 근로시간 단축이나 워라밸은 무늬만 그럴싸할 수밖에 없다. 문제의 본질은 근로시간의 문제가 아니라 근로시간이 줄어들어도 그 줄어든 만큼의 경제적 가치가 보전될 수 있도록 하는 생산성 향상에 있다. 이러한 사실은

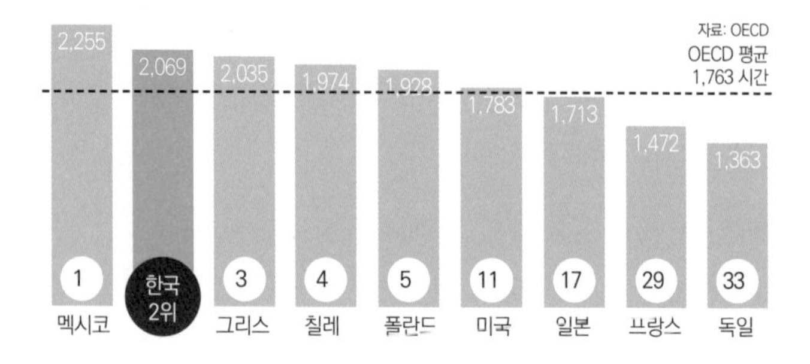

그림〈2〉 OECD 국가별 연평균 근로시간 (단위:시간/2016년 취업자 1인 기준)

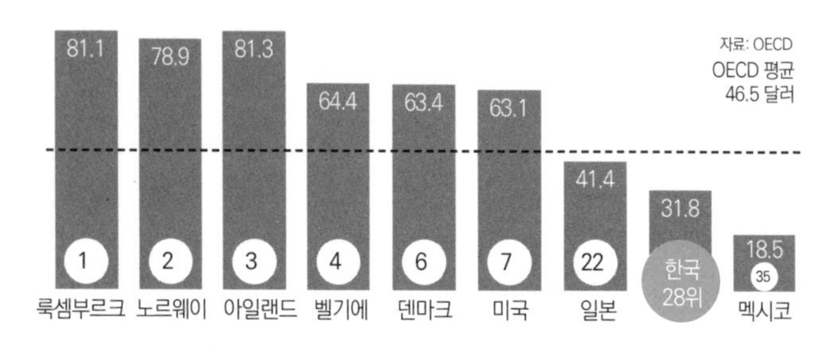

그림〈3〉 OECD 국가별 노동생산성 (단위:시간당 달러/2015년 기준)

여러 조사보고서에 잘 나타나 있다. 2016년 맥킨지&대한상의에 의하면 대리급 인원들을 대상으로 Time Survey 결과, 대상자들은 1일 평균 약 11시간을 회사에서 머물지만, 이 중 생산적인 일에 할애하는 시간은 5시간 32분(약 57%)에 불과하며, Ernst&Young 조사에서는 우리나라 직장인 3,000명 대상 설문 결과, SNS, 메신저, 개인적 통화 등 개인적 활동으로 소비하는 시간 1시간 54분, 불필요하거나 비효율적 업무에 소진하는 시간은 2시간 30분으로 조사되어 이를 경제가치로 환산하면 연간 146조 원에 해당한다고 했다. 세계적인 컨설팅기관인 SAP에서 업무분석결과 엔지니어 조차도 전체 업무의 40%를 문서처리나 보고서 작성 등 행정업무에 매달리고 있어서 일하는 방법의 혁신을 강조했다.

워라밸의 성공은 눈에 보이는 제도나 물리적 시간의 문제를 넘어서야 한다. 근무시간 자체만을 줄이는 것을 목적으로 해서는 안 되며 일의 생산성을 높이는 것을 목표로 해야 한다. '고비용 저효율' 구조를 놔두고 진정한 워라밸은 가능하지 않다.

실리콘 밸리의 사람들은 왜 행복하다고 할까?

세계적인 혁신 기업 구글Google에선 정해진 출퇴근 시간이 없다. 근무 중 수영·게임·당구 등도 즐긴다. e메일만 띄우고 짧게는 2주, 길게는 한 달 이상 휴가를 내도 된다. 카페테리아에선 전 세계의 진수성찬을 공짜로 맛볼 수 있다. 이른바 '워라밸'(일과 삶의 균형)의 대표 기업이라고 불리기에도 부족함이 없다.

그러나 밖에서 보는 구글과 안에서 느끼는 구글은 온도 차가 많다. 세계 명문대 졸업생들이 밤새워 일하는 곳이 구글이다. 실적 압박에 1년도 안 되어 그만두는 경우도 흔하다. 구글의 평균 근속연수는 3.2년에 불과하다. 그런데도 구글이 세계 최고의 직장이 되고 있는 데는 다른 이유가 존재한다.

한국인 1호 구글러 이준영 매니저는 "공짜 카페테리아는 시간을 절약하고 메뉴 선택 고민을 줄여 업무 효율성을 높이자는 취지입니다. 출퇴근 시간을 아껴 일하기 위해 재택근무를 하는 경우가 잦은 것도 사실입니다."

구글은 인재들이 창의력과 역량을 발휘할 환경을 제공한다. 그리고 구글러는 성과를 극대화하기 위해 가장 효율적인 자신만의 방법으로 일한다. 분명한 것은 철저히 일한 만큼 확실히 쉰다는 게 이들이 말하는 '워라밸'이다. 사실 아무것도 모르는 신입사원, 제품 출시를 앞둔 직원에게 주 52시간 근무를 강제한다면 회사는 망하게 될 것이라고 이야기한다. "어느 곳에서든 박수를 받으려면 밤낮없이 일해야 한다. 진정한 워라밸은 시간을 강제하는 것이 아니라 일과 생활의 밸런스를 자율적으로 맞추는 것"이라는 게 구글의 문화다.(한경, 2018.05.21)

『실리콘밸리를 그리다』 한국인 5명의 저자들도 자신들은 물론 실리콘밸리에서 일하는 많은 사람은 행복하다고 말한다. 그 이유를 책에서는 매슬로Maslow의 욕구 단계 이론으로 설명한다. 우선 잘 먹고 잘 쉬기 때문에 1단계인 생리 욕구가 충족된다. 저녁엔 다들 빨리 집에 가기 때문에 함께 술 마시고 놀 사람이 없다. '힘든 상황에서 불가능한 임무를 해내는 사람'이 아니라 '업무시간에 최상의 컨디션으로 일하는 사람'이 능력을 인정받는다. 2단계는 안전 욕구다. 실리콘밸리에서 직원은 일을 시키는 사람이 아니라 '주어진 임무'를 함께 해결해가는 파트너기 때문에 '자른다'는 협박은 무의미하다. 소속감을 느끼고 좋은 팀워크를 이룰 때 더 큰 성과가 나온다는 것을 알기 때문에 3단계 애정·소속 욕구가, 자신이 하는 일이 회사에 얼마나 중요한지, 팀에 얼마나 도움이 되는지를 수시로 구체적으로 얘기해주기 때문에 4단계인 존경의 욕구가 자연스레 채워진다.

마지막으로 자아실현의 욕구도 일을 통해 추구한다. 사업적으로는 지금까지는 없었던, 새롭고 편리한 아이디어를 내고 실제로 사업으로 펼칠 수 있는 기회를 제공받을 수 있기 때문이다. 다양성을 존중하는 기업 문화, 적절한 대우와 보상, 한 직원이 잠시 자리를 비워도 공백을 최소화하는 정보공유 시스템이 뒷받침된다. 무엇보다도 창의적인 분위기에서 마음껏 일할 수 있는 조직풍토가 실리콘밸리에서 창업 또는 취업을 꿈꾸는 예비 창업자와 구직자뿐 아니라 즐겁게 일하고 싶은 직장인, 앞서가는 조직 문화를 습득하고 싶은 기업인들이 실리콘 밸리를 찾는 가장 큰 이유다.

중소기업, 위기危機이자 기회機會다

흔히들 위기는 기회라고 한다. 위기危機라는 단어를 둘로 나누어보면 위험危險과 기회機會로 나눌 수 있는데 곧 위험 속에는 기회가 숨어있다는 의미이기도 하다. 그러나 기회는 우연과 행운을 기다리기만 하거나 남을 탓해서는 결코 자기 곁에 다가오지 않는다. 위기는 준비된 자에게는 기회로 다가오지만 준비되지 않은 자에게 위기는 절망일 뿐이기 때문이다.

그렇다면 대기업과 달리 대규모 투자나 제도개선이 어려운 국내 중소기업들은 과연 '워라밸' 기업문화를 어떻게 준비해 나가야 할까? 우선 '워라밸' 기업문화의 핵심은 거창한 제도나 투자가 아니라 사업주의 관심과 유연한 사고에 있음을 이해해야 한다. 특히 고속성장 시대에 강점이었던 톱다운식의 경직된 문화나 아침부터 밤늦게까지 열심히만 일하는 관행을 혁신적으로 바꾸어야 한다. 효율적인 회의 방식 도입, 음주 회식 문화 개선, 연차휴가·휴직 사용 활성화, 보고서 축소 등 근로자 개인의 삶에 도움을 주면서도 일에 몰입할 수 있도록 하려는 사업주의 소소한 배려와 노력이 곧 워라밸 기업문화의 정착으로 이어질 수 있다.

특히 '워라밸' 기업문화 확산과 정착을 통하여 장시간 근로는 개선하고 업무 집중도를 높여 기업의 노동생산성과 근로자 삶의 질을 균형 있게 개선하는 등 직원들의 행복도를 조금이라도 높이기 위한 노사 상생 협력의 방향으로 발전시키는 좋은 계기가 될 수 있다. 워라밸을 속속 도입하는 대기업과 달리 아직 중소기업에선 현실상 힘들다는 얘기가 많다.

그런데 내가 7년 동안 '한국형 인사조직 연구회'에서 직원이 행복한 회사의 사례를 30여 개 발굴한 결과 대부분이 중소중견 기업이었다. 이 기업들은 오래전부터 직원 행복경영을 실현하기 위해 워라밸을 시행하고 있다는 사실이다. 더욱 놀라운 사실은 최근 기업들이 어렵다고 다들 아우성이고 규모를 줄이거나 해외이전을 검토하고 있지만, 이들 회사는 오히려 모든 임직원이 어려움을 극복하기 위해 파이팅하면서 사세를 확장해가고 있는 것을 볼 때 무언가 다르다는 사실을 느낄 수 있다.

이뿐만이 아니다. 세계 중소기업협의회ICSB 한국지부, 중소기업청, 한국경제신문사 등이 2016년 3월 7일 서울 잠실 롯데월드 호텔에서 공동으로 개최한 '2016년 기업가정신 중소기업 월드 콘퍼런스'에 콜마 윤동한 회장, 서린바이오 황을문 회장 등 50명의 기업 대표가 모여 기업 규모와 업종은 다양했지만, 이들의 목표는 하나였다. '사람이 중심이 되는 기업문화를 만드는 데 힘쓰겠다.'는 것이다. 이들은 '직원이 발전해야 회사가 발전한다.'는 사람 중심 기업가정신 운동이 저성장을 극복하고 한국의 경제가 한 단계 도약하는 계기가 되길 기대한다고 입을 모았다.

이에 고용노동부와 잡플래닛은 '워라밸(일·생활균형)'이 노동자와 기업 모두에게 업무효율과 생산성을 높이는 가치라는 것을 알리기 위해 일·생활 균형 우수 실천기업 11곳을 선정했다. 잡플래닛 기업리뷰를 통해 중소기업군의 기업을 기준으로 '업무와 삶의 균형' 점수가 높은 기업을 1차 선정하고 이를 대상으로 고용노동부의 고용보험시스템, 노사 누리 시스템, 담당자의 현장 평가 등을 통하여 정량 평가 및 사실 확인 단계를 거쳤다.

또한 워라밸 우수 실천 기업으로서 앞으로의 지속 실천 의지를 확인하는 등의 과정을 거쳐 '2017 워라밸 실천기업' 최종 11개 기업을 선정했다. ㈜쎄트렉아이가 최우수 기업 사례로 뽑혔는데 여기서 중요한 것은 모두가 중소기업이라는 사실이다. 최근에는 워라밸 우수 실천기업으로 화제가 되면서 수많은 상을 수상하고 있는 우아한형제들이나 교육 전문 기업인 휴넷도 모두 중소기업들이다.

더구나 중소기업에서 중추를 이루는 '밀레니얼 세대' 직장인은 일의 목적과 의미, 수평적 의사소통, 여가나 삶의 질을 중시한다. 그래서 워라밸은 최근 젊은 층의 직장 선택의 중요한 기준이 되고 있다. 중소기업도 우수한 인재를 유치하고, 창의적인 아이디어를 발굴하기 위해 직원들의 삶과 질을 높여주기 위한 노력을 하지 않으면 그렇지 않아도 지원자가 모자라는 중소기업의 경우 사람 뽑기가 더욱 어려워진다.

4차 산업혁명은 상상력과 창조를 전제로 한다. 상상력이나 창조는 과거의 통제형 경영방식이나 조직문화에서는 결코 발아하지 못한다. 중소기업들도 창의적이고 열린 수평적 조직문화를 만들어 신바람이 나도록 해주되, 임직원들도 스스로가 아침부터 밤늦게까지 앞만 보고 상사가 시키는 대로 달리는 하드워커Hard worker가 아니라 스마트워커Smart worker로 변신이 필요하다.

우아한형제들의 워라밸 현장

"주 35시간제를 본격 시행하기 전. 월요일 오후 1시 출근으로 주 37.5시간제를 운영했는데 근로시간을 줄여도 생산성이 떨어지지 않더라고요. 그래서 지금의 주 35시간 근로까지 도달하게 됐습니다. 최근에는 조직 특성에 따라 출근 시간을 8시에서 10시 사이에서 선택하는 '시차출퇴근제'의 실험(?)도 하고 있습니다." 배달의 민족으로 유명해진 우아한형제들 인사담당 박세헌 실장의 말이다. 회사의 비효율을 걷어내고 진정 필요한 것만 남겼더니 직원들의 몰입을 이끌게 됐다고 말한다. 가정이 편안해야 출근해서 집중할 수 있다는 믿음으로 가족까지 챙기게 되었는데 결과적으론 '워라밸'을 실천했다고 웃음을 짓는다. 직원들이 일에 집중할 수 있는 환경을 만들고 그들의 성과를 최대한 끌어올리는 것, 그것이 우아한형제들의 일하기 방식이다. 이런 이유만은 아니겠지만 2009년 창업한 이래 2017년 앱에 가입한 회원 수가 3,600만을 돌파하였으며 매년 70% 성장을 지속해왔는데 2017년 매출 1,625억으로 2016년 848억 대비 100% 가까이 성장했고 이익도 25억에서 212억으로 급성장을 하고 있다.

조금 덜 완벽해도 일단 시행하면서 그 후 상황에 유연하게 대처하는 것이 우아한형제들의 일하는 방식이자 인사관리 전략이다. 우아한형제들의 제도 개선에서 기준이 되는 것은 직원들의 생각이다. 이를 위해 실제로 일주일에 한 번씩 대표이사와 직원들이 소통하는 시간, '우아한 수다 타임'이 열린다. 매주 화요일 오후 1시부터 30분 동안 진행되는 이 자리에서 직원들은 그 어떤 질문과 의견도 낼 수 있다. 대표이사는 그 자리에서 답하고 실행 방안을 검토해 나간다.

지난 8월부터 도입한 '시간 연차제'도 이 자리에서 나온 결과다. 기존의 반나절, 하루 단위의 연차 개념을 직원들이 본인의 라이프스타일에 맞추다 보니 한 시간, 두 시간 등의 단위로 나눠 쓰고 싶다는 의견을 밝혔고 경영진은 즉시 검토 끝에 새로운 제도를 만들어냈다. 개인의 니즈가 중요하고 회사가 직원의 삶의 모든 것을 충족시켜 줘야 한다는 관점으로 인사에 접근하면 더욱 다양한 아이디어를 구현시킬 수 있다는 것이 그들의 생각이다.

배민다운 성과주의가 결국 워라밸을 이끈다. 우아한형제들에서는 결재서류보다는 메신저를 통한 의사결정이 더 자연스럽다. 경영진도 별도의 임원실 없이 직원들과 한 책상에서 함께 일한다. 이러한 모습의 취지는 소통에 있다. 커뮤니케이션의 절차를 따지면 일의 본질이 아닌 부수적인 것에 집중하게 되고 공간이 분리되면 물리적인 벽이 생기는 동시에 심리적인 벽도 생긴다고 판단했다. 아무리 자유로운 문화라고 해도 임원이 별도의 공간에 있으면 직원들의 입장에서는 그 문을 열기가 쉽지 않다고 봤기 때문에 가능한 일이다.

2 워라밸의 성공요건 생산성 향상

아마존 CEO가 '워라밸'을 평가절하한 이유

'워라밸'은 근래 우리나라뿐 아니라 전 세계적으로 경영의 화두가 되고 있는 용어 가운데 하나다. 이는 개인의 일과 생활이 조화롭게 균형을 유지하고 있는 상태를 의미한다. 그런데 사업 성공과 혁신의 아이콘이기도 한 아마존의 CEO 제프 베조스Jeff Bezos가 이 '워라밸'을 지지하지 않는다고 주장하여 화제가 된 일이 있다. 배를린 '악셀 슈프링거 2018 시상식'에서 혁신상을 수상하는 자리에서 그는 다음과 같이 말했다.

"일과 생활의 균형을 찾으려 하지 말라. 일과 생활은 상호 보완적인 관계이며, 이 둘을 시간적 제약 속에서 대립하는 관계로 구분해서는 안 된다. 즉, '일'과 '일 이외의 생활'은 보다 포괄적이고 거시적인 관계여야 한다. '워라밸'이 일과 삶의 균형이 아닌 'Work and Life Harmony'를 추구해야 한다. 일과 생활이 조화를 이뤄야 한다."(중앙일보. 2018, 05.13)

고도성장기에 추격과 추월만을 추구해온 기성세대들은 잦은 야근과 초과 근무 등 높은 업무 강도, 덕분에 매주 월요일이 돌아올 때마다 월요병을 앓아야 하는 직장인들, 노력이 부족하다면서 실적 부진을 꾸짖고 윽박지르거나 독촉하기 바쁜 상사, 수직적이며 소통이 불가능한 상명하복의 일방통행식 조직문화가 횡행하는 이상 살기 위해 일을 하는 것인지 아니면 일을 위해 사는 것인지 불분명하다면서 하소연하는 장면은 결코 남의 이야기만으로 치부할 수 없는, 바로 우리 자신의 가장 현실적인 모습이 아닐까 싶다.

워라밸이 'Work and Life Balance'가 아닌 'Work and Life Harmony'를 추구해야 한다는 그의 주장이 일리가 있다고 생각된다. 따뜻함만이 있고 엄격함이 없는 조직은 지속가능 성장을 보장하기에는 늘 불안한 요소가 내재하고 있다. 일부 사람들은 워라밸은 몽상일 뿐이라고 매도하기도 한다. 사실 워라벨을 유지하기란 매우 힘든 일이다. 어떤 일을 하든 최고의 경지에 오르려면 밤잠을 잊고 매달려야 할 때도 있다. 그러기 위해서는 삶의 희생이 불가피해 보인다.

잭 웰치가 한 인터뷰에서

"일과 삶의 균형 따위는 없습니다. 일과 삶 중에 선택만 가능합니다. 인생은 그 자체가 균형적이지 않습니다. 저는 정말 죽도록 일했습니다. 기업에서는 하드 워킹, 그게 아니면 NOT 하드워킹 두 가지만 존재합니다."

이처럼 일에 미쳐도 될까 말까 한데 워라벨이라니, 너무 한가한 소리처럼 들릴 수도 있다. 그러나 다른 한편으로 가족과의 안온한 시간을 포기하면서까지 얻는 일의 성취가 무슨 의미가 있을까 하는 의문은 여전히 남기 마련이다. 결국 워라밸은 회사의 전근대적인 문화를 개선하거나 일소하고 일과 개인의 생활이 조화와 균형을 이루며 양립 가능하도록 하자는 취지에서 비롯된 개념이다. 가정에서 행복한 시간을 보내게 된다면 에너지가 충만한 상태로 출근할 수 있다. 그리고 직장에서 즐겁게 일한 뒤엔 역시 건강한 에너지를 가지고 집으로 돌아갈 수 있다.

자유와 질서의 조화

기업경영을 하다 보면 경영자들은 질서 부분을 좋아하는 반면, 직원들은 자유 부분을 좋아한다는 것이다. 자신에게 절실하고 필요한 것을 선별적으로 받아들이기 때문이다. 하지만 조직의 성장을 위해서는 경영자는 자유를, 직원은 질서를 음미하는 역지사지가 필요하지 않겠는가. 양극단을 모두 끌어안는 지혜가 필요하다.

일본에서 경영의 신이라 불리는 이나모리 가즈오 회장 역시 자유와 질서의 조화에 부합하는 사례다. '경천애인敬天愛人'으로 요약되는 그의 경영철학은 기업의 것이라기보다는 국가의 철학이라고 착각할 만큼 폭이 넓고 이타적이다. 그러나 그는 다른 한편으로 아메바 경영이라는 엄격한 규율을 갖고 있다. 각 부서가 독립채산제로 운영되며, 매일의 수지가 투명하게 공개되는 시스템이다. 마른 수건도 쥐어짠다고 할 만큼 치밀하고 엄격한 제도다. 삼성에서도 도입하려다가 포기했다. 이는 '질서'를 대변한다고 볼 수 있다. 그런데 그의 자유와 질서는 이분법적인 것이 아니라 서로를 내포하고 서로를 촉진한다는 점에 주목할 필요가 있다. 그는 이렇게 말한다. "서로 성격을 전혀 달리하는 이 두 종류의 충돌은 공공연히 대립하면서 서로가 항상 새롭고 보다 힘 있는 탄생물들을 낳도록 자극하면서 평행선을 이루며 나아간다."

경영은 물론 모든 영역에서 자유와 질서의 조화가 요구된다는 사실이 흥미롭다. 몰입에 대한 연구로 유명한 칙센트 미하이는 창의적인 사람들은 혼돈과 질서를 동시에 갖고 있다고 했다. 모두 비슷한 이야기다. 물론 조화란 지극히 어려운 것이다.

애플과 같은 선진기업들은 왜 '생산성'에 집중하는 걸까?

누가 뭐라고 해도 기업 제1의 존재 이유는 '생산성'이다. 조직과 개인의 생산성이 무엇보다 중요한 시대다. 아마존이나 구글처럼 혁신적인 비즈니스 모델을 창출하지 못하는 이유를, 혁신을 만들어내는 토대에 문제가 있기 때문이라 생각하지만 이는 명백한 착각이다. 생산성에 대한 의식이 매우 낮고, 반복되는 업무를 단시간에 끝내기 위한 어떠한 노력도 하지 않기 때문이다. 흔히 사람들은 '생산성'이라는 개념이 '창의적인 영역'에 적합하지 않을 것이라고 믿는다. 효율을 중시하는 듯한 인상을 풍기는 '생산성' 개념은 공장처럼 매뉴얼로 짜인 단순한 업무에나 적합한 개념일 뿐 창의적인 영역에 부적합하다는 것이다. 한마디로 낡은 개념쯤으로 치부하곤 한다. 그러다 보니 아마존이나 구글처럼 혁신적인 비즈니스 모델을 창출하지 못하는 이유로 혁신을 만들어내는 '아이디어의 빈곤'을 탓할 뿐, '생산성'에 대한 개념이 없기 때문이라고 생각하지 않는다. 그러나 이는 '생산성'에 대한 잘못된 편견에서 비롯된 것이다.

다시 말하자면 생산성 향상에 무관심한 기업이 연달아 혁신을 일으키는 기적은 없다. 조직 전체가 '생산성 향상'을 의식해야만 혁신이 일어나는 토대가 마련된다. 실리콘밸리의 혁신 기업들은 생산성에 대한 의식이 매우 높고, 부가가치가 없거나 불필요한 업무를 최소화하거나 제거함으로써 창의적인 활동에 더 많은 시간을 투자할 수 있도록 한다. 즉 생산성 중심의 업무 방식이 혁신적인 기업으로서 높은 가치를 유지할 수 있는 밑거름인 셈이다.

그렇다고 강조하는 '생산성'은 모든 영역에서 '효율성'만을 중시하는 개념은 아니다. 엄밀한 의미로 '생산성'은 '창의적인 빈 시간'을 만들기 위한 것이다. 흔히 우리가 무의식중에 수행하는 업무들은 실제로 반복적이며, 가치가 크게 없는 일이 대부분이다. 아침에 출근해 컴퓨터를 켜고, 이메일을 확인하고, 보고서를 작성하고, 회의를 위해 많은 시간을 보낸다. 그러고도 시간이 부족해 '야근'하고, 주말 '특근'으로 더 채운다. '늘 하던 일로 많은 시간을 써야 하는' 바쁜 사람들에게 창의적인 기획과 아이디어를 기대기는 어렵다. 이면지를 쓰고, 점심시간 소등하는 것만으로는 '쥐어짜기' 방식의 생산성 향상은 한계에 직면했다. 습관적인 업무와 커뮤니케이션에서 낭비 요인을 찾고, 고부가가치를 실현할 수 있는 창의적인 빈 공간을 만들어내는 문화가 조직 전반에 자리 잡아야 한다.

생산성을 높이지 않은 채로 근무시간만을 단축하면 기업은 상품이나 서비스의 가치가 저하되어 매출이 떨어지고 수익이 줄어들 수밖에 없다. 근로자도 생산성을 높이지 않은 채로 노동시간을 줄이면 수입이 감소한다. 양쪽 다 원하지 않는 상황이며 이를 해결할 수 있는 가장 큰 방법은 역시나 생산성 향상이다. 노동시간이나 야근 시간을 줄이는 것이 목표가 아니라 생산성의 지속적인 향상을 목표로 하는 근로시간 단축을 해야만 진정한 워라밸이 가능하다.

'생산성 향상'의 방법은 의외로 가까이 존재한다. 모든 관점을 '생산성' 아래에 두고 업무 전반을 하나하나 점검해볼 필요가 있다. '생산성'의 개념이 조직 전반에 자리 잡게 되면 그 효과는 예측하기 어려울 만큼 놀라운 결과를 선사한다. 루틴 한 업무의 영역을 지금보다 30% 이상 개선하고, 그 남은 30%를 창의적인 시간으로 대체함으로써 지금까지 시간으로 감히 상상하지 못했던 높은 성과를 이끌어낼 수 있다.

'생산성' 중심의 업무 방식은 기업만을 위한 것도, 개인만을 위한 것도 아니다. 기업과 개인 모두에게 골고루 혜택을 제공한다. 기업은 생산성 개선을 통한 높은 성과와 가치를 얻을 수 있고, 개인은 그에 합당한 보상과 '일과 삶의 균형'을 얻을 수 있다. 왜 실리콘밸리의 혁신 기업들이 '생산성'을 기업의 최고의 가치로 생각하는지 생각해볼 필요가 있다. 리더는 인재를 기르는 일에 집중하고, 인재는 업무의 질을 높임으로써 남는 시간을 활용해 더 높은 부가가치를 실현해야 한다. 더욱이 인구 감소와 로봇과 인공지능 등의 확산이라는 위기는, 오히려 '생산성' 중심의 개인과 기업에 더 큰 경쟁력을 가져다줄 것이다.

한국인들이 열심히 일해도 성과가 나지 않는 이유

이상한 질문처럼 들릴지도 모르지만 '10명의 대졸 신입 채용'이 목표인 기업에 몇 명이 지원하면 가장 이상적인 상황이라고 할 수 있을까? 백 명일까? 아니면 천 명일까? 아니면 만 명일까? 그 답은 딱 열 명이다. 자사의 채용 기준을 만족시키는 동시에 확실하게 입사해 줄 딱 10명만 지원해 준다면 굳이 많은 사람의 지원을 받을 필요가 없다.

사실 채용에는 막대한 경비와 시간이 든다. 특히 면접이나 인재 확보를 위해 투입되는 우수 사원은 엄청난 시간적 부담을 갖게 되고, 신입사원 채용 시즌에는 본업을 뒤로 미루고서라도 면접이나 인턴십 등 인재 채용 관련 이벤트를 위해 이리저리 뛰어다녀야 한다. 양에 집착하는 발상이 생산성을 낮춘다. 그렇다고 10명을 채용하는 것이 목표인 기업에 10명밖에 지원하지 않았다면, 아무리 그들의 자질이 대단히 훌륭하다 해도 대부분 기업의 경영자들은 이렇게 화를 버럭 내고 말 것이다.

"지금까지 도대체 무엇들 한 거야!"

"회사 설명회에 10명밖에 오지 않았어? 지원한 사람도 고작 10명뿐이야!"

일단 노동생산성이란 경제학 개념은 단위 투입 노동량 대비 생산량으로 정의된다. 우스개 같은 옛날이야기이지만 과거에 한국군과 미군의 일하는 방식에서 살펴보면 되는데, 한국군은 땅을 팔 때 삽으로 팠지만 미군은 포클레인으로 팠다. 한국군 100명이 아침 6시에 일어나서 노예처럼 저녁 6시까지 삽질을 해봐야 미국 공병 1개 분대가 포클레인 2개 돌리면 한국군보다 노동생산성이 우수했다.

그래도 생산직의 경우는 시간당, 얼마짜리 기계를 몇 평의 땅에 놓고 몇 명이 얼마를 생산했냐 측정할 수 있다는 점에서 그나마 노동생산성 논의를 계량적으로 전개할 수 있다. 반면 사무직의 경우 노동생산성을 따지는 것이 매우 어렵다. 어떤 가치를 매기고 측정할 것인가에 대해 정의 내리는 것이 불가능하다. 사무직의 노동생산성이 낮다는 이야기는 결국 사무직들의 업무 몰입도 또는 효율성이 낮다는 이야기에서 출발해야 하며 조직에서 커뮤니케이션 채널, 의사결정 구조, 조직문화가 후진성을 면치 못한다는 이야기다.

중간관리자, 임원, 고위 임원으로 올라갈수록 책임과 권한이 동시에 주어지면서 더 강해지는 반면 실무는 점점 멀어지기에 의사결정에 필요한 정보 판단 능력이 약해지고 수직적인 의사결정 과정에서 많은 낭비 요소가 존재한다. 더구나 보고서와 품의서 그리고 밤낮 없는 긴 회의가 생기게 마련이다. 국내 한 기업체에서 사원으로 근무했던 호주인 마이클 코켄 Michael Kocken 씨가 최근 자신의 블로그에 올린 '한국이 낮은 노동생산성을 기록하는 이유들'이란 글이 화제가 된 일이 있다. 코켄 씨는 이 글에서 눈치 문화와 야근이 일상화된 비효율적인 우리의 기업과 직장 문화에 대해 진심 어린 충고를 보냈다. 그중 몇 가지만 요약해 정리해봤다.

한국이 낮은 노동생산성을 기록하는 이유

1. 엄격한 상하 구조와 의사소통 문제

한국 회사의 구조는 위아래 사람들 간의 상명하달식의 의사소통 방법, 그리고 엄격함으로 악명 높다. 대다수의 남자들이 경험한 군 복무의 경험과 거기서 배운 리더십이 한국 회사의 전반적인 모습에 영향을 미친다는 것이다.

즉 필요하지 않은 회사 임원(또는 상급자)에 대한 보고다. 회사의 각 팀은 매주 자신의 부문장들에게 매주 브리핑을 하며, 대표에게 정기적으로 보고를 한다. 만일 한 임원이 어떠한 것에 대해 더 많이 알고 싶어 할 때, 팀장들은 어쩔 수 없이 급히 소집된 회의에서 모이게 돼 팀장은 각 팀에 돌아가 팀원들에게

며칠간 팀원들의 임무는 임원이 알고 싶어 하는 자료에 대한 조사 및 준비에 시간을 투자하라고 한다.

2. 핸드폰과 사내 커뮤니케이터

한국은 정말로 최고의 인터넷 속도와 LTE가 세상과 그들의 비즈니스 부분에까지 사회가 긴밀하게 서로가 연결되어있다. 하지만 카톡과 같은 앱과 스마트폰을 통한 커뮤니케이션의 편의성과 과다 선호로 인해 문제가 발생하고 있다. 모든 사람이 전투적으로 자판을 치고 있는 회사의 모습을 당신이 보았다면 아마도 당신은 "Wow 정말 열심히 일한다." 이렇게 생각했을 것이다. 하지만 한 번 더 살펴보면 꼭 그런 것만은 아닐지도 모른다.

3. 스트레스와 음주 후유증에 시달리는 직장인들

한국 회사들은 직장인들이 회식을 정기적으로 할 수 있게 장려하는 문화가 있다. 이러한 것들을 통해 그들의 회사에 대한 충성도도 높이고 직원들 사이의 관계도 강화한다고 믿는다. 회식에서 술자리가 밤늦게 이어지고 음주량이 과하더라도, 다음날 정시에 출근만 하면 아무 문제가 되지 않는다. 그렇게 과하게 술을 마신 직원들은 차라리 다음날 회사에 출근을 안 해도 좋을 것 같다. 왜냐하면 전날 밤 적절한 휴식과 회복을 하지 않은 직원은 그다음 날, 하루 종일 멍 때리며 두통에 시달려 그들이 그동안 회사에서 해왔던 충분한 역할을 하지 못하기 때문이다.

4. 모양과 형식에 대한 지나친 집착과 바쁜 척하는 기술

파워포인트를 많이 쓰는 것도 문제다. 반나절 정도면 조사가 끝날 수준의 리포트였지만 외적인 치장을 위해, 차트를 만든다든지 더 멋진 이미지를 찾는다든지, 너무나도 많은 시간을 투자한다. 고작 비공식적인 회의에서 10분 정도 발표할 분량에 대해서도 외적인 아름다움을 위해 그렇게 많은 시간을 소모한다는 것은 매우 비효율적인 일이다. 더구나 한국 사람들은 누군가에게 바쁘다는 인상을 주는 것이 좋은 것이라는 생각을 가진다. 회사에서 일이 바쁘지 않더라도 늘 바쁜 척해야 한다.

5. 시간의 파킨슨 법칙Parkinson's Law

파킨슨 법칙은 조직의 구성원 수가 증가하는 것은 업무량의 증가와는 관계가 없다는 이론인데 업무라는 것이 그것을 완수하기 위해 시간에 맞추어 증가한다는 것을 알려준다. 한국의 근로자들은 회사가 그들이 일이 있든 없든, 야근을 당연하게 생각한다는 사실을 잘 알고 있다. 이것은 또 다른 형태로 노동자들이 가진 그들의 회사에 대한 충성심을 확인하는 방법이다. 그래서 자연스레 나타나는 것이 파킨슨 법칙이다. 당신이 밤 10시까지 일해야 한다는 사실을 알게 된다면 5시까지 왜 일을 마치겠는가? 당연히 일을 효율적으로 할 수 있을까?

생산성 수수께끼, 구글은 이렇게 풀었다

일하기좋은 직장인 GWP에서 항상 선두에 올라있는 구글은 직원 행복경영의 대명사다. 구글은 기술이 발전하고 직원에게 막대한 투자를 해서 직원만족 경영을 하는데 생산성은 오르지 않는 생산성의 수수께끼Productivity Puzzle를 빅데이터를 활용해서 답을 찾은 결과를 소개했다. 구글은 이 문제에 대한 해답을 사람 간의 관계에서 찾았다.(중앙일보. 2017.02.05)

구글은 수년간 행복한 기업, 일하기 좋은 기업 상위권에 이름을 올렸지만 정작 직원의 생산성은 높아지지 않았다. 생산성 지표로 활용되는 직원 1인당 순이익 기여도 살펴보면 2006년 28만 8300달러에서 2007년 25만 달러, 2008년에는 20만 달러로 3년 내리 하락세를 보였다. 구글은 인사 관련 데이터를 자체 분석해 생산성 문제를 풀기 시작했다. 구글에서 수만 건의 인사 빅데이터를 분석한 결과, 생산성이 좋은 상위 25% 팀과 하위 25%인 팀을 구분 짓는 결정적 요인은 관리자의 탁월한 리더십이었다.

2009년 구글 인력분석팀People Analytics은 '프로젝트 산소Oxygen Project'를 발족해 구글 내 팀장급 이상에 관한 자료 100종류, 1만 건 이상을 수집해 분석했다. '좋은 리더야말로 조직의 산소'와 같다는 뜻으로 좋은 리더의 요건을 알아내기 위해 착수한 프로젝트였다. 꼬박 1년이 걸렸다. 좋은 리더가 되기 위한 8가지 조건이 추려졌다. 라즐로 복Laszlo Bock 구글 최고인적자원책임자CHRO는 "조건들을 중요도에 따라 순위를 매기자 뜻밖의 결과가 나왔는데 직원들은 기술적인 우수성(전문성)을 가진 리더보다 1대 1 미팅을 자주 만들어 대화하고, 직원들의 삶과 경력관리에 관심을 가져주는 리더를 선호했다."라고 말했다.

구글은 프로젝트 산소 내용을 적극 전파하며 팀장 교육에 적용했다. 결과는 만족스러웠다. 최하위에 속하던 팀장들의 4분의 3은 팀원들로부터 리더십이 개선됐다는 평가를 받았다. 3년 내리 하락세를 보이던 직원 1인당 순이익 기여도 역시 2010년 34만 달러로 올랐다. 구글은 2011년 3월, 이 내용을 '구글 룰스Google's Rules'라는 사규로 만들었다.

그런데 2011년 말 직원 1인당 순이익 기여도가 29만 달러로 줄더니 2012년 19만 달러로 하락했다. 그러자 구글은 2012년 '전체는 부분의 합보다 크다.'는 아리스토텔레스의 명언을 차용해 프로젝트 산소 성공의 후속작으로 '프로젝트 아리스토텔레스'를 발족했다. 목적은 그룹 간 생산성 차이를 해결하는 방법을 연구하는 것이었다.

엔지니어, 통계 전문가, 심리학자, 사회학자 등 전문가가 모여 구글 내 180개가 넘는 팀을 분석해 생산성이 좋은 팀의 비결을 찾기 시작했다. 아리스토텔레스 연구원들은 팀 내 생산성을 높일 수 있는 팀원들의 규범을 찾는 데 4년의 시간을 쏟았다. 그렇게 해서 생산성 높은 팀원들이 '불문율'로 묘사했거나 '팀 문화'의 일부라고 설명했던 사례를 추려냈다. 2015년 말 연구 결과 발표에서 "생산성을 높이는 데 업무량이나 물리적인 공간은 크게 중요하지 않다."라며 "중요한 것은 발언권(타인에 대한 배려)과 사회적 공감"이라고 말했다.

'사회적 공감'이 부각된 것은 통념을 깨는 연구 결과였다. 결국 삶의 대부분을 직장에서 보내는데, 가면을 쓰고 살아가면 행복한 삶이라고는 할 수 없을 것이며 직원이 직장에서 행복하게 일할 수 있게 도와야 생산성이 극대화된다는 믿음은 변하지 않았다. 구글은 이같이 두 실험에서 '직원이 직장에서 행복하게 일할 수 있게 도와야 생상성이 극대화되고 함께 일하는 사람들 사이에서 최고의 제품과 아이디어를 낼 수 있다.'는 소중한 결론을 얻었다.

3 'Smart 워라밸'의 미래와 행복방정식

경영의 대이동과 직원 행복경영

차세대 경영사상가로 존경과 주목을 동시에 받고 있는 경영학 교수 데이비드 버커스David Burkus 박사는 베스트셀러로 알려진 『경영의 이동』을 통해 기존의 통상적 기업 운영 원칙들에 정면으로 도전하면서 "지금까지 없던 방식으로 인사 방식을 전환하라."라고 말한다. 그는 관련 분야의 최신 연구 결과들을 바탕으로, 전통적 경영 방식의 상당수가 근본적으로 잘못되었을 뿐만 아니라 오히려 생산성에 방해가 될 수도 있다는 사실을 발견해냈다.

'지금까지 세상에 없던 성공의 방식'으로 경영은 물론 인사의 방식을 대전환해야 한다고 주장한다. 그러면서 고객을 2순위로 하고 먼저 직원들 행복과 만족을 위해 직원들 간에 과도한 경쟁을 금지시키고 단기 실적평가마저 폐기하는 방향으로 변화되고 있다는 것이다. 직원이 행복하고 인간존중의 경영방식은 실제 기업경영의 현실에서 경쟁우위 확보를 위한 중요한 핵심전략으로 경영방식이 바뀌고 있다. 성공적인 조직은 다른 어떤 요소보다도 사람을 중시한다. 미국 스탠퍼드 대학 교수인 제프리 페퍼Jeffrey Pfeffer는 『휴먼 이퀘이션』 『숨겨진 힘:사람Hidden Value』 등의 저서에서 조직이 지속적인 경쟁우위를 제고시키기 위해서는 인간존중 경영을 실천하여야 한다는 새로운 패러다임을 제시하였다. 즉, 어떤 기업이 경쟁기업에 비해 더 높은 성과와 수익을 내도록 경쟁력을 높이고 경쟁우위를 가지려면 낮은 원가, 더 좋은 품질, 또는 고객 만족을 우선순위의 전략으로 추진하기보다는 기업 구성원을 최우선으로 여김으로써 그들로 하여금 고객에게 최고의 서비스를 제공하도록 하여야 한다는 것이다. 이를 통해 고객 로열티를 높여서 누구나 쉽게 모방할 수 없게 되고 결국 지속적인 수익성을 창출할 수 있다는 것이다.

1980년대 이후 일하기 좋은 일터GWP, Great Work Place에 대한 연구가 전개되면서 상사에 대한 신뢰, 업무에 대한 자부심, 동료와 즐겁게 일하는 동료애가 공통 요소로 판명되었다. 로버트 레버링Robert Levering은 기업의 GWP 수준을 진단하는 도구로 신뢰 경영지수Trust Index를 개발하고, 1998년부터 포춘지와 공동으로 '일하기 좋은 100대 기업'을 발표해오고 있으며 우리나라에서도 매년 GWP 100대 기업을 선정하여 시상을 해오고 있다.

GWP는 결국 직원이 행복해야 고객을 행복하게 할 수 있고, 고객이 행복해야 이익이 많이 남아 주주를 행복하게 해 줄 수 있기 때문에 GWP에서 발표한 자료들에 의하면 일하기 좋은 기업 Top 10 기업의 평균 이직률은 2%이고 3배의 높은 성과를 창출한다고 보고하고 있다.

돌이켜보면 과거 회사에서 필요했던 충성심의 핵심은 회사에 대한 애사심이었다. 애사심을 바탕으로 자신을 버리고 이른 아침부터 밤늦게까지 일을 열심히 하는 것이었고 자기 자신보다는 회사와 오너와 같은 주인 만족이 우선시됐다. 그러나 지금의 변화된 경영 환경이나 개인들의 사고방식이 급변한 상황에서 이러한 생각은 더 이상 작동하기 어려워지고 있다.

설령 작동하더라도 맹목적 애사심이나 충성심은 오히려 회사에 해가 되기도 하고 효과적인 방법이 아닐 수 있다. 오늘날의 애사심이나 충성심은 자기가 하는 일이나 업무에 몰입하여 성과를 만들어 내어 회사에 공헌하는 일이 무엇보다도 중요한 시대가 되었다. 궁극적으로 내가 하고 있는 일이 고객의 만족을 위한 일이 돼야 하고, 내가 스스로 일의 주인이 되는 것이 무엇보다도 중요한 과제가 된 것이다. 다시 말하면 회사나 주인에 대한 애사심 발휘보다는 일에 대한 몰입을 통해서 고객에게 헌신하는 것이 더욱 중요한 충성심이 된 것이다. 그래서 초일류기업들이 제1 전략을 직원 만족에 두고 있으며 목표 달성 능력도 중요하지만, 변화무쌍한 환경 속에서 목표를 설정하는 능력을 중요시하고 있다.

실제로 매년 포춘에서 발표하는 '미국에서 일하기 좋은 100대 기업'과 'S&P 500' 기업의 7년간 연평균 성과 지표들을 비교했을 때, 전자가 후자보다 3배 정도 높은 성과를 보인다는 연구 결과도 있다. 직원들이 좀 더 직장 생활에 만족할 수 있도록 회사가 관심을 가져야 할 이유가 여기에 있다.

한국형 행복한 일터K-GWP 모델과 기업들의 사례

"사원들을 놀게 해야 해! 업무 할당량 따위는 필요 없어, 사원들은 다 알아서 해."

일본의 미라이 공업은 선풍기를 틀어 가장 멀리 날아가는 쪽지에 적힌 이름부터 과장을 시키고, 볼펜을 던져 과장 승진자를 정하기도 해서 화제가 되었다. 내가 '사원 유토피아 경영'으로 유명한 이 회사 야마다山田昭男 사장을 초청하여 인간

존중의 경영 현장 사례를 직접 듣도록 하는 세미나를 개최한 일이 있었다. 벌써 10여 년이 지났으니 우리나라에서는 거의 들어보기 어려운 사례 발표라 5백여 분이 참석하여 대성황을 이루었다. 칠순에 접어든 야마다 사장이었지만 괴짜다 싶을 정도의 그의 경영론은 귀를 의심할 정도로 파격적이었다.

그 당시 나는 물론 참석자들은 입을 모아 그러한 경영방식은 '선진국 일본이니까 가능하다'는 사실과, 야마다 사장의 과거 전력이 연극배우였다는 개인적 차이 때문에 가능하다고만 여겼다. 물론 선진국 굴지의 기업(구글, SAS 등)에서나 가능할 뿐, 여러 여건에 의해 국내에서는 아직 시기상조라는 의견 역시 만만치 않았다. 하지만 머나먼 외국의 이야기라고만 생각했던 GWPGreat Work Place, 일하기 좋은 기업를 표방하는 기업들이 이미 국내에 생각 이상으로 많이 존재하며 그들의 이야기는 놀라움을 넘어선 충격으로까지 다가올 정도다.

특히 우리만의 역사와 민족의 고유한 DNA인 신바람을 일으켜 한국인의 강점을 살려서 한국형 일하기 좋은 일터K-GWP의 모델을 만들어 과감하게 조직문화를 혁신하기 위해 새로운 출발이 필요하다. 이에 우리 문화에 맞게 마음경영. 감성경영, 행복경영 같은 우리 정서에 맞는 새로운 경영방식으로 일하기 좋은 직장을 성공적으로 실천하고 있는 우리 기업들 실천사례가 점차 늘어나고 있다는 것은 매우 고무적인 현상이요, 반가운 일이다.

더구나 이러한 모델은 어디까지나 우리 민족이 가지고 있는 고유 DNA를 살려 나가야 한다. 예를 들어 우리 의식 속에는 정情이라는 게 있다. 정의 문화가 잘못하면 한恨이 서리지만 신바람으로 연계되어 나간다면 폭발적인 힘을 발휘한다는 사실에 주안점을 두고 한국형 모델K-Model로 발전시켜 미국이나 일본과는 다른 형태로 진화되어 나가야 한다.

나는 7년 전에 일본식 인사제도나 미국식의 성과주의와는 다른 '한국형 인사조직 모델'을 만들고자 내가 회장을 맡아 연구회를 시작했다. 다양한 분야에서 인사관리 전문가로 활동 중인 70여 명의 연구회 회원들이 매년 우리식의 인사관리 모델을 연구하고 사례를 발굴하고 있었는데 2018년까지 한국형 일하기 좋은 직장 현장 사례 30여 개를 발굴하게 되었다.

내부 보고서 3집 중 2집인 『직원 행복경영』과 『왜 행복경영인가』 책자는 '한국형 인사조직 연구회'에서 심도 있는 연구 끝에 선별한 '한국형 GWP' 현장 사례를 소개하는 사례집으로 직접 현장을 방문하여 CEO 강의도 듣고 각종 제도를 소개받아 구체적인 내용을 연구회 회원들이 정리한 소중한 사례집들이다. 이 책에 소개된 기업들은 채용제도와 연봉과 복지, 경영과 기업문화 등에서 일반인들이 언뜻 생각하기 힘든 파격을 선보이며 사람 중심의 행복경영을 몸소 실천하

표〈1〉 주요 한국형 일하기 좋은 직장 K-GWP

회 사	대 표	경영유형	주 요 방 향
마이다스아이티	이형우	행복경영	자연 인본주의 실천을 통한 직원행복 추구
휴넷	조영탁	행복경영	일을 통해 자신의 꿈과 행복을 실현하는 기업
서린바이오	황을문	마음경영	마음경영으로 100년 기업을 꿈꾸고 준비하는 회사
여행박사	신창연	FUN경영	'한국의 미라이 공업'을 목표로 행복을 파는 회사
범우연합	김명원	인본경영	직원을 위한 직원에 의한 직원중심 인본경영
삼구아이앤씨	구자관	인본경영	직원을 소중히하고 직원이 주인인 회사
한국콜마	윤동한	인본경영	사람을 키우고 미래의 꿈을 키우는 유기농 경영
유한킴벌리	최규복	인본경영	인간존중으로 사람 냄새가 나는 착하고 강한 회사
대정요양병원	이지원	감사경영	직원이 행복해야 환자가 행복해지는 병원구현
네패스	이병구	감사경영	감사경영과 협업의 실천으로 직원행복 경영실현
세트렉아이	박선동	신뢰경영	직원들의 자부심을 키워 우주개발에 도전
우아한형제들	김봉진	자율경영	평범한 사람들이 모여 비범한 성과 창출

고 있다.

이러한 시도는 현재 진행형이며 앞으로 어떠한 결과로 나타날지는 누구도 장담할 수 없지만, 사례에 소개된 회사들은 지금까지의 발전과정이나 회사의 성장세로 볼 때 히든 챔피언, 글로벌 기업으로 가는데 분명 뚜렷한 성과와 긍정적 결과를 낳고 있다.

이러한 국내 기업들의 변화는 여러 곳에서 나타나고 있다. 한국 일터혁신그룹에서는 구성원 만족과 행복을 위한 한국형 K-GWP Index와 모델을 개발하였다. 이는 서구에서 유행하고 있는 GWP를 한국기업 현실과 우리 풍토에 맞게 수정 보완한 것이다. 과거, 현재, 미래를 아우르는 구성원 관점에서 삶의 질을 측정하는 종합 행복 진단 모델로서 회사의 비전, 공정성, 자부심, Fun, 가족 친화 등의 항목을 스마트폰 앱을 통해 리얼 타임으로 측정할 수 있는 한국 일터 행복지수Korea-Workplace Happiness Index를 개발하여 특허를 받아 적극적으로 보급을 하고 있다.

행복 측정 모바일 앱' 'TOUCH'

한국 일터혁신그룹은 2018년 9월 조직 내 구성원들의 행복온도를 모바일로 스스로 쉽고 재미있게 측정하고, 분석데이터를 제공함으로써 스스로의 행복온도를 관리할 수 있게 유도하는 '0.1초 self-행복 측정 모바일 앱' 'TOUCH' 를 개발했다.

0.1초 클릭 하나로 쉽고 재미있게, 실시간으로 '나의 행복온도' 측정과 분석이 가능하게하여 행복지수의 관리를 유도 구성원들이 행복온도를 스스로 쉽게 측정하고, 관리할 수 있게 유도함으로써 기업의 생산성과 효율성 향상에 기여하기 위해서 자기 주도적인 행복 만들기를 스스로 움직이고 행동 할 수 있게끔 행복지수를 리얼 타임으로 즉시 분석해서 보여주는것이 특징이다.

이시스템은 3단계로 이루어 지는데 행복온도 측정→행복온도 진단→Self-행복관리를 통해 조직의 생산성 향상이어지도록 설계되어 있다. 구성원들의 동기부여, 조직 활성화, 커뮤니케이션의 변화, 구성원들의 만족과 신뢰구현을 통하여 직무몰입, 조직의 생산성을 원하는 기업/기관에서 활용한다면 SELF-행복관리를 유도하는 누계 결과 보고서를 일별, 월별, 3개월, 6개월, 1년 등의 추이에 대한 결과는 물론 개인별, 팀별, 회사별, 산업별, 성별, 연령별, 직급별, 연차별, 한국전체 행복변화 추이와 관련 자료를 제공해준다.

따라서 이러한 빅데이터를 분석하면 평균 행복도가 주기적으로 낮은 팀, 부서를 알 수 있으며, 누계 데이터를 활용해서 팀별로 전략을 다르게 짜는것도 가능하며 회사전체의 중장기 직원 행복경영에 대한 전략수립을 하는데 유용하게 활용할 수 있다.

정부에서도 가족친화 기업 인증제도는 여성가족부가 2008년부터 시행해 오는 사업으로, 근로자들이 가정생활과 직장생활을 조화롭게 병행할 수 있는 사회환경 조성을 촉진하기 위해 시작되었는데 올해까지도 계속 진행되고 있다. 아울러 CEO 조찬 40년의 역사를 가진 인간개발연구원에서는 '인간존중 경영대상'을 부문별로 시상을 하고 있고, 한겨레 신문도 일하기 좋은 기업을 발굴하여 매년 시상을 하고 있다.

4차 산업혁명이 가져올 인사조직의 새 물결

이제 4차 산업혁명의 시대가 왔다. 이미 진행되고 있다. 당연히 변화하는 시대에 맞게 경영방법도 달라져야 한다. 4차 산업혁명이 필요로 하는 것으로 변해야 한다. 1차 산업혁명에서는 초보적인 기계와 인간의 노동으로 생산경영시대가 열렸다. 2차 산업혁명에서는 대량생산을 해결하기 위한 판매 경영이었다면 3차 산업혁명에서는 이미지를 만들어내는 지식의 공유와 감성경영이 필요했다. 이제 시작된 4차산업혁명에서는 기술융합으로 인한 초연결Hyper-connected과 인공지능AI, Artificial Intelligence 시대가 다가왔다.

4차 산업혁명을 만들어내는 주역이 되기 위해서는 노동과 이미지 그리고 감성보다 더 중요한 것이 있다. 바로 상상력이다. 4차 혁명시대의 중요한 요소가 상상력이라고 했다. 상상력은 강제된 상황에서는 나오지 않는다. 자유롭고, 기분이 집중된 상황에서의 몰입으로 탄생한다. 그러려면 불안이 없고, 상상이 자유로워지는 환경과 즐거운 웃음이 존재할 때 새로운 발상이 떠오른다. 슬픔의 감정에서 발명이 이루어지지 않으며, 지나친 즐거움의 감정도 생겨나지 않는다. 하지만 마음이 안정된 상황에서 편안할 때 정신을 집중시키는 시간이 필요하다. 무한한 상상력을 만들어내고 창조를 통해 이를 현실화하는 작업이 바로 4차 산업혁명 시대라고 할 수 있다. 중앙 집권하던 시대에서 분권화로 대변되는 새로운 인사조직의 대변화가 일어나고있다. 이를 종합하여 정리하면 이런 도식이 나온다.

1차 산업혁명 (증기기관)	2차 산업혁명 (전기)	3차 산업혁명 (전자)	4차 산업혁명 (CPS, AI, IOT)

조직구조	중앙집권(Centralization)	분권화(Decentralization)
조직문화	타율성/획일성	자율성/다양성
조직운영	수직적/통제	수평적 연대/협업
노동형태	단순→복잡노동	근면성→상상력
인재조건	전문성 발휘	창의/몰입
리더십	톱다운/수직적	보텀업/수평적
동기요인	충족의 욕구(외적동기)	실현 욕구(내적동기)

출처: 삼성 HRWAY

그림〈4〉 4차 산업혁명이 가져올 인사조직변화

4차 산업혁명은 자기표현과 자아실현이라는 '나'의 욕구를 추구하는 인문 혁명이기도 하다. 즉 4차 산업혁명의 새로운 일자리는 주로 자기표현을 위한 개인화된 맞춤식 소비에서 창출될 것이다. 소비가 정체성을 결정하는 '경험 경제'가 도래하고 있다. 개인화된 맞춤 서비스가 일자리의 원천이 된다는 것이다. 일자리는 이러한 4차 산업혁명 기술을 바탕으로 개인화된 서비스를 제공하는 직업에서 우선 창출된다. 예를 들어 핏빗의 건강관리 서비스, 에어비앤비의 운영자들이다. 로봇 및 인공지능과 협력한 융합 지능으로 개개인의 맞춤 서비스를 제공하는 직업군이다.

그래서 4차 산업혁명은 인간을 연구하는 인문학과 융합하게 된다. 이제 인간의 욕구는 물질에서 정신으로 이동하게 된다. 결국 놀이와 문화가 최대의 산업으로 부상할 것이다. 이제 인류는 개별적 인간에서 초연결된 집단 인간으로 진화하고 있다. 인간의 범위가 확대되면서 세상은 다시 작아지게 된다.

과거의 작은 마을과 같이 경제적 가치와 사회적 가치가 순환할 수 있게 된다. 사물을 다루는 기술과 우리를 다루는 경제 사회와 나를 다루는 인문학이 초융합하는 4차 산업혁명 사회를 KAIST 이민화 교수는 '스스로 자기 조직화하는 초생명 사회'라 명명하고 있다. 세상이 변하면 생각이 변하는 것이 아니라, 생각이 먼저 변해서 세상을 바꾸어야 한다. 세상이 변하면 생각을 바꾸는 사람은 늘 추종자에 머물 것이고, 생각을 바꿔 세상을 바꾸는 사람은 영웅이 될 것이다.

삼성은 왜 컬쳐 혁신과 뉴New삼성을 시작했을까?

삼성은 수직적이고도 권위적인 문화와 타이트한 업무방식으로 잘 알려져 있다. 그런데 2015년 7월 삼성전자에서는 예전에는 사내에서는 좀처럼 볼 수 없는 일이 벌어졌다. 임직원들의 집단지성 플랫폼인 모자이크MOSAIC에서 '글로벌 인사제도 혁신'을 주제로 온라인 대토론회를 실시했으며 총 2만 6천여 명의 임직원이 참여해 1,200건이 넘는 제안이 쏟아졌다. 그리고 2016년 3월 '컬처 혁신 스타트업 삼성' 선포식을 개최하였다. 이를 통해 스타트업Startup 기업의 실행력과 수평적 소통문화를 조직 전반에 뿌리내리겠다고 선언했다.

그리고 6월 말까지 기업문화를 근본적으로 뜯어고치기 위한 혁신작업 결과를 발표하기로 약속한 것이다. 그 후 드디어 2016년 6월 24일 'Startup 삼성 컬처 혁신'을 선포했다. 임직원들의 다양한 의견을 수용한 결과로 수평적 조직문화 구축, 업무 생산성 제고, 자발적 몰입 강화 등 3대 컬처 혁신 전략이 제시되었다. 삼성의 이 같은 혁신 시도는 이건희 회장이 25년 전 신경영 선언을 통해 '글로벌 삼성'을 주도한 이후 그룹의 재도약을 선포한 것이라는 해석이 많다.

이재용 부회장의 이러한 '실리콘밸리식 스타트업 조직문화' 선포는 25년 전인 1993년 6월 이건희 회장이 독일 프랑크푸르트에서 '신경영 선언'을 한 것과 비견된다. 권위주의적 문화와 자기 변화에 둔감한 타성에서 벗어나 새롭게 다시 스타트업으로 태어나라는 주문은 시대변화와 경제환경의 현격한 차이에도 불구하고 철학과 정신에서 일맥상통한다고 할 것이다.

실제로 1993년 신경영 선언 이후 삼성은 매출(1993년 28조 원에서 2015년 300조 원)에서 1000% 이상, 브랜드 가치에서 글로벌 톱 8위 수준으로 괄목 성장하는 등 눈부신 발전을 이루어 글로벌 기업으로 우뚝 서게 되었다. 삼성전자는 2015년만 해도 위기라는 평가를 받았다. 삼성전자는 이러한 평가를 오히려 새로운 도약의 발판으로 삼으려고 2016년은 실리콘밸리의 스타트업을 배우면서 동시에 퍼스트 펭귄First Penguin이 포식자로부터의 위험을 마다하지 않고 가장 먼저 바다에 뛰어들어 무리를 이끄는 펭귄처럼 위험과 불확실성을 감수하고 용감하게 도전하는 혁신적인 자세로 자기 체질 강화에 채찍을 가한 것이다.

그런 의미에서 삼성그룹의 핵심 기업인 삼성전자는 '삼성 컬처혁신'을 선언했고 약속대로 인사 혁신을 포함한 대변신을 선언한 것을 보면 하나의 운동으로 끝나지 않고 진정한 변화의 의지를 감지할 수 있다. 이재용 부회장의 의중이 크게 작용했다. '예전 삼성의 권위적인 문화로는 임직원의 창의성을 살릴 수 없다.', '과거 방식으로는 글로벌 기업들과 경쟁이 안된다.'는 현실 인식, 위기의식이 짙게 깔려 있는 것이다.

삼성전자가 2016년 6월 27일 2017년부터 본격 적용할 인사 혁신안을 발표한 배경도 바로 이러한 변화에 신속하게 대응하기 위한 발 빠른 조치임에 틀림없다. 삼성전자 측은 "글

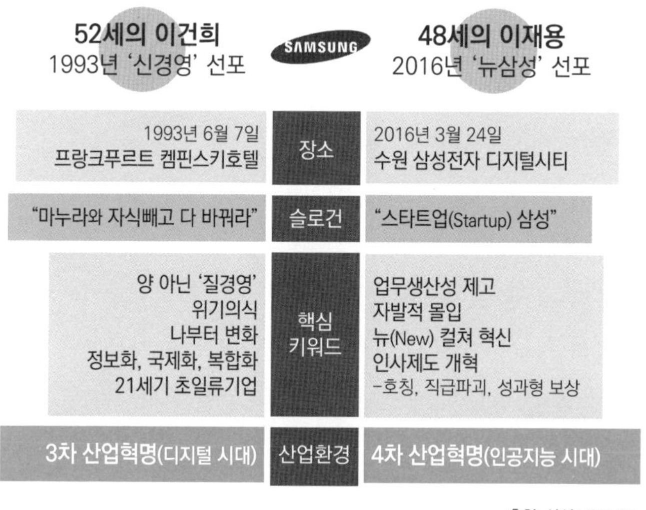

그림〈5〉 신경영과 뉴삼성의 비교

로벌 경쟁력 제고와 창의적, 수평적 조직문화 조성을 위해, 기존 연공 주의 중심 인사제도를 업무와 전문성을 중시하는 '직무·역할' 중심의 인사 체계로 개편한다."고 설명했다. 즉 삼성은 이번 혁신을 통해서 외적으로는 과거 제조 중심에서 소프트웨어나 바이오 같은 신사업으로 전환하기 위해, 내적으로는 젊은 세대들의 의식과 행동 변화에 능동적으로 대응하여 젊은 사람들이 자기가 하는 일에 자발적 몰입을 유도하기 위해 문화를 바꾸고 있다.

이번 개편안에는 크게 경력개발 단계 직급체계 도입, 수평적 호칭, 효율적 회의문화, 스피드 보고문화, 불필요한 잔업·특근 근절, 계획형 휴가 정착 등 총 6가지의 혁신방안이 들어있다. 삼성전자는 우선 부장·차장·과장·대리·사원(1~3) 등 수직적 직급 개념을 직무 역량 발전 속도에 따라 4단계(CL1~CL4)로 단순화한다. 이어 임직원 간 공동 호칭은 '~님'으로 쓰고, 부서 업무 성격에 따라 '프로', '선후배님', 영어 이름 등 상대방을 존중하는 수평적인 호칭을 자율적으로 쓰게 했다.

아울러 회의는 반드시 필요한 인원만 참석해 자유롭게 의견을 내고 최대 1시간을 넘기지 않도록 했다. 회의할 경우 반드시 전원이 발언하고 결론을 도출해 이를 꼭 지킬 것도 명시했다. 빠른 의사결정을 위해 직급 단계를 거치지 않는 '동시 보고'를 활성화하는 등의 보고문화 개편안, '눈치·습관성' 잔업·특근 근절, 연간 휴가 계획을 사전에 자유롭게 수립하는 계획형 휴가 문화 정착 안, 반바지 착용 등 복장문화 자율화와 함께 과감한 개혁의 내용이 포함되어 있다.

삼성전자는 2018년 인터브랜드가 평가한 브랜드 가치가 599억 달러로 도요타를 제치고 6위로 올라섰고, 2018년 매출 250조, 영업이익이 사상최대인 65조를 눈앞에 두고 있는 것을 보면 우연한 결과는 아닌 것 같다.

일과 삶 그리고 행복 방정식

최근 기업과 경영계의 트렌드는 '사람 중심 경영'이다. '사람 중심 경영'이란 조직의 단기적인 이윤 추구와 효율성 대신 구성원의 행복과 상생을 중시하는 경영이론으로, 선진국에서는 '사람 중심 경영'을 기존 신자유주의 경제가 초래한 양극화 문제를 극복하고 지속 가능한 발전을 가져다줄 새로운 경영의 트렌드로 주목하고 있다. '사람 중심 경영'의 도입 방안으로 가장 주목받고 있는 것이 바로 '직원 행복경영'이다. 사원들이 회사를 통해 행복함을 느끼고, 자기 생활이 즐거워야 회사를 위해 자발적으로 일에 몰입하여 최선을 다해 일하게 된다. 그러면 자연스레 고객 만족이 되고 개인과 회사는 발전하게 된다는 논리다.

마침 신정부의 국정과제가 사람 중심 경제요 국민 행복이다. 더구나 정부가 근로시간을 단축하고 일과 가정의 양립 즉 워라밸을 통해 저녁이 있는 삶을 강력하게 추진하고 있다. 그러나 워라밸이 단지 칼퇴근만을 강조하는 운동이나 캠페인에서 그칠 것이 아니다. 이는 워라밸이 협의의 의미에서 본다면 나름대로 의미가 있다. 하지만 광의의 의미에서 좀 더 멀리 스마트 워라밸을 바라보고자 한다.

즉 모처럼 세차게 불고 있는 워라밸이 일하는 관행과 권위주의와 통제 중심의 기업문화를 바꾸어 생산성을 끌어올리면서 일과 생활의 균형의 기회를 제공해 직원들이 업무에 자발적으로 몰입하도록 하자는 것이 스마트 워라밸의 핵심이다.

행복경영의 원리는 의외로 간단하다. 행복하게 일하는 여건을 만들어 주면 사원은 행복하게 일하고, 행복하게 일하게 되면 몰입이 가능하고, 창조적인 발상이 생겨난다. 당연히 따라오는 것은 높은 생산성과 이익의 증대다. 회사는 월급을 타기 위한 일터가 아니라 개인의 인생과 목표를 달성시켜주는 꿈의 실현으로서의 공동체다.

삶의 행복방정식도 동일하다. 일을 재미있게 해야 하고, 재미있게 하면 몰입이 가능해진다. 몰입이 가능해지면 행복해지는데 행복은 개인과 기업에 함께 다시 행복을 재생산하게 한다는 원리다. 일이 재미있으려면 근무환경도 좋아야 한다. 행복경영은 경영자가 근로자에게 배려로 베푸는 것이라기보

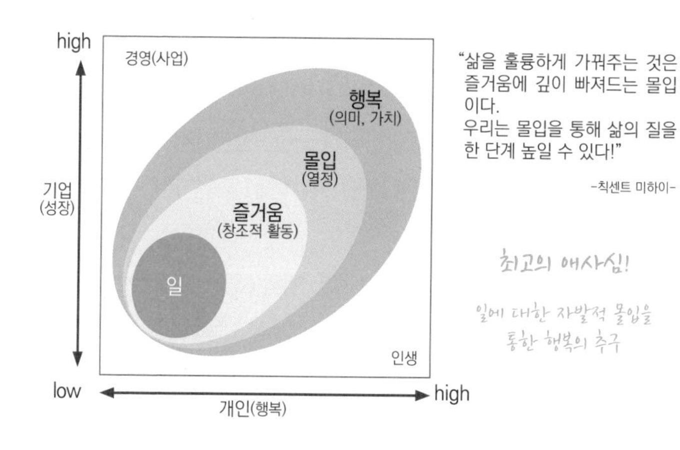

그림〈6〉 일과 사업(경영)을 통한 행복실현

다는 살아남기 위한 생존전략이자 아름다운 사회를 만들기 위한 당연히 가야 할 길이요 세상을 행복하게 하는 방정식이다.

따라서 경영은 사장이나 대표이사의 몫이 아니라 사원들도 함께 참여해야 할 의무이며 권리로 바뀌고 있다. 사원과 경영자가 다른 것이 아니라 함께 같은 목적을 가지고 가는 동료다. 회사는 생산을 위한 공동체가 아니라 공익을 위한 공동체다. 이익이 중요한 요소지만 이익은 행복하게 일한 과실이다. 땀과 눈물의 결과물이 아니라 웃음과 행복하게 일한 즐거움으로 생긴 결과물이다.

직장인들은 하는 일이 재미있어야 하며 재미를 통해 일에 몰입하게 되고 이러한 몰입을 통해 성취감을 느끼며 살아가는 삶이 인생에서 행복해지는 선순환이 필요하다. 이를 위해서는 경영자가 앞장서서 신바람 나는 분위기의 일터를 만들어 직원들의 행복지수를 높이고, 혁신적인 제품을 만들어 고객들의 행복지수가 높아지고, 나아가 경영이익 일부를 사회에 환원해 사회 구성원 다수가 행복해질 수 있도록 하여 Happiness hungry 국가라는 오명에서 벗어나야 한다.

제2장

워라밸
스마트워킹으로 승부하라
(What)

1 워라밸을 위한 스마트워킹

진화해가는 스마트워킹

제4차 산업혁명시대에 더욱더 빠른 속도로 발전하고 있는 IT 기술은 우리로 하여금 스마트워킹을 위해 여러 가지의 장비나 애플리케이션을 별도로 요구하지 않는다. 이제 스마트폰과 가벼운 노트북만 있으면 집에서나, 출장을 가서나, 산행을 하거나, 해변에 놀러 가서나, 심지어는 비행기에서 전 세계 어디에서나 업무를 할 수 있는 이른바 Job Nomad 시대다. 스마트워킹에 대해서는 여러 가지로 정의되고 있지만 아래와 같이 한경 경제용어 사전이 가장 잘 정의하고 있다고 생각한다.

'스마트워킹은 정보통신기술ICT을 이용해 고정된 사무실에서 벗어나 언제 어디서나 편리하게 업무를 수행하는 것을 말한다. 유연한 근무환경으로 직원들의 창의적 사고를 돕고, 업무 과정에서 발생하는 비생산적 요소를 줄이는 장점이 있다. 스마트워킹은 일하는 방식뿐만 아니라 문화와 제도 전반을 변화시켜 기업의 가치를 높이기 위한 것이다.'

스마트 워킹에 대한 이야기는 자주 듣는 말이지만 최근의 새로운 IT 기술들이 소개되기 전까지만 해도 스마트워크의 유형을 다음과 같이 구분하였다.

모바일 오피스 스마트기기를 활용하여 언제, 어디서나 일할 수 있다는 개념

스마트워크센터 본사 이외의 지역에 스마트워킹을 할 수 있는 제반 시설을 갖추고 임직원들이 쓸데없이 버리고 있는 출퇴근 등의 이동 시간을 줄일 수 있도록 지원

홈오피스 재택근무를 지원하기 위해 각종 필요한 시설 지원

스마트 오피스 앞의 3가지 개념과는 달리 직장 내에서 각자 지정석이 없이 필요한 대로 자유롭게 좌석을 정해서 근무하는 형태 등 4가지로 나누었다.

최근의 IT 기술은 스마트워킹을 굳이 4가지로 구분할 필요

없이 모바일 오피스와 스마트 오피스 정도로만 구분해도 되도록 클라우드로 지원하고 있다. 다시 말해 이제는 특별히 스마트워크센터나 홈오피스를 위해 별도의 시스템을 준비할 필요가 거의 없게 되었다. 이제는 별도의 시스템이 없이 스마트폰만으로도 스마트워킹을 할 수 있게 되었다. 바야흐로 데이터를 클라우드로 올리는 순간 스마트 워킹할 수 있기 때문에 Any time, Any place, Any device의 업무혁신 시대가 온 것이다.

마이크로소프트Microsoft의 일하는 방식의 혁명: 자율과 협업

2000년대 모바일 시대의 패권을 놓치고 침체기를 보낸 마이크로소프트사는 2013년 대대적인 변화를 단행했다. 차세대 성장 동력 가속화를 위해 클라우드와 AI 서비스를 중심으로 조직의 뼈를 깎는 변화를 시도했다. 사티아 나델라 CEO로의 교체도 그 일환이었다. 효율성과 능력의 혁신이 가능할 수 있게 광범위한 조직 개편이 이뤄지며 변화의 막이 올랐다.

나델라 회장은 자신의 업무가 마이크로소프트 문화를 새롭게 하는 것이라고 천명했다. 조직, 인사평가 시스템, 임원단 등 주요 회사 동력을 개편해 소프트웨어SW 기업에서 클라우드 서비스 기반의 플랫폼 회사로 탈바꿈했다. 지난해 7월 변화는 미국 본사뿐만 아니라 글로벌 조직 개편으로 확대됐다. 한국 지사도 IT 패러다임에 발맞춰 역량을 강화했다. 요즘 한국마이크로소프트는 국내 7월에 도입한 주 52시간 근무제 시행 이후 벤치마킹을 위해 문의를 가장 많이 받는 기업 중 하나다. 광화문에 있는 마이크로소프트 한국 사무실을 찾아 달라진 근무환경을 확인했다.

일하는 방식의 변화(New ways of work)는 마이크로소프트사의 공간, 제도, 기업 인식 전반을 뒤흔들었다. 직원들은 클라우드 서비스 기반의 스마트 오피스가 주효했다고 입을 모았다. 유선으로 연결돼 있던 사무실 전화는 모두 휴대폰이나 컴퓨터로 자동 착신전환 된다. 회의 장소와 시간은 모바일 클라우드 스케줄러에 간단하게 등록하고 대표나 임원들의 스케줄 유무도 파악할 수 있다. 프린터도 자신의 이름으로 연결돼 어느 층에서나 편리하게 이용할 수 있다.

직원 업무 스타일에 맞춘 유연근무제는 완전히 정착했다. 자율출퇴근, 재택근무, 자유좌석 등은 회사의 자연스러운 문화로 자리 잡았다. 근무하기 편한 시간이나 공간은 언제나 옵션이다. 일반 좌석은 컴퓨터 모니터만 있고 서랍도 없어 매일 편한 곳에서 근무할 수 있다. 자신의 노트북이나 개인용품은 사물함에 놓고 열람실처럼 사용한다. 개인 지정 좌석은 일부 IT

관련 개발자들에게 국한된다. 1인석은 독서실처럼 답답하지 않게 널찍한 공간을 활용했고, 카페 조명을 설치해 아늑한 분위기를 연출했다. 소파가 있는 휴게 공간과 업무 공간의 경계를 낮춰 각자 편안하게 작업할 수 있는 공간이 늘어났다. 자율출퇴근이나 재택근무를 위한 별도의 결재 과정은 없다. 개인 재량에 따른다. 재택근무도 외부 미팅이 없거나 집안에 사정이 있을 때 매니저(팀장)에게 구두로 알려주기만 하면 된다. 보고 체계 때문이 아니라 팀 간 원활한 소통이 이유다. 고객 미팅이 없으면 사무실로 출근하지 않는 직원이 많다. 유연근무제가 체계화되며 업무 효율은 가시화됐다. 사무실을 이전하고 1년 후에 사내 직원을 대상으로 설문 조사를 한 결과, 불필요한 회의, 자료 준비나 이동시간이 기존 6.5시간에서 2시간으로 대폭 줄었다. 외부 미팅 때 사무실에 들르지 않고, 집이나 편안한 공간에서 업무가 가능해 이동시간을 줄인 덕분이다.

개인의 자율성만 존중하는 건 아니다. 직원 평가를 기존 성과 등급제인 상대평가에서 절대평가로, 실적 중심에서 팀원이나 주변에 주는 영향력을 중심으로 평가 기준을 변경했다. 2013년, 마이크로소프트사는 전 세계 12만 명 직원의 인사평가 시스템을 창립 이래 처음으로 개편했다. 기존 방식은 전 직원을 1~5등급으로 나누는 평가였다. 팀 전체가 잘해도 어떤 사람은 1등급, 어떤 사람은 5등급을 받을 수밖에 없었다. 리사 브루먼 인사담당 부사장은 '더는 등급은 없다'고 전 세계 직원에게 이메일로 선언하며 커넥트(Connect meeting) 시스템을 새롭게 도입하기로 했다. 커넥트는 부서에 따라 1년에 2~3회 매니저와 직접 미팅으로 업무와 성과를 논의하고 직원들을 평가하도록 하는 제도다. 평가 목표는 얼마나 협업을 잘했는지 여부이다.(포브스 2018년 8월호)

우리나라도 특히 대기업들을 중심으로 그러한 효과적인 스마트워킹을 지원하기 위해 많은 비용을 투여하여 IT시스템을 대체로 자체 개발하여 적용해 왔었다. 그러나 네덜란드에서와 같이 CEO로부터 스마트워크에 대한 개념을 이해하고 오랜 기간 최하위 조직에 이르기까지 업무방식의 변화를 중심으로 스마트워킹을 조직문화에 뿌리내린 회사는 보기 드물다. 그나마 중견 중소기업에서는 유사한 수준의 스마트워킹 성공사례를 찾아보기가 어렵다.

실제로 2010년 들어서부터 공공기관과 대기업들을 중심으로 한때 붐이 일정도로 많은 비용을 투자하여 여러 지역에 스마트워크센터를 세웠지만, 지금은 단순히 회의실로 활용되는 등 그 효용성이 떨어져 철수시키는 회사들이 늘어나고 있다.

이제는 스마트워킹이 스마트워크센터의 구축이나 앞으로 설명하게 될 프라이빗 클라우드 시스템을 구축하는데 필요한 대형 투자가 가능한 대형 기업들만이 실행할 수 있는 전유물이 아니다. 별도의 시스템 개발 능력이나 자금 여력이 부족한 중견기업이나 중소기업도 얼마든지 지금 당장 시작함으로써 스마트워킹을 조직문화에 뿌리 깊게 정착시킬 수 있다. 본서에서 그 기법을 상세하게 소개하고자 한다.

네덜란드의 성공 사례

네덜란드는 세계적으로 근로시간이 가장 짧은 나라이며 전 세계에서 가장 먼저 스마트워크를 정착시킨 나라다. 1인당 국내총생산이 유럽 연합 회원국 평균보다 높다.

이미 2000년부터 틀에 갇힌 낡은 업무 방식과 사무 공간에서 벗어나자는 업무방식의 혁신 운동으로 시작되었다. 당시에는 스마트워크라는 단어가 없었기 때문에 "새로운 업무 방식"이라는 용어를 사용했다. 창의성을 억제하는 관료적인 업무 문화에서 벗어 나, 업무 공간이나 시간의 경계를 없애자는 것이었다. 일주일에 1~2일 정도 회사에 출근하여 간단한 회의나 업무 성과 보고를 하고 나머지 업무들은 집이나 야외에서, 그리고 여행을 하는 중 어디에서나 수행하는 방식이다.

그런데 네덜란드에서 이와 같이 스마트워크 문화가 정착하게 된 중요한 이유 중 하나는 CEO들이 변화에 앞장선 것이다. 직원들이 즐거워지면 일의 성과는 배로 늘어나며, 그 직원들이 만들어내는 창의적인 업무 성과에 따라 기업은 보다 높은 성공을 만들어 낼 수 있다는 것을 CEO들이 먼저 수긍하고 적극적인 도입에 나섰기 때문이다. 또한 스마트워크를 기업 내에 정착시키기 위해서 팀 단위의 소그룹을 결성해 나가면서 업무 방식의 변화를 촉진했다.

다시 말해 네덜란드는 장기간에 걸쳐 스마트워크 센터라는 하드웨어의 개념만이 아니라 스마트워킹의 효과를 극대화하기 위한 여러 가지 조건들을 조직문화에 뿌리 깊게 정착시켰기 때문에 세계 제1의 선진국 중 하나로 발돋움할 수 있었다.

그간 우리 기업들 워라밸 시행의 문제점

시장조사 전문기관인 엠브레인트렌드모니터(trendmonitor.co.kr)가 직장인을 대상으로 조사한 결과, 전체의 76.3%가 한국은 '일과 삶의 균형'을 기대하기가 어려운 사회라고 생각하며, 젊은 세대일수록 부정적인 전망이 강했다. 워라밸은 결국 남의 이야기일 뿐이라는 생각도 절반 이상인 52.8%였다. 개인의 삶보다 일을 중시하는 사회 문화가 강하다 보니 노동시간의 단축이 쉽게 이뤄지기가 어렵다고 생각하며, 향후 워라밸이 이뤄질 것이라는 기대감이 매우 낮은 모습이다.

지난 2018년 2월 28일 법정 근로시간을 주 52시간으로 단축하는 '근로기준법 개정안'이 국회를 통과하였다. '저녁이 있는 삶'과 '워라밸'이 가능해지기 위해 근본적으로 먼저 풀어야 하는 과제는 근로시간 단축이다. 그러나 개인의 시간보다는 조직 및 일의 결과로 나타나는 성과를 더 중요하게 생각하는 사회 분위기가 남아 있는 한 완전한 의미의 '일과 삶의 균형'은 쉬운일이 아니다.

근로시간 단축 법안이 통과되기 전 자료이기는 하지만 구인·구직 플랫폼 사람인이 2017년 발표한 자료에서는 유연근무제를 실시하지 않는다고 응답한 기업이 81%나 되었다. 그 이유로는 '부서 간 그리고 협력사와의 협업에 문제가 생길 것 같다.'와 '업무가 많아 여력이 없다.'는 응답이 각각 35.5%로 가장 높게 나타났다.

기존의 기업들이 유연 근무제를 도입하는 데 있어 불안감을 느끼고 있다는 것을 알려 주는 자료이다. 실제로 도입해도 효과가 낮을 것이라 예상하는 경우가 많았다. 이는 기존의 업무 처리 과정은 그대로 유지하고 유연 근무제라는 제도만을 적용했을 때 나타나는 현상이다.

이와 같이 각종 회의를 통한 면대면 커뮤니케이션, 보고서 처리 체계, 상급자 평가 중심의 인사고과 등 전통적인 방식을 유지한 상태에서 개인의 근로 시간을 조정하면 원하는 결과를 얻을 수 없다. 유한킴벌리는 먼저 면대면 업무 방식을 개선하고 기업 문화를 선진화한 뒤 유연 근무제를 도입했으며, 그 결과 도입 1년 만에 매출이 10% 이상 늘었다고 한다.

우리 기업들도 직원들의 근무시간을 단축하고 생산성을 높이기 위해서는 무엇보다 우선적으로 스마트워킹 하는 것이 CEO로부터 회사의 모든 조직에서 습관화되어야 한다. 그런데 스마트워킹을 하기 위한 선결과제는 내 PC나 회사 서버에 존재하는 데이터를 클라우드 공간으로 이전시키는 일이다. 그래야만 언제, 어디서든, 어떤 디바이스로든 스마트워킹을 할 수 있기 때문이다.

그런데 그 일은 그리 어려운 일이 아니다. 스마트폰에서 활용하고 있는 각종 앱은 모두가 클라우드 컴퓨팅 기술을 활용하고 있다. 다시 말해 스마트폰에서 생성되는 데이터들은 즉시 클라우드 공간으로 저장되며 PC나 회사의 서버에 저장된 데이터들도 동일한 클라우드 공간으로 옮기게 되면 스마트폰 앱을 활용하여 어디에서나 언제든지 어떤 디바이스로든 확인할 수 있게 된다.

친환경 세제 '은나노 스텝'을 제조 판매하는 한국미라클피플사KMPC는 최근 급성장한 대표적 강소 기업이다. 2012년 14억 원이던 매출이 5년 만인 지난해 250억 원으로 약 18배 증가했다. TV홈쇼핑에서 은나노 스텝 다용도 세정제가 히트를 쳐서 대표상품이 된 것이 가파른 성장세의 배경이다.

그런데 직원들은 그 원인이 다른 곳에 있다고 한다.

이 회사 이호경 대표의 업무 철학이 '책상 앞에 오래 앉아있는다고 일 잘하는 사람이 아니다. 일할 때 집중해서 하고 집에 가서 잘 쉬고 오는 사람이 일 잘하는 사람이다.'이기 때문에 모든 직원은 6시가 되면 서둘러 퇴근을 한다고 한다. 야근을 안 하는 것이 습관이 되다 보니 하루에 소화하는 일의 양은 야근을 할 때와 동일하지만 그만큼 업무 효율이나 능률이 높아지는 것을 느낀다고 한다.

따라서 이 회사는 직원들에게 저녁이 있는 삶, 워라밸을 보장해 주는 회사라고 한다. 특별한 스마트워크 시스템을 도입한 것도 아니지만 누구나 다 가지고 있는 스마트폰에 클라우드 모바일 앱 몇 가지 활용하고 이메일을 통해 업무 내용 진행 상황 등을 공유하고 있다고 한다. 단, 이러한 워라밸을 통한 업무 성과는 이 회사 이호경 대표의 남다른 의지가 있고 스마트워킹 하는 문화가 조직에 뿌리내렸기 때문에 가능한 일이다.

구글Google, 애플Apple, 페이스북Facebook, 아마존Amazon, 넷플릭스Netflix 등 실리콘밸리 혁신 기업들은 세계 최고 생산성을 자랑한다. 이들 회사의 직원 수는 일반 제조업체들에 비해서는 1/10도 안 되는 수준이지만 글로벌 증시에서 시가 총액 상위권을 차지하고 있다. 실리콘밸리 기업들이 직원과 체결하는 노동계약서에는 오전 9시부터 오후 5시 또는 오전 10

미국 시스코CISCO의 사례

2010년대 초반부터 최신 IT기술들을 최대한 활용하여 본격적인 스마트워킹을 시행했던 미국 시스코사가 2013년도 스마트워킹의 성과를 측정한 보고서를 발표했다. 당시 전 세계 임직원들의 41%가 미국 이외 지역에서 근무했고, 38%의 직원들은 그들의 매니저가 다른 나라에 근무하는 사람이었다고 한다. 32%의 직원들은 모바일 워커로 분류되었고, 6%의 직원들은 원격 업무로만 업무를 수행하고 있었다고 한다. 스마트워킹을 통한 협업 효과에 따른 비용절감 효과 및 생산성 향상 효과는 다음과 같았다.

- 근무시간 감소 및 생산성 향상: 1.3조 원
- 해외 및 국내 출장 감소 효과: 1조 원
- 영업 성공률 증진에 따른 효과: 2,500억 원
- 기타 각종 지원 및 관리비용 절감과 영업 사이클의 감축에 따른 효과

위의 효과들을 모두 포함하여 총 2.5조 원 이상의 비용절감 및 생산성 향상이 있었다고 한다.

정말 스마트워킹으로만 성과 창출을 했다고는 생각하기 어려운 큰 금액의 효과를 창출해 냈다. 그것도 지금으로부터 5년

전에 말이다. IT 강국이라고 자랑하고 있는 우리는 왜 이루어 내지 못할까?

시부터 오후 6시 업무로 점심시간을 포함하여 8시간을 기본으로 하고 있지만 이를 그대로 지키는 회사와 직원은 많지 않다. 주당 70시간 이상 업무를 처리하는 경우도 적지 않다.

미국의 구글에서는 해외 고객과 시차를 맞춰 전화 회의를 하기 위해 새벽에 일어나 일을 시작하지 않으면 안 되는 등 지금도 야근을 일상처럼 하고 있다고 한다. 회사에서 공짜로 아침·점심을 제공하는 것도 단순 직원 복지 혜택이 아니라 외부 식당을 이용할 때 오가는 시간 낭비를 줄이고 업무 생산성을 최대한 높이기 위한 제도라고 한다.

이처럼 워라밸을 위해 근무시간을 줄이고 유연 근무제를 도입하기 위해서는 기존의 업무 환경에 커다란 변화가 필요하다. 불필요한 회의를 줄이고 의사 전달 과정을 단순화하면 이동 등을 위해 낭비하는 시간이나 각종 보고서 작성을 위해 소모했던 시간을 감축하여 온전히 중점업무에만 투자할 수 있게 된다. 이러한 환경을 새롭게 구축하는 데 있어 언제, 어디서나, 어떤 디바이스로든 일할 수 있는 스마트워킹은 이제 필수 요소이다. 또한 그러한 스마트워킹을 하기 위한 클라우드 기반의 협업 및 소통 솔루션의 중요성도 커지고 있다.

스마트폰만으로도 쉽고 간단한 스마트워킹 적용 사례

한 영업사원이 스마트워킹 하는 사례

회사로서는 매우 중요한 한 고객사를 방문하여 지금 막 매우 중요한 이슈가 요청된 회의를 마쳤다. 고객사는 'A제품의 납품기일을 1주일 앞당겨 달라'고 한다. 일반적인 방법으로는 도저히 풀기 어려운 요구사항이다. 그 영업사원은 회의를 끝내자마자 고객사 건물 안에서 바로 자신의 핸드폰으로 클라우드에 저장된 '영업상황보고서'라는 스프레드시트를 연다. 핸드폰 마이크에 대고 회의에서의 고객사 요구사항을 말로 하면 즉시 문자로 입력되고 자동으로 저장된다. 카톡에 미리 그룹핑 된 '영업상황보고서'에 초대되어 있는 모든 관련자에게 '중요한 이슈가 있으니 관련된 모든 사람은 곧바로 댓글을 달아달라'는 내용을 역시 말로 하여 카톡 메시지를 보낸다. 그 보고서와 관련되는 모든 관련자는 카톡으로 알림 메시지를 받자마자 그들이 어디에 있든지 상관없이 실시간으로 확인할 수 있다. 여기까지 고객사에서 회의가 끝나는 즉시 이루어진 모습이다.

각자 자신의 상황을 그 보고서상의 댓글을 활용하여 실시간으로 교신한다. 댓글 역시 말로 하면 문자화 되어 저장된다. 생산에서는 스케줄 조정이 가능하지만, 원자재가 없다고 한다. 그런데 생산관리팀과 구매팀의 담당자들의 실시간 댓글 교신을 통해 1시간 만에 원자재 수배도 이루어지고 생산 스케줄 조정도 완료된다. 이 과정에서 창원에 출장 가 있는 영업팀장과 마침 외출해 있던 구매팀장과 서로 댓글로 교신한 다음 전화 한 통화한 것이 매우 큰 역할을 해 주었다.

영업사원은 이 중요한 이슈를 해결하기 위해 회사에 돌아갈 필요도 없었고, 각 부서 간의 협조 내지 이해관계 조정을 위한 회의 한번 없었고, 관련자 모두가 핸드폰을 활용했기 때문에 그들이 어디에 있든지 상관없이 즉시 댓글 답신을 달 수 있었기 때문에 신속하게 결론까지 얻을 수 있었다.

그 영업사원은 다음 약속 장소로 이동하면서 그 결론을 고객사의 담당자에게 전화하고, 또한 지하철 안에서 이메일로 확인해 준다. 이메일은 자신이 가지고 있는 핸드폰을 활용해 역시 말로 작성한 문구를 직접 보낸다. 핸드폰에 엄지손가락을 활용하여 문자를 입력하거나 노트북조차 활용할 필요가 없다. 핸드폰만 있어도 된다. 그 고객사의 담당자는 전화를 받고 크게 놀라고 만다. 앞서 설명한 CISCO의 사례에서 보았듯이 고객의 충성도가 높아지지 않을까?

회의와 별도 보고서 없이
주요 내용 품의서 결재하는 사례

담당자는 총비용 10억 원이 소요되는 시스템 구축을 위해 작성한 품의서를 결재권자 모두에게 동시에 실시간으로 공유한다. 각 결재권자는 의문 사항이 있거나 다른 의견이 있을 때는 언제든지 동 품의서에 댓글을 달 수 있고 그 댓글에 관련된 모든 사람은 다시 자신의 의견이나 답변을 댓글로 피력한다. 이런 댓글 입력은 모두 핸드폰에 말로 하면 입력이 된다. 품의와 관련된 각종 자료는 이미 클라우드에 저장되어 있는 실시간 수평적 의사소통 시스템에서 확인하고 보다 깊은 내용을 파악하고 싶어 당해 보고서에 댓글 질문을 하고 관련되는 담당자들에게 카톡을 보내면 그 즉시 댓글 답신을 받을 수 있다.

최종 결재권자인 CEO도 댓글로 궁금한 점에 대해 질문을 한다. CEO의 질문에 대해서 품의서 작성자뿐 아니라 다른 관련 사업부장들로부터도 보고 댓글을 받는다. 그리고 CEO가 부산으로 출장 가는 도중에 품의서와 관련하여 갑자기 확인해야 할 내용이 있어 이미 클라우드 공간에 저장되어 있는 다른 관련 보고서들을 모두 참조한 후 좀 더 깊은 내용의 파악이 필요하여 관련되는 세 사람을 자신의 핸드폰으로 동시 동영상 통화에 참석시켜 상대의 얼굴을 보면서 다자간 영상 통화를 한다. 댓글로 모든 결재자가 승인한 것을 확인하고는

CEO도 최종 댓글 승인을 한다.

지출 규모가 매우 큰 10억 원의 품의서를 결재하는 모든 과정을 실행하는데 모여서 하는 회의 한번 없었고, CEO가 갑자기 요청한 핸드폰 동영상 통화에 회사 사무실이 아닌 다른 장소에 있다고 참석하지 못한 사람도 한 사람도 없었다. 핸드폰만 있다면 말이다. 품의를 위해 별도로 추가 작성한 보고서 한 장도 없었다. 특별히 수직적인 업무지시도 없었다. 궁금한 것은 어디에서든 자신의 핸드폰이나 노트북이나 PC에서 직접 파악하거나, 추가 질문사항에 대해서는 댓글로 물어보고, 다른 사람들의 의견을 실시간으로 파악했을 뿐이다.

CEO는 자기가 알고 싶은 모든 내용을 필요한 즉시 클라우드 실시간 의사소통 시스템에서 열어보았고 모든 임원들의 실시간으로 피력하는 모든 의견을 수렴한 후 최종 의사결정을 하는 데까지 종전 방식이었다면 수차례의 회의와 엄청난 양의 보고서 작성 및 검토로 최소한 1달 이상 걸렸을 품의 결재를 회의나 추가 보고서 작성 없이 1주일 만에 끝낸다.

사정이 있어 품의 내용이 중간에 수차례 수정된 경우 언제 누구에 의해 무슨 이유 때문인지, 수정 전의 원본은 어떤 내용이었는지 등의 품의 관련 상세 히스토리가 모두 자동 기록되어 있어 언제든, 어디서든 확인할 수 있다.

현지법인 대형사고 시 해외 출장 없이 원거리 영상 회의하는 사례

한 회사에 본사 이외에 2개의 국내 공장과 6개의 해외 현지 공장이 있다. 그중 폴란드에 위치한 한 공장에서 화재가 발생하여 폴란드인 근로자 몇 명이 부상당했다.

폴란드 현지 법인장은 그 즉시 공장 내 회의실에 관련자들을 모아놓고 자신의 핸드폰 화면을 빔프로젝터에 미러링 하고 전 세계 관련자들에 대해 핸드폰 동영상 통화를 소집한다. 본사에는 CEO 등 이와 관련되는 임직원 5명이 본사 회의실에서 빔프로젝터로 CEO의 핸드폰 화면을 미러링Mirroring 하고, 지금 미국 현지법인으로 출장 가고 있는 해외사업 담당 전무는 자신의 핸드폰으로 참여하며, 과거 이와 유사한 사건이 났었던 베트남 공장 법인장 및 관련 직원이 법인장 방의 PC 모니터에 공장장 핸드폰을 미러링 하여 동영상 통화에 참석한다. 과거 사건 당시 처리에 중점적인 역할을 담당했던 베트남 공장의 한 베트남인 직원은 공장 안에서 직접 자신의 핸드폰으로 참석한다.

폴란드 법인장은 현지에서 핸드폰으로 찍은 동영상(요즈음 방송사들은 프로그램 촬영을 위해 1억 원 이상 소요되는 방송용 카메라 대신 스마트폰으로 대체하여 활용하고 있다.)을 동영상 회의에 참여한 모든 사람들에게 보여주면서 사고 현장에 대해 상세하게 설명한다. 각 지역의 빔프로젝터나 PC 모니터나 핸드폰 화면들은 모두 말하고 있는 사람의 화면으로 자동 변환되어 보여준다.

스마트폰 앱들을 잘 활용하면 된다

위 세 가지의 사례는 마치 미래 공상 영화에서 보는 먼 나라의 상황으로 이해하는 사람도 있을지 모르겠다. 그런데 최신 혁신적인 기술들은 우리로 하여금 이와 같은 혁신적인 소통을 실제 업무에 적용할 수 있도록 지원해 주고 있다. 그리고 앞으로는 더욱 더 빠른 속도로 발전하게 될 것이다. 나는 위의 세 가지 사례 모두 현재 누구든지 쉽게 다룰 수 있는 구글의 드라이브, 문서, 스프레드시트, 번역, 행아웃, 그리고 카톡(일반적으로 스마트폰 앱들은 알람 기능이 없어 주요 사안의 경우 관련자 모두가 즉시 확인하도록 알람 기능을 수행하기 위해 활용)이라는 6가지의 앱을 활용하면 실행할 수 있는 상황들을 전개해 본 것이다.

10~15개 정도의 무상으로 제공되는 세계 최상의 앱들을 활용하면 실시간 수평적 의사소통 시스템을 구축하고 스마트워킹을 실행할 수 있다. 기업에서 활용할 수 있는 대표적인 유상 앱들로는 상기 무상 앱들의 기능을 종합한 구글의 'G Suite' 마이크로소프트의 'MS 365' 등 많은 앱이 있다.

2 클라우드를 활용한 스마트워킹

왜 우리나라 기업들은 안 되는가?

네덜란드의 CEO들처럼 CEO의 패러다임을 먼저 바꿔야 한다

나는 그간 수많은 CEO들에게 상기 사례 및 기법들을 실제 보여주면서 스마트워킹 하는 문화를 당장 시작할 것을 강력하게 추천해 왔다. 그런데 중견기업 이상 CEO들의 반응은 너무나 좋은 기능들이라고 매우 놀라면서도 대체로 다음과 같은 우려를 가지고 있었다.

첫째, 협업을 위한 비슷한 기능들을 최근에 큰 비용을 투자하여 개발해서 이미 사용하고 있어서 새로운 시스템으로 대체하기가 어렵다는 것이었다.

이런 반응에 대해서는 나는 그 시스템이 사내 보관 데이터들을 클라우드로 원활하게 이전하고 있는지, 그리고 새로운 데이터들을 클라우드로 저장하고 있는지 묻는다. 그런데 그런 질문에 대해 정확한 답변을 하는 사람도 없었고, 그저 최근에 너무나도 거액을 투자한 것을 제대로 활용해 보기도 전에 당장 버린다는 것이 아깝다는 설명이었다. 아무리 많은 비용을 투자해서 개발한 시스템이라고 하더라도 스마트워킹에 필요한 데이터를 클라우드에 효과적으로 올릴 수 없는 시스템이라면 당장 버리는 것이 훨씬 더 큰 성과를 얻게 될 것이다. 왜냐하면 스마트워킹을 통해 얻을 수 있는 성과가 이미 투자한 비용보다 비교도 안 될 만큼 훨씬 더 크기 때문이다. 이미 스마트워킹 시스템을 잘 갖추어 놓았다고 생각하는 회사들의 경우도 이 점을 명확하게 다시 한번 짚어보아야 한다.

둘째, 자신은 기계치라 스마트폰 앱을 잘 다룰 줄 모른다거나 자신은 눈이 나빠 스마트폰의 작은 화면을 잘 볼 수 없다며 난색을 표하는 경우이다.

그런데 정말 답답한 일이다. 그런 기계치라고 치부하는 CEO들이 카톡이나 밴드 등 자신들의 일상생활에 꼭 필요한 기능들을 배우는 데 얼마나 걸렸을까? 필요에 따라 계속 사용했기 때문에 숙달되었을 뿐이다. 실제 하나의 앱을 배우는 시간은 30분도 안 걸린다. 그리고 이제 스마트폰은 PC에서는 할 수 없는 스마트워킹과 협업에 있어 필수적인 기능들을 수행한다. 그리고 눈이 나쁜 사람은 사무실 PC에 연결된 모니터를 좀 큰 것으로 바꾸면 언제든지 스마트폰 화면을 모니터에 미러링 해서 볼 수 있다. 물론 TV가 있다면 TV로 미러링 하면 된다. 가장 중요한 점은 현재의 기술을 이용하여 스마트워킹을 실행하기 위해서는 스마트폰이 필수 기기라는 사실이다.

만일 상기 사례와 같은 유 무상 앱들을 활용한 클라우드 시스템이 잘 갖추어져 어디에서든 언제든 어떤 디바이스로든 필요한 정보를 즉시 찾아내고 필요한 사람과 동영상 통화를 통해 즉시 궁금한 사항을 알아낸다는 엄청난 장점들을 피부로 느끼게 되면 강제하지 않아도 계속 활용하며 숙달하게 될 것이다. 아무리 훌륭한 클라우드 실시간 의사소통 시스템을 구축해 놓았다 할지라도 CEO가 활용하지 않고 예전과 같이 끊임없이 회의와 보고서를 요구한다면 그 시스템은 거의 무용지물이 되고 만다.

셋째, 보안을 우려한다. 나는 이런 사람들에게 다음과 같은 질문과 설명을 해 준다. 만일 보유하고 있는 현금 3억 원을 최근 5백만 원 주고 새로 구입한 매우 튼튼한 금고에 보관할지, 아니면 은행에 보관할지를 묻는다. 답은 당연히 은행이다. 만일 자신이 구입한 금고에 보관하겠다고 하는 사람은 위험에 대한 본질을 잘 모르는 사람이거나 나쁜 의도를 가지고 있는 사람일 것이다. 자신이 구입한 금고보다 훨씬 안전한 은행 금고에 보관해야만 안전할 뿐 아니라 인터넷 송금 등 각종 금융 서비스를 받을 수 있다. 만일 초대형 그룹사가 많은 비용을 들여 회사의 내부 클라우드 시스템, 다시 말해 프라이빗 클라우드Private Cloud를 개발해 놓았다고 가정하면 아무리 대형 기업이라 할지라도 수십만 명을 위한 자체 시스템일 텐데 그 시스템과 아마존, 구글 등이 활용하는 수억 명을 지원하는 인터넷 데이터 센터Internet Data Center를 활용하는 퍼블릭 클라우드Public Cloud의 보안을 비교할 때 어디가 더 안전할까?

한국창조경제연구회KCERN가 조사한 최근 자료에 의하면 공공 및 민간에서 활용하고 있는 데이터 중 클라우드에 저장된 비중이 선진국들 평균이 90%나 되는 반면 우리나라의 경우는 인터넷 강국이라고 자부하면서도 인터넷을 활용하는 가장 중요한 수단인 클라우드·데이터의 비중이 전체 데이터의 12.9%에 머무르는 최하위국으로서 나타나는 편견 현상이다. 이는 선진국들에 비해 6년가량 뒤처져 있는 상황으로 이해할 수 있다. 4차 산업혁명 시대 기술의 핵이라고 할 수 있는 인공지능은 빅데이터가 없이는 효과적으로 활용하거나 발전시켜 나갈 수 없다는 사실을 이해한다면 정말 큰 문제가

그림〈7〉 우리 기업들이 극복해야 되는 것

아닐 수 없다.

클라우드에 대한 오해와 편견을 버려야 한다

근본적으로 스마트워킹 대상 업무에 필요한 데이터가 사무실 또는 내 집의 PC나 회사의 서버에 저장되어 있다면 스마트워킹 자체가 효과적으로 이루어질 수 없다. 대상 데이터가 클라우드에 올라가는 순간 언제든지, 어디서든지, 어떤 디바이스로든 스마트워킹을 통해 업무를 처리할 수 있게 되는 것이다. 그러나 일부 스마트워킹을 시행하는 대기업들도 온전한 의미의 클라우드 시스템을 사용하지 않고 많은 투자를 투여하여 자체에서 별도로 구축한 프라이빗 클라우드 시스템을 사용하고 있다. 여러 가지 복합적인 이유 때문에 우리 기업들에게는 앞에서 설명한 보안 문제 이외에도 클라우드에 대한 다음과 같은 오해와 편견이 있기 때문이다.

첫째, 재해로 인해 서버의 데이터가 손상되면, 미리 백업받지 못한 정보는 되살리지 못하는 경우도 있다는 생각이다. 이 문제는 클라우드의 단점이 아니라 어느 시스템에서든 공통적인 문제이다. 이 문제와 관련해서 클라우드 공급자가 활용하는 IDC나 공급자가 확보하고 있는 전문가들의 수준이 세계 최고 수준으로서 고객사가 확보하고 있는 시스템이나 기술진의 수준보다 더 뛰어나다고 할 수 있다.

둘째, 사용자가 원하는 업무 프로세스를 모두 지원하지는 않는다는 이유이다. 이 문제를 해결하는 가장 좋은 방법은 고객사의 프로세스를 다소 변경하는 것이라고 추천한다. 물론 최근 클라우드 제품들은 MDFMetadata Frame이라 하여 클라우드에서 제공하지 않는 고객의 특이한 프로세스의 경우 고객이 그 프로세스를 위한 별도의 개발 프로그램을 개발하여 클라우드 솔루션에 자동 연계시키는 방안이나 클라우드 사업자가 PaaSPlatform as a Service을 개발해 놓고 고객이 그 PaaS를 활용하여 자신의 용도인 애플리케이션을 개발하도록 하는 방법이 제시되고는 있으나, 추후의 업무환경변화에 따르는 융통성 측면을 고려할 때 초기 단계에는 강력하게 추천하고 싶지 않은 대안이다.

셋째, 통신 환경이 열악한 지역에서는 서비스받기 어렵다는 이유이다. 그러나 우리나라의 경우에는 해당되지 않는 고려사항이다. 그리고 향후로는 우리 기업들이 진입할 수 있는 어떤 지역도 이 문제의 심각성을 걱정할 필요는 없을 것이다.

넷째, 개별 정보가 물리적으로 어디에 위치하고 있는지 파악할 수가 없다는 이유이다. 그러나 이 점 역시 고객사에서는 클라우드에 저장되어 있는 모든 정보를 언제든지 필요할 때마다 내려받아 백업해 놓을 수 있기 때문에 실시간 의사소통 업무에 관련해서는 문제가 되지 않는다. 오히려 클라우드의 장점이라 할 수 있다.

스마트워킹을 효과적으로 지원하기 위해서는 정보 시스템이 임직원들이 업무를 수행하는데 필요한 각종 데이터를 매우 광범위하게 다루어주고, 연결되고, 통합되어 있어야 하며, 각 부서의 특수 사정을 모두 수용할 수 있는 융통성이 필요할 뿐 아니라 조직의 학습효과에 따라 시스템이 신속하게 진화해 나가야 하는 특성을 지니고 있다. 따라서 과거의 방법으로 IT 전문 인력들이 업무 요구사항이 생길 때마다 별도로 개발하고, 또한 유지·보수해야 하는 정보 시스템으로는 도저히 효과적인 업무 지원을 할 수 없게 되었다.

이러한 문제점은 클라우드 모바일 기술이 해결해 줄 수 있다. 잃는 것보다는 얻는 것이 훨씬 크기 때문에 클라우드가 이 세상을 점령하고 있는 것이다. 젊은 세대들이 아날로그 기술인 전화를 걸어 콜택시를 부르는 대신 클라우드 기술인 우버를 활용하여 택시를 부르는 시대이다. 우리보다는 시장이 매우 폐쇄적이며 인터넷에 관하여도 훨씬 뒤떨어져 있을

그림〈8〉 클라우드에 대한 오해

것이라고 생각하기 쉬운 중국은 클라우드를 위한 규제들을 철폐하고 시장을 활짝 열어 놓아 자국 회사인 디디추싱이 세계 1위의 기업인 우버를 중국에서 몰아냈을 뿐 아니라 지난 몇 년 사이에 일반인들이 크레디트 카드나 현금을 더 이상 가지고 다니지 않고 모든 결재를 모바일로 시행하고 있는데 반해 우리는 아직도 지갑에 몇 장의 크레디트 카드나 현금을 가지고 다녀야 하는 등 클라우드에 관한 한 후진성을 면치 못하고 있다.

상하간 신뢰와 가치관의 차이 극복 문제

회사에서도 원격근무나 변동시간 근무제도가 쉽게 정착하지 못하는 것은 신뢰의 문제와 가치관의 차이가 있기 때문이다.

유연 근무제도를 도입하여 일찍 출근하고 일찍 퇴근하는 제도를 시행해 보지만, 시행 초기에만 몇몇이 사용하다가 유명무실해지고 마는 경우가 많다. 조기 출퇴근 제도를 신청한다는 자체가 야근은 고사하고 6시 칼퇴근보다도 더 일찍 퇴근하려는 의도로 비칠까 봐 눈치가 보이기 때문이다.

신세대들은 업무에 필요한 데이터가 클라우드에 저장되어 있던지, 스마트워크센터가 구축되어 있다면 집에서 가까운 사무실에서 일할 수도 있고, 재택근무도 얼마든지 가능하다고 여기지만, 관리자들은 당장 부하직원이 눈앞에 보이지 않으면 아무래도 회사에서 보이는 곳에서 일하는 것보다는 성과가 덜할 것 같고 직원들이 노는 것 같다는 불편한 마음이 든다. 이는 농업사회, 산업사회 문화와 가치관으로 성장해 왔던 사고에서 벗어나지 못했기 때문이다.

스마트워크를 도입한다는 것을 단순히 스마트 환경의 새로운 시스템 도입으로 단순하게 생각해서는 안 된다. 조직과 구성원이 서로 신뢰해야 한다는 것도 기업이 생긴 이래 늘 외쳐 왔던 구호이지만, 스마트워크를 제대로 시행하려면 4차 산업혁명시대 정보화 물결의 시대적, 문화적 상황을 올바로 이해해야만 한다. 역사적 인식과 시대적 흐름에 뒤떨어진 경영철학과 시스템에 대한 이전의 사고방식으로는 결코 성공할 수 없다. IT 기술의 발달은 이제 업무를 지원하는 보조적인 역할에 그치지 않고, 기업과 개인의 업무 프로세스와 삶의 방식을 송두리째 바꾸어 주고 있다. 이제 스마트워크의 도입은 새로운 패러다임으로 신뢰와 소통의 노사 문화를 구축해 주는 절호의 기회이다.

그러나 국내에서 스마트워크의 보급이 미진한 이유 중 하나는 바로 우리 기업들의 전통적인 조직문화 때문이다. 스마트워크의 활성화를 위해서는 무엇보다 먼저, 직접적인 대면 회의와 상명하복의 명령체계를 중시하는 국내 기업의 조직문화가 변해야 한다. 현재와 같은 조직문화에서 관리자는 자신이 관리하는 부하직원이 다른 공간에서 일하는 것 자체를 용납하지 않는다. 뿐만 아니라, 직원들은 동료들과 떨어져서 일하는 것에 대한 불안감을 느끼고 직장상사나 조직으로부터 불이익을 받지 않을까 하는 점을 우려하고 있다.

클라우드에 대한 빗장이 풀렸다

2차산업혁명의 근간은 고속도로요, 3차산업혁명은 인터넷이었다면, 4차산업혁명 시대에 있어 단연 고속도로나 인터넷 같은 기간망이 클라우드이다. 그런데도 우리나라는 인터넷 강국을 자처하면서도 유일하게 쇄국정책을 펴왔다. 만시지탄으로 늦었지만 지난 8월 31일에 클라우드 컴퓨팅 발전 및 이용자 보호에 관한 법률 시행령이 개정되고 곧 후속조치들이 뒤따를 것이다.

이제는 국가기관에서도 클라우드 컴퓨팅을 활용할 수 있도록 처음으로 길이 열렸다. 아직은 기본법만이 개정되었을 뿐이기 때문에 각 공공기관 및 공기업들이 클라우드 컴퓨팅을 원활하게 선택하여 활용하고 또한 국내 클라우드 컴퓨팅 관련 기업들이 그러한 수요에 맞추어 요구되는 애플리케이션들을 개발하기까지 기본법 개정에 따른 제반 제도 정비 및 지원책을 마련하는 데까지는 많은 시간이 소요될 것이다. 그러나 국내 공공기관 및 공기업들이 지금 즉시 클라우드 컴퓨팅을 적법하게 활용할 수는 있게 된 것이다. 이는 매우 의미가 크다.

정부 기관들이 세종시로 이전된 후 재미있는 우스갯말이 생겼다. 공무원들이 서울에 출장의 기회가 워낙 많다 보니 매주 세종시 본부에 근무하는 일수가 1급 공무원은 1일, 2급은 2일, 3급은 3일, 4급은 4일, 5급 이하는 5일짜리라는 말이다. 이 세상은 엄청난 정도의 기술혁신으로 말미암아 이제는 비싼 비용을 지불하고 구입해야 하는 별도의 장비나 소프트웨어가 없이 노트북이나 패드가 있다면 금상첨화이지만 스마트폰만 가지고 있어도 언제 어디서나 스마트워킹을 할 수 있는 세상이다. 그러나 각종 규제 때문에 사무실이나 별도로 구축한 스마트워크 센터가 없다면 업무를 제대로 수행할 수 없었던 세종시 및 전국에 분산되어 근무하고 있는 공무원, 준공무원 및 공기업 임직원들이 그동안 업무를 추진하면서 얼마나 큰 어려움을 겪었을까를 생각하면 답답하기 짝이 없다.

상사들의 부재중 그들의 요구사항들에 부응하여 시시때때로 준비해서 보고해야 하는 보고서의 양도 엄청나지만, 상사들이 본부에 체류하는 때에는 부재중 일어났던 주요 사항들에 대한 업무 보고로 인해 수많은 회의에 시간을 많이 소모했다고 한다.

이제는 클라우드 컴퓨팅을 적법하게 활용할 수 있는 길이 활짝 열렸다. 그런데 각 공공기관들이나 공기업들이 그들 조직에 적합한 클라우드 컴퓨팅을 위한 SaaSSoftware as a Service 솔루션을 찾아내거나 PaaSPlatform as a Service를 활용하여 각 조직에 맞는 애플리케이션을 직접 개발하는 데까지는 엄청나게 많은 시간이 소요된다. 특히 국내 조직문화 및 업무 패턴을 감안하여 개발된 SaaS 솔루션은 거의 전무하다. 그동안 국내에서는 시장이 없었기 때문이다.

SaaS 솔루션이란 기술만을 앞세워 적은 비용으로 개발할 수 있는 애플리케이션이 아니고 수많은 기술 적용과 큰 비용 부담이 수반되기 때문에 기술만 가지고 양질의 솔루션이 개발될 수 있는 것도 아니다. 앞으로 정부에서는 그러한 SaaS 솔루션을 개발하는 국내 업체를 지원하는 각종 지원책을 마련한다고 한다.

그리고 스마트워킹이란 애플리케이션이 모든 것을 해결해 주는 업무형태가 아니다. 아무리 좋은 애플리케이션을 적용했다 할지라도 CEO로부터 최하위 직원에 이르기까지 모두가 과거의 업무 패턴에서 과감하게 벗어나 그 애플리케이션을 스마트워킹에 직접 원활하게 활용할 수 있도록 조직문화에 뿌리내리는 일이 무엇보다 어려운 과제이다.

앞에서 설명한 사례에서도 볼 수 있듯이 현재 전 세계적으로 통용되고 있는 최고 품질의 스마트폰 앱들만을 활용해도 스마트워킹은 바로 시작할 수 있다. 구축 기간도 매우 짧다. 특별히 예산을 세워야 할 만큼 비용도 들지 않는다. 시스템을 배우는 시간도 길지 않다. 어떤 사람도 장시간 교육 훈련을 통해 스마트폰 앱을 배우는 사람은 없다. 카톡을 활용하기 위한 기능을 배우기 위해 30분 이상 소요했다면 별종이다. 그저 간단히 설명 듣고 활용해 보니 효용성이 컸기 때문에 습관적으로 활용했을 뿐이다. 요즈음 시대에 카톡 정도도 사용하지 않는 사람은 없다. 활용에 따른 생산성이 크기 때문이다.

우선 범용 스마트폰 앱을 활용하여 실시간 수평적 의사소통 시스템을 즉시, 그리고 짧은 기간 내에 구축 완료하여 활용함으로써 스마트워킹 문화를 전 조직에 뿌리내려 가면서 각사에 맞는 PaaS를 선정하여 개발하던가 SaaS를 선택하는 것이 현재 가장 효과적인 방안이다. 이제는 법적인 규제도

폐지되었으니 그 성과를 가장 먼저 활용함으로써 누구보다 앞서 나가는 조직 및 기업의 최고경영자들이 나타나 조직 전반에 스마트워킹의 물결이 넘쳐흘러 생산성을 크게 올리는 기업들이 많이 나타나기를 간곡히 바란다. 특히 매년 경영성과를 평가받는 공공기관이나 공기업들에는 더욱 중요한 이슈라고 생각한다.

SaaS : 완성된 요리	IaaS : 손질된 재료	PaaS : 요리 레시피
완성된 요리를 배달시켜서 먹듯 원하는 애플리케이션을 클라우드를 통해 이용	요리할 때 효율성을 높이기 위해 손질된 재료를 구매하는 것과 같이 IT서비스를 운영하는데 필요한 인프라 자원을 클라우드로 구성	원하는 요리를 만들기 위해 레시피 북을 보는 것처럼 애플리케이션을 개발 시 필요한 서비스 플랫폼을 제공

스마트워킹을 위한 클라우드/모바일 시스템 구축

가장 먼저 데이터를 클라우드에 올려야 한다

스마트워킹을 시행하기 위해 가장 먼저 필요한 것이 직원들의 PC나 회사의 서버에 저장되어 있는 데이터를 클라우드로 이전하는 일이다. 이 세상에는 각종 업무별로 기존의 ERP Enterprise Resource Planning를 보완할 수 있으면서 스마트워킹을 지원하는 수많은 클라우드 유료 애플리케이션들이 개발되어 있다.

클라우드를 통해 협업 기능을 지원하는 소프트웨어는 먼 곳에 떨어진 직장인이 공동으로 작업을 할 수 있도록 도와준다. 구글의 웹 기반 문서 작성 도구인 구글 문서는 클라우드 저장소에 보관된 문서 하나에 여러 사람이 동시에 접속해 문서 내용을 확인하고 공동으로 편집할 수 있는 기능을 오래전부터 갖춰왔다. 이러한 기능은 구글의 G Suite나 구글 문서와 같은 웹 앱뿐만 아니라 MS 오피스 365 같은 PC 사무용 소프트웨어도 실시간 협업 기능을 추가했으며, 어도비 프리미어 프로와 같은 전문가용 소프트웨어들도 클라우드 기반 공동 작업 기능을 추가해 작업 참가자가 한자리에 모일 필요 없이 작업을 진행할 수 있도록 지원한다. 부서 단위가 아닌, 프로젝트 단위로 업무를 진행하는 오늘날 환경에 어울리는 방식이다.

원격 화상회의는 모임을 위해 필요한 공간이나 회의 장소까지 이동하는 번거로움 없이, 현재 자신이 있는 곳에서 각종 IT 기기를 이용해 회의를 진행할 수 있다. 초기 화상회의는 이러한 화상회의를 진행하기 위해서 전용 회의실과 카메라, 마이크 등이 필요했다. 하지만 장비를 구축하는 데 비용이 많이 들며, 무엇보다 이러한 형태의 전용 회의실은 팀 내 회의에는 어울리지 않는 면도 있다.

최근에는 전용 장비가 아닌, 직장인 대부분이 가지고 있는 스마트폰과 노트북만을 활용해 각종 회의를 진행할 수 있다. 기본적으로 스마트폰과 노트북은 인터넷에 연결할 수 있고, 카메라와 마이크를 갖추고 있기 때문에 화상 회의를 위한 소프트웨어나 앱만 추가되면 된다. 과거부터 회의실용 솔루션을 만들어온 시스코는 물론, 최근에는 알서포트 같은 원격제어 솔루션 기업 역시 이러한 소프트웨어 기반의 화상회의 서비스를 제공하고 있다. 회의실 및 장비를 갖추는 것과 비교해 도입 비용이 상당히 낮기 때문에 개별 팀이나 중소기업에서도 부담이 적은 것도 장점이다.

대기업을 중심으로 일부 기업들은 스마트워킹을 위해 여러 가지 유료 애플리케이션들이나 회사의 업무에 맞도록 자체 개발한 프라이빗 클라우드 애플리케이션들을 이미 운영하고 있다. 그러나 프라이빗 클라우드 애플리케이션을 자체의 능력과 비용으로 개발할 수 있는 회사는 그리 많지 않을 것이다.

스마트폰 앱들을 활용한 실시간 의사소통 시스템 구축

따라서 나는 아직 그런 준비를 제대로 못한 기업들을 위해 세계 최고 품질의 각종 스마트폰 앱들을 활용하여 최단기간 내에 실시간 수평적 의사소통 시스템을 구축하고 데이터를 클라우드에 저장함으로써 스마트워킹을 바로 시작할 수 있는 기법을 중심으로 소개하고자 한다.

여기서 말하는 실시간 수평적 의사소통 시스템이라 함은 일반적으로 ERP에서는 직접 제공하지 않지만, 협업이나 각종 의사결정을 위해 필요로 하는 정보들을 클라우드에 저장해 놓음으로써 언제 어디서나 어떤 디바이스로든 데이터를 확인하고 관련자들과 공유하며 댓글로 교신할 수 있는 시스템을 말한다. 회사의 규모나 사정에 따라 그 범위는 매우 다를 수 있으나 중요한 점은 그 시스템이 스마트워킹을 효과적으로 지원할 수 있어야 한다는 것이다.

앞에서 설명한 한국미라클피플사의 사례에서 설명한 시스템과 같은 형태의 스마트워킹 환경을 만들기 위해 세계 최고 수준의 스마트폰 앱들을 활용하여 회사의 실시간 의사소통 시스템을 구축하는 데는 단 1~2개월밖에 소요되지 않는다. 스마트폰 앱들을 활용하기 때문에 추가 비용도 그리 크지 않다. 다만 자체 인력만으로 진행할 경우 때에 따라 시행착오를 거칠 수 있으며 시간이 오래 걸리므로 전문가의 자문을 받아 진행하는 것이 훨씬 효과적이다.

인공지능Artificial Intelligence 기술 활용

인공지능이 낳은 3대 주요 기술

4차 산업혁명 시대에는 인공지능AI, Artificial Intelligence, 딥러닝Deep Learning 등의 발전을 통해 최근 들어 다음 3가지 주요 기술이 급부상하게 되었다.

1. 음성, 이미지, 영상인식 기술의 발전이다.

로봇을 움직이게 하려면 우선 사람이 음성으로 지시를 내려야만 한다. 그런데 사람의 말이란 같은 언어라 할지라도 나라에 따라서, 말하는 사람의 톤과 억양, 지방의 사투리, 그날의 기분에 따라서 모두 다르다. 결국 엄청난 분량의 인공지능 딥러닝이 있어야 제대로 인식할 수 있을 것이다. 로봇이 주인이 누구이고 또한 근처 사람들이 누구인지를 인식할 수 있어야 서비스할 수 있을 것이다. 만일 로봇이 다른 사람 음성이나 얼굴을 주인으로 인식한다면 큰일 날 것이다.

최근 구글 포토를 활용해 본 사람이라면 인공지능의 딥러닝 결과 이미지 인식 기술이 얼마나 발전했는지 놀랄 것이다. 나는 2009년도에 시간이 지남에 따라 빛이 바래는 모든 앨범 사진들을 다 스캔하여 디지털 형태로 저장한 다음 없애 버렸다. 구글 포토는 출시되자마자 활용하고 있는데 지금도 놀라운 기능은 수도 없이 많은 나의 사진 중에서 현재 나이 든 나의 얼굴과 백일 때의 사진 속 얼굴을 나로 인식하여 자동으로 모아 주는 것이다. 신기하기만 하다.

다음은 동영상 인식 기술이다. 예를 들어 로봇이 주인의 행동을 유심히 관찰한 결과 주인이 매주 일요일 오전 10시경이면 커피를 마신다는 행동을 파악하게 되면 로봇은 9시 50분 경 주인에게 '주인님, 지금 커피 가져다드릴까요?'하고 물어보게 될 것이다. 이 음성/이미지/영상인식 세 가지의 기술은 최근 들어 그 발전 속도가 눈부시다.

2. 똑똑해진 AI 비서 기능이다.

아마존의 알렉사Alexa, 구글의 어시스턴트Assistant, 애플의 시리Siri, 네이버의 클로바Clova, 삼성의 빅스비Bixby, 마이크로소프트의 코타나Cortana 등과 같은 AI비서들은 앞서 설명한 음성, 이미지, 동영상 인지 기술의 발전으로 최근 들어 개인 비서 기능이 엄청난 속도로 발전하고 있다. 개인 일정 관리, 소셜 서비스 관리, 외국어 번역, 특정 앱과 서비스 실행하기, 쇼핑하기, 외국어 번역, 이메일 관리, 메신저 관리, 음악 관리, 날씨 정보관리, 여행 정보 제공, 스포츠 경기 알림, 궁금한 것 알려 주기와 잡담하기, 사물 인터넷 제어 등 매우 다양한 기능을 지원하고 있다. 아직 한국에서는 지원되지 않지만, 아마존 알렉사의 경우 이런 모든 기능을 활용하여 어린 아이들과 놀아 줄 뿐 아니라 집에서 필요한 각종 물품의 주문도 인간을 대신해 주고 있다.

최근에는 아마존 알렉사와 MS 코타나가 협업하기로 합의하여 앞으로는 노트북이나 PC에서도 비서 기능을 활용할 수 있게 될 것이다. 향후 점차 회사의 업무처리에서도 사용자가 말로 지시하기만 하면 바로 실행되는 부분들이 크게 늘어나게 될 것이다.

국내에서도 음성 인식 기술 분야에서 선진화된 네이버가 작년에 클로바라는 앱을 출시하였다. 사용자가 말로 하는 제법 많은 질문에 대해 답을 주어 매우 편리한 앱이다. 스마트폰 제조업체마다 다른 비서 앱을 가지고 있으나 네이버 클로바의 경우는 스마트폰 종류에 상관하지 않고 지원할 수 있다는 것이 강점이다.

3. 로봇기술의 괄목할만한 성장이다.

1960년대에 시작한 산업용 로봇을 시작으로 1990년대 이후부터 기본적인 지능을 가진 걸어 다니는 로봇이 개발되었고 앞으로 2025년이 되면 모든 지능과 힘을 함께 갖춘 네트워크 로봇들이 개발되어 이 세상이 스마트화될 것이다. 그때가 되면 움직이는 로봇뿐 아니라 우리 주변 어디에든지 로봇이 장착되어 인간의 지시를 따라주게 될 것이다. 냉장고에 대고 '세탁기 돌려!' 또는 차 안에서 '지금 집 에어컨 돌려!' 라고 지시하면 세탁기가 바로 돌아가거나, 집에 있는 에어컨

이 작동되기 시작할 것이다.

지금은 스마트폰에 말로 하거나 문서를 사진으로 찍으면 문서가 작성되고 작성된 문서를 어여쁜 목소리로 읽어 준다. 지독한 경상도 사투리도 표준말로 바꾸어 문자화 시켜 준다. 이런 모든 문서는 별도로 저장 버튼을 누르지 않아도 클라우드에 자동 저장된다. 책 한 권 분량의 문서도 영어, 일어 등 104가지 언어로 순식간에 번역해 준다. 그 번역의 품질도 매우 빠른 속도로 개선되어가고 있다. 이제 곧 국제전화에서 한국인이 한국말로 말하면 상대는 상대국의 언어로 듣게 될 것이다. 각종 다른 디바이스에서 작업된 문서는 실시간으로 모든 기기에 동기화되며 자동 저장된다. 키워드를 말로 하면 문서 제목뿐 아니라 저장된 모든 문서의 내용 전체를 훑어서 그 키워드가 있는 문서를 즉시 찾아 준다. 이제는 스마트

자료원: KCERN

그림〈9〉 인공지능의 3대 기술

폰이 PC보다 더 똑똑해졌다. 2~3년 전과 비교도 안 될 만큼 발전했다.

번역 기술의 놀라운 혁신

2018년 2월 국제통·번역협회와 세종대가 공동 주최한 '인간 대 인공지능의 대결'에서 인간 번역사는 구글과 네이버, 시스트란 등 IT기업들이 내놓은 번역기와 번역 대결을 했다. 민감한 사안을 두고 벌이는 대결이다 보니 통·번역협회와 인공지능 번역기 개발업체 사이에 미묘한 신경전까지 벌어졌다. 평가 결과 30점 만점에 인간 번역사는 평균 24.5점, 기계 번역은 10점으로 인간이 월등한 점수를 받았다

번역협회 관계자는 "전문적인 번역의 영역은 아직 인공지능이 정복하지 못했다."며 번역가들의 필요성을 강조했다. 이에 대해 인공지능 번역기를 개발하고 있는 업체 관계자는 "인간이 잘하는 부분이 있고 못하는 부분이 있다."며 "기계도 잘하는 부분과 못하는 부분이 있는데 이를 보완해 가는 과정에서 인간과 기계의 역할이 재정립될 것"이라고 기대했다.

결과는 인간 번역사의 압승으로 싱겁게 끝났지만 주목할 부분은 번역기의 품질이 인공지능을 만나 눈에 띄게 발전했다는 점이다. 과거 기계번역이 내놓은 결과를 보면 문장이 어색하고 단어의 의미를 제대로 파악하지 못하는 경우가 많

았는데 최근 인공신경망이란 인공지능 기술이 도입되면서 번역 품질이 크게 개선된 것이다. 예를 들어 구글 번역기는 99%의 전 세계 온라인 번역기 사용자에게 매일 10억 개 이상의 문장과 1,400억 개 이상의 단어, 103개의 언어를 제공하고 있다. 또한 이러한 현상에 힘입어 AI 인공지능의 발전에 따른 '통·번역사의 역할 변화'가 필요할 것이라는 인식변화가 있었고, 인공지능 번역시대에는 국민 생활과 산업 전반에 걸쳐 빠른 번역에 대한 수요가 늘어날 것으로 전망된다. 이에 따라 인공지능 번역기를 활용한 번역사가 대거 등장하여 창의적이고 다양한 번역을 시도할 것이므로 통·번역 시장이 크게 확대될 것이며, 번역 작업환경 또한 큰 변화가 예상된다.

실제로 2006년 구글 번역이 처음 만들어졌을 때는 영어, 중국어, 프랑스어, 스페인어 등 4개 외국어로 시작했다. 2016년 9월 28일부터 알파고에도 쓰인 딥러닝 기술을 적용했다. 그때 기존 구글 번역의 오류를 58~87% 줄였다고 한다. 2016년 11월 15일, 드디어 인공신경망 기반 영어↔한국어 번역 서비스가 도입되었으며 번역 품질이 크게 향상되었다. 특히 영어나 일본어의 경우 완벽에 가깝게 번역한다.

최신 앱을 활용한 혁신적인 업무 수행과 의사소통 기법

실시간 의사소통 시스템에 활용되는 대표적인 9가지 스마트폰 앱

이제 회사에서 세계 최고 수준의 각종 스마트폰 앱을 이용하여 클라우드 실시간 의사소통 시스템을 구축하는 방안을 검토해 보자. 나는 과거 IT회사를 경영할 때부터 이제까지 수많은 앱들을 업무에 활용해 본 결과 다음 대표적인 앱들을 활용하여 회사의 실시간 의사소통 시스템에 활용할 것을 추천한다. 물론 개인적으로는 각자의 업무에 따라 하기 이외의 추가 앱들을 활용할 수 있겠지만 회사 전 임직원이 공동으로 활용하는 앱들은 간편하고 적을수록 좋다.

다음 활용사례에서 볼 수 있는 대표적인 현황표들은 모두가 상사들만을 위한 보고서가 아니다. 따라서 클라우드에서 활용되는 다음 활용사례와 같은 표들은 과거 통제 중심의 경영 환경에서와 같이 부하직원을 통제, 관리 감독하기 위해서 작성되는 것이 아니다.

우선적으로 상사들보다는 부하직원들이 자신의 업무를 효과적으로 수행하기 위해서 사용하고, 다음 그들에 대한 상사의 감독용이 아닌 코칭용으로, 다음으로는 협업하는 임직원들

표〈2〉 실시간 의사소통 시스템 구축을 위한 스마트폰 앱 리스트

구글 드라이브	구글 문서	구글 시트
구글 프레젠테이션	구글 번역	구글 행아웃
MS 오피스렌즈	MS 워드	MS 원드라이브
		OneDrive

의 효과적인 업무 수행을 위해서, 그리고 관리자 이상 직급들의 급변하는 환경변화에 따른 대응 전략 수립을 위해 검토 대상이 되는 표가 요구되는 시점에 즉시 실시간으로 활용될 수 있다. 본서에서는 즉시 실시간으로 활용 가능하다는 의미에서 보고서라는 용어를 사용하지 않고 '현황표'라는 용어를 사용하고 있음을 양지하기 바란다.

구글은 개인이 활용할 경우 1인당 15GB의 공간을 무상으로

제공하며 일반적으로 PC에서 많이 활용해 왔던 제법 복잡한 내용의 엑셀의 경우 한 건의 크기가 25KB 정도이므로 이와 같은 엑셀 시트를 6십만 매 정도 보관할 수 있는 용량이 무상으로 주어지는 것이다.

그런데 구글 드라이브상에서 직접 작성한 구글 문서들은 수십만 장을 저장하더라도 무료로 주어지는 공간에 추가 공간을 요구하지 않기 때문에 무한대로 저장할 수 있다.

물론 독스 뿐 아니라 다른 여러 가지 기능들을 활용해야 하며 때에 따라 음성 및 동영상을 보관해야 하지만 어찌 되었든 아무리 업무 현황표가 많이 필요한 CEO나 관리자라 할지라도 지메일을 함께 활용하는 경우가 아니라면 무료로 주어지는 공간이 부족하여 쓰지 못하는 경우는 거의 없을 것이다. 그리고 혹시나 저장 공간이 더 필요하게 되는 경우는 구글의 기업용 G Suite를 활용하거나, 다음 클라우드(50GB 무상제공), 네이버 클라우드(30GB 무상제공), Dropbox(2GB 무상제공)나 OneDrive(5GB 무상제공), 한컴 넷피스24(2GB 무상제공) 및 기타 여러 가지의 무상 저장공간 확보를 위한 수많은 앱을 각 개인의 용도에 맞게 구글 드라이브와 함께 활용하면 된다. 단, 회사 내의 실시간 의사소통 시스템 구축을 위해서는 모든 임직원이 구글 드라이브, 또는 기업용 G Suite로 통일해서 활용하도록 추천한다.

실시간 의사소통 시스템 구축 시 주요 이슈

이 책자에서는 구글 드라이브를 중심으로 각종 무료 앱들을 활용하는 기법을 제시하고 있기 때문에 회사에서 활용할 때 회사의 관리자가 사용자들을 용이하게 관리할 수 있는 별도의 기능이 없다는 것을 이해하기 바란다. 무료 앱을 활용한 실시간 수평적 의사소통 시스템의 몇 가지 주요 이슈들을 검토해보자.

현황표의 원 작성자가 회사를 떠나는 경우 새로운 담당자가 그 현황표의 사본을 만들고, 대신 떠나는 담당자로 하여금 자신의 구글 드라이브에서 그 현황표를 지우도록 조치해야 한다. 전환배치로 말미암아 직원의 업무가 변경되어 현황표의 원작성자가 변경되는 경우에도 같은 문제가 발생한다.

그런데 현황표의 사본을 작성할 때 그 현황표에 함께 기록되어 있던 댓글들은 복사되지 않아 없어지고 새로운 담당자가 작성한 시점으로부터 작성된 새로운 댓글들만 볼 수 있다. 그런데 실제 일정 기간이 지나고 나면 댓글의 히스토리를 세부적으로 찾아 들어가는 일은 별로 없어 이 이슈는 큰 문제가 되지 않는다.

다만 새로운 담당자가 사본을 작성하여 현황표의 새로운 원 작성자가 되면 그 현황표에 초청해야 할 대상들을 다시 초청해야 한다. 그리고 이전에 작성되었던 현황표와 관련되는 모든 사람이 그 현황표를 자신의 드라이브에서 모두 삭제하고 새로운 담당자가 작성한 현황표만을 사용해야 한다. 번거로운 일이다.

이런 번거로움을 줄여주기 위해 오너 CEO가 운영하는 중소기업의 경우는 시스템 최초 구축 시에 각종 현황표 최초 작성은 각 담당자들이 시행하되 모든 현황표의 작성자를 CEO로 조정하여 각 현황표 별 초청 대상자들을 초청할 수 있다. 그러면 CEO가 바뀌지 전에는 이런 문제가 발생하지 않는다.

이러한 번거로움이 시스템을 운영하는데 근본적인 문제가 된다고 판단하는 회사는 시스템 최초 구축시에, 또는 초기 단계에는 이 책자에서 제시하는 무료 실시간 수평적 의사소통 시스템을 구축하여 활용하다가 문제가 되는 시점에 이런 이슈들을 관리할 수 있도록 지원하는 구글의 기업용 G스위트나 또는 업무별로 다른 적절한 클라우드 SaaS시스템을 구매해서 사용하면 된다.

그런데 중요한 점은 무료 시스템을 활용함으로써 생기는 번거로움보다는 그 시스템을 매우 단기간 내에 구축하여 원활하게 사용함으로써 얻어지는 효과가 비교할 수 없을 만큼 크다는 점을 잊지 말기 바란다. 그리고 절대로 유출되어서는 안 되는 극비 정보의 경우는 이 무료 시스템에서는 활용하지 않고 다른 좋은 방법을 선택하여 활용하면 된다. 보안 문제로 인해 처음 활용 시작 시에는 적용하지 않지만, 점차 무료 시스템의 활용도가 높아지게 되면 과연 무료 시스템에서도 그와 같은 보안 정보들을 활용하는 것이 더 효과적이 아닌가의 여부를 더욱 쉽게 판단할 수 있게 된다.

따라서 중소기업의 경우는 극비에 해당하는 정보들은 제외하고, 중견이나 대기업들은 가장 필요하다고 판단하는 업무를 대상으로 우선, 그러나 즉시 시행하고 점차, 그러나 신속하게 확대해 나가기를 적극 추천한다. 이미 많은 대기업, 또는 일부 중견기업들도 많은 비용을 투여하여 이러한 시스템을 자체 프라이빗 클라우드 시스템을 구축하거나 외부 시스템을 구매하여 활용하고 있다.

그러나 그러한 시스템이 과연 특정 이슈에 대해 시시때때로 무한한 가능성을 가지고 발생하고 있는 비정형 업무들을 효과적으로 지원하고 있는지, 협업을 효과적으로 지원하고 있는지, 자율책임경영 문화를 목적으로 하기보다 통제나 감독을 목적으로 작성되어 운영되고 있는 것은 아닌지, 스마트워킹에 필요한 정보들을 모두 클라우드로 자동 이전시키고 있는지의 여부를 따져보는 것은 무엇보다 중요한 요소라는 것을 잊지 말라. 만일 이런 요소들을 모두 효과적으로 지원하지 못하는 시스템이라면 경우에 따라 많은 비용을 투여했다 할지라도 과감하게 버리고 새것을 택하는 것이 더 나을 수도 있다.

1~2개월 만에 실시간 의사소통 시스템 구축하는 법

회사의 업무, 특히 협업 활성화를 위해 구글 등의 클라우드 시스템을 구축할 때는 다음과 같은 순서로 시행한다.

1. 변화관리 교육

실제 활용하는 앱들의 기능만 잘 활용할 줄 안다면 시스템 자체를 구축하는 시간은 하루도 걸리지 않는다. 그러나 그러한 시스템을 새롭게 활용한다는 것은 커다란 변화관리를 필요로 하므로 왜 그러한 시스템을 활용해야 하는지부터 어떻게, 무엇을 활용하는지, 그 효과는 무엇인지를 알려주는 변화관리 교육부터 시작해야 한다. 일반적으로 관리자 이상의 임직원과 각 사업부별로 선발된 모바일 앱을 잘 활용할 줄 아는 전문가들(이후 사내 전문가로 칭함)에 대한 3시간가량의 기조 강의를 시행한다. 이러한 변화 관리교육에서 꼭 해야 하는 것이 사내에서 의사결정 과정에서 영향력이 큰 CEO나 해당 부서 임원 그리고 핵심 부서장이 교육에 반드시 빠지지 말고 참석하는 일이다.

2. 사내 전문가 교육

변화 관리교육 후 연속하여 사내 전문가들을 대상으로 주로 실습 시간으로 진행되는 4~5시간의 교육을 시행한다. 사내 전문가들은 부서별로 새로운 시스템에 대한 편차가 있을 수 있게 마련인데 선발 시 이를 고려해야 하며 사전에 사용할 앱을 다운받아 놓도록 하는 등 교육에 대한 준비를 할 수 있도록 사전과제를 부여하면 효과적인 교육이 가능하다.

3. 시스템 구축

그런 다음 사내 전문가들에 의해 본격적인 시스템 구축 작업에 들어가게 된다. 각 사업부에서 지정된 사내 전문가들은 필요에 따라 주로 각 사업부 소속 팀장들과 협의하여 협업을 진행하는 사람들을 위해 필요한 현황표들이 무엇인지를 찾아내고 각 현황표의 형태를 일단 확정하게 된다. 다음 각 현황표마다 그 현황표를 공유해야 할 사람들을 확정하게 된다. 또한 필요한 현황표들의 형태를 가장 간단하고 명확한 형태로 확정하고 작성하는 일을 담당한다. 이때 이해해야 할 중요한 점은 각 현황표들을 확정할 때까지는 시스템이나 앱들의 기능에 대한 이해도나 활용능력이 떨어지는 중역들이나 CEO의 확인을 거칠 필요가 없다는 것이다.

그들은 일단 실시간 의사소통 시스템 구축이 끝난 후라 할지라도 실제 활용해 나가면서 언제든지 매우 간편하게 수정 보완해 나갈 수 있기 때문이다. 다만, 시스템이 구축되고 나면 데이터가 필요한 즉시 언제 어디서나 어떤 디바이스로든 이미 구축되어 있는 시스템에 들어가서 찾아보기만 하면 쉽게 찾을 수 있는데도 불구하고 그러한 노력은 전혀 하지 않고, 과거와 같이 자신이 원하는 형태의 보고서를 별도로 요청하는 일만 없다는 전제하에서 말이다.

사내 전문가들에 의해 실시간 의사소통 시스템에 필요한 사업부별 현황표 리스트 작성이 완료되면 각 사내 전문가는 자신이 소속한 모든 사업부원에게 시스템 활용법을 가르친 다음 각 팀원이 작성해야 하는 현황표들을 작성하도록 한다. 대체로 앱 기능을 익히는데 많은 시간이 소요되지 않는 젊은 직원들에게 가르치는 기능 교육은 4시간 정도면 충분하다. 교육을 받은 현황표 작성자들은 각자에게 주어진 현황표 작성을 마치고 작성된 현황표들을 구글 드라이브에 올리면서 미리 사내 전문가에 의해 확정된 각 현황표별로 배포해야 할 사람들을 초청하게 된다. 현황표 별로 초청하는 사람 수는 1명이든 100명이든 상관없다.

애초 PC에서 작성하는 현황표들은 주로 MS오피스를 활용하여 작성되어 있지만, 이 현황표들을 구글 드라이브에 올려 초청 대상자들을 초청하게 되면 구글 드라이브는 그 MS오피스 문서를 자동으로 구글 문서의 형태로 변환시켜 준다. 이 때 각 초청 대상자마다 세 가지 다른 형태의 권한을 주게 되는데,

첫째, 그 현황표를 읽을 수만 있는 사람들,

둘째, 그 현황표에 댓글을 달 수 있는 사람들,

셋째, 수정 보완을 함께 할 수 있는 사람들 등 세 그룹으로 분류하게 된다.

일반적으로 현황표와 관련되는 상사들과 모든 협업자에게는 댓글을 달 수 있는 권한을 부여하게 된다. 그러면 그 현황표를 실시간으로 검토한 상사들은 언제든지 자신의 의견이나, 의문 사항이나, 보완 요구 사항이나, 또는 지시사항들을 현황표 안에서 그 대상이 되는 내용을 선택한 다음에 그 내용에 해당하는 댓글을 달아 주면 된다. 그러면 그 즉시 해당 현황표와 관련된 모든 사람들이 그 댓글을 확인하게 되고, 댓글 지시나 질문에 대한 답신을 주고, 관련되는 모든 사람들은 동시에 서로 간에 교신한 댓글 내용을 실시간으로 공유할 수 있게 된다. 협업하는 사람들 간에도 실시간으로 댓글 교신하는 것이 회의하거나 또는 전화 통화하는 것보다 훨씬 효과적이다.

다음으로 같은 팀이나 직속 상사나 또는 협업하는 관련자는 아니지만, 그 현황표의 내용을 파악하기만 해도 되는 관련자들에게는 통상 읽기만 할 수 있는 권한을 부여하게 된다. 협업을 진행하고 있는 임직원들 간에는 각기 수정 보완까지 할 수 있는 권한을 부여하게 된다. 영업 상황 현황표와 같은 파일은 각 영업사원이 영업활동을 실행하는 때마다 핸드폰을 활용해 그 주요 내역을 바로 입력해 주기만 하면 관련된 모든 사람이 실시간으로 공유할 수 있기 때문에 영업사원들에게는 수정 보완할 수 있는 권한이 부여되어야 할 것이다. 협업을 진행하고 있는 연구 인력들의 경우도 마찬가지이다.

4. 관리자 이상에 대한 시스템 활용법 교육

모든 구축이 끝나게 되면 최종적으로 그때까지 세부 기능교육을 받지 못했던 관리자 이상, 임원들과 CEO에 대한 외부 전문 강사의 변화관리를 위한 1~2시간 정도의 특강 후, 강의기법이 가장 뛰어난 대표 사내 전문가가 직접 실습을 위주로 하는 약 4시간가량 구축된 시스템에 대한 활용법 교육을 시행하면 된다. 시스템이 구축되어 실제 활용을 시작하게 되면 그때까지 양성된 각 사업부의 사내 전문가는 그들이 속한 조직 내에서 전도사의 역할을 담당하게 된다. 그러나 주로 임원이나 CEO의 보다 효과적인 활용을 위해서는 시스템 활용이 시작된 연후에도 약 3~6개월 동안은 월 1~2회 전체적인 시스템 구축을 지도해 온 외부 전문가의 지도를 받을 것을 추천한다.

시스템 구축을 위한 최초 변화관리 교육 후 최종 시스템 활용법 교육을 마치는 데까지 소요되는 기간은 시스템 구축 및 그 효과에 대한 CEO의 의지와 믿음이 확고하고 나와 같은 전문가의 도움을 받는다면 중소기업의 경우 1개월가량, 중견기업의 경우 2개월가량 대기업의 경우 3개월가량이면 충분하다.

5. 구축 후 코칭

시스템은 이해만으로는 사용이 가능하지 않다. 몸에 밸 때까지 계속 써보는 일이 중요하다. 따라서 관심을 가지고 활용하도록 하는 지속적인 코칭이 필요하다. 그리고 나와 같은 전문가의 도움은 기업의 규모에 따라 차이는 있겠지만 강의를 포함하여 중소기업의 경우 15~20시간, 중견기업이나 대기업의 경우 구축 범위 따라 다르지만 대체로 20~40시간 정도가 필요하다.

필요한 것은 데이터이지 특정 형태의 보고서가 아니다

시스템 구축이 완료되면 모든 임직원은 각자 자신이 초청되어 있는 각종 현황표들이 모두 그들의 '구글 드라이브' 앱에서 '공유문서'라는 폴더로 모이게 된다. 그러면 임직원 각자는 '내 드라이브'에 자신의 편의대로 직접 각종 폴더를 생성한다. 그리고 필요한 폴더에 대상 현황표들을 이동시키기만 하면 된다. 중요한 것은 사용해 가면서 언제든지 자신의 편의대로 자신이 직접 간단하게 폴더 구성 및 조정을 할 수 있다는 점이다. 필요에 따라 일부 폴더는 그 하위에 하위 폴더들을 지속해서 만들어 갈 수 있다. 이때 잊지 말아야 할 중요한 점은 CEO나 임원들도 자신의 폴더를 자신이 원하는 대로 구성하고 또한 필요한 현황표들을 적절한 폴더에 이동하는 작업을 부하직원들에게 시키지 말고 직접 시도해야 한다는 것이다. 그래야지만 무슨 데이터가 유용한 지, 또는 향후에 어떤 데이터들이 추가로 필요한지를 알고 지속해서 자신의 시스템을 개선해 나갈 수 있게 되는 것이다. 특히 CEO나 임원들은 정해진 업무를 수행하는 사람이 아니고 항시 의사결정 사안에 따라 검토해야 하는 대상 자료가 무한대로 바뀔 수 있는 비정형 업무를 수행하는 사람이기 때문이다. 따라서 그들이 원하는 형태의 보고서가 중요한 것이 아니고 그들이 원하는 데이터가 존재하는지가 중요하다.

예를 들어, 갑자기 3년 전 1년간의 재무상태 파악이 필요한 경우 과거에는 경리부서에 그 특정한 자료를 포함하는 특정 보고서를 작성하도록 지시했다. 그러나 이제 실시간 의사소통 시스템에는 개업 시로부터 매년 월별 요약 재무제표 및 각 항목별로 세부사항을 추적해 들어갈 수 있는 구글 시트 한 장이 그 모든 역할을 담당하게 된다. 따라서 이 세상 거의 모든 지역에서 언제든지 스마트폰을 열기만 하면 모두 찾아 들어갈 수 있다.

나이 많은 사람들도 카톡이나 밴드는 잘 사용한다. 얼마나 유용한지를 알기 때문이고 안 쓰면 실생활에서 너무도 불편하기 때문이다. 회사의 실시간 의사소통 시스템도 회사 업무를 위해서는 너무도 유용할 뿐 아니라 신기하게도 자신이 알고 싶은 내용을 모두 포함할 수 있다. 그보다 추가적인 설명이 필요하다면 대상 현황표의 특정 부분에 댓글을 남기고 카톡으로 대상 임직원에게 답을 해 주도록 부탁하면, 즉시 그들에게 카톡 알람이 가며, 그들로부터 그 질문에 대한 즉답을 얻을 수 있다.

다시 한번 강조하지만, 갑자기 생긴 중요한 이슈에 대해서 대안을 마련하거나 또는 의사결정을 하기 위해 필요한 검토 사항은 대상 데이터이지 특정 형태의 보고서가 아니다. 그런데 실시간 의사소통 시스템은 그런 모든 기본 데이터를 포함할 수 있으며 그 데이터를 언제 어디서나 무슨 디바이스로든 볼 수 있게 되는 것이다. 그리고 추가로 필요하다면 전산요원들에 의한 특별한 추가 코딩이 필요한 것도 아니고 데이터를 관리하는 대상 직원에게 부탁하면 그가 보고서를 작성하는 즉시 구글 클라우드에 필요한 모든 사람에게 공유되게 될 것이다. 사내에서는 이메일도 필요 없다. 오히려 불편한 존재이다.

52시간 근무시간 단축과 업무혁신을 위한 시스템 소개

이 사례에서는 기능 설명을 위해 CEO의 '내 드라이브' 초기 화면에 품의서, 주식 관련, 자금 관련, 인사, 영업, 실적자료, 손익예상, 성과관리, 관리회계로 간단하게 구성해 보았다. 이 사례 소개에서는 독자들이 꼭 이해하고 넘어가면 좋을 것으로 생각되는 대표적인 사례만 소개하려고 한다. 그림〈10〉

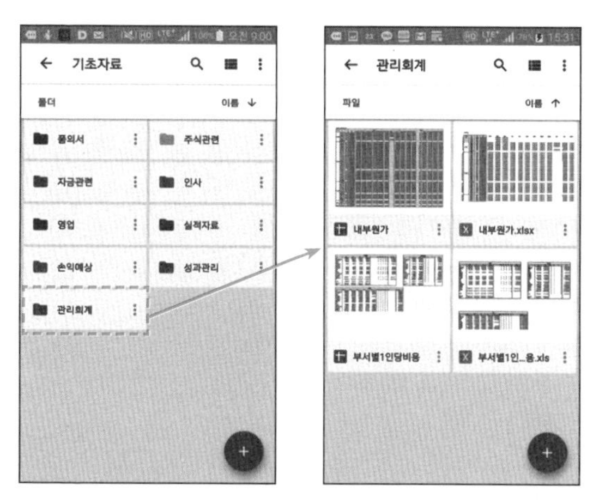

그림〈10〉 실시간 의사소통 시스템의 초기 화면(스마트폰과 PC)

은 실시간 의사소통 시스템을 스마트폰에서 보는 화면과 PC 나 노트북에서 보는 화면의 예시이다.

실시간 댓글 교신을 통해 협업 효과 증대

그림〈11〉은 앞에서 이미 3가지의 사례로 설명했던 영업사원이 주요 고객사에서 회의한 결과 고객사가 'A 제품에 대해서 1주일 납기를 당겨달라'는 요구를 듣고 회의 종료 직후 곧바로 그 고객사 빌딩 안에서 스마트폰에서 '영업 현황보고'라는 스프레스 시트 현황표를 열어 우진건설에서의 회의 결과를 말로 하여 작성하고 곧바로 현황표와 관련 있는 모든 사람의 카카오톡 방에 들어가 "관련자들은 즉시 댓글을 달아주세요"라는 요구사항을 보낸 것에 대해 즉각 댓글이 달리는 모습을 보여주고 있다.

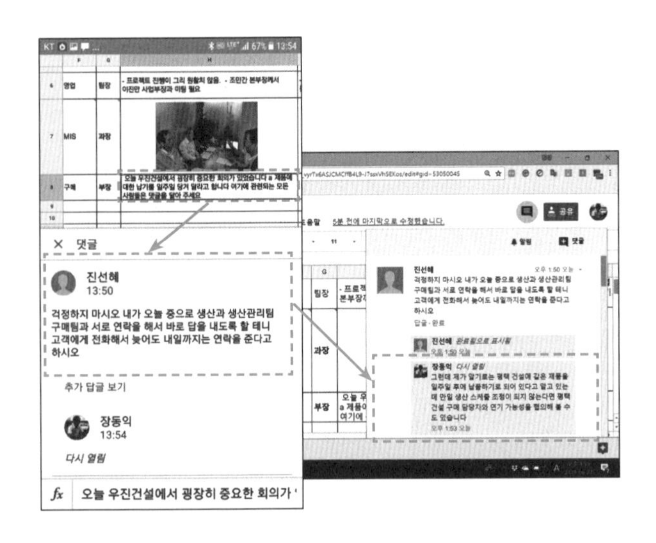

그림〈11〉 영업현황보고에 대한 관련자 실시간 댓글 교신

작성한 문서 자동 저장 및 이전 버전 복원 기능

당신은 혹시 장시간 타이핑한 문서가 실수로 저장되지 않고 날아 간 적은 없는가? 그리고 작성한 문서를 수정하고 나서 별도의 버전 관리를 하지 않고 그냥 업데이트해 버렸는데 나중에 그 이전의 버전이 꼭 필요한 적은 없었는가? 이런 경험을 할 때마다 정말 답답하기 짝이 없었다. 그런데 하필이면 그와 같은 난처한 상황은 바쁠 때 일어나기 마련이다. 그런데 구글 문서에서는 그런 일이 발생하지 않는다. 작성한 문서는 변경될 때마다 자동으로 저장되기 때문이다. 수정 사항이 입력되거나 또는 별도의 저장 없이 앱을 나가는 순간 저장된다. 따라서 열심히 노력하여 작성한 문서가 날아가는 일이 없다.

구글 문서는 자동으로 수정할 때마다 버전 관리가 별도로 될 뿐 아니라 각 버전별로 그 당시의 원본을 복원할 수 있으며 수정할 때마다 어떤 내용을 누가 어떻게 수정했는지를 정확하게 알려 준다. 10명이 함께 동시에 작업했다 할지라도 마찬가지의 결과를 나타내 준다. 정말 여러 명이 함께 같은 문서를 작업할 때 얼마나 큰 도움이 되는지 모른다.

그림〈12〉는 지난 2018년 1월부터 2월 사이에 필자 두 명이 함께 '스마트 워라밸'이라는 책자를 공동 작업할 때의 화면을 보여 준다. 이 기법은 물론 여러 상황에 활용될 수 있지만, 특히 한 프로젝트에서 공동연구를 하는 연구원들이 공동

연구보고서를 작성할 때에도 매우 유용하게 활용할 수 있는 기법일 것이다.

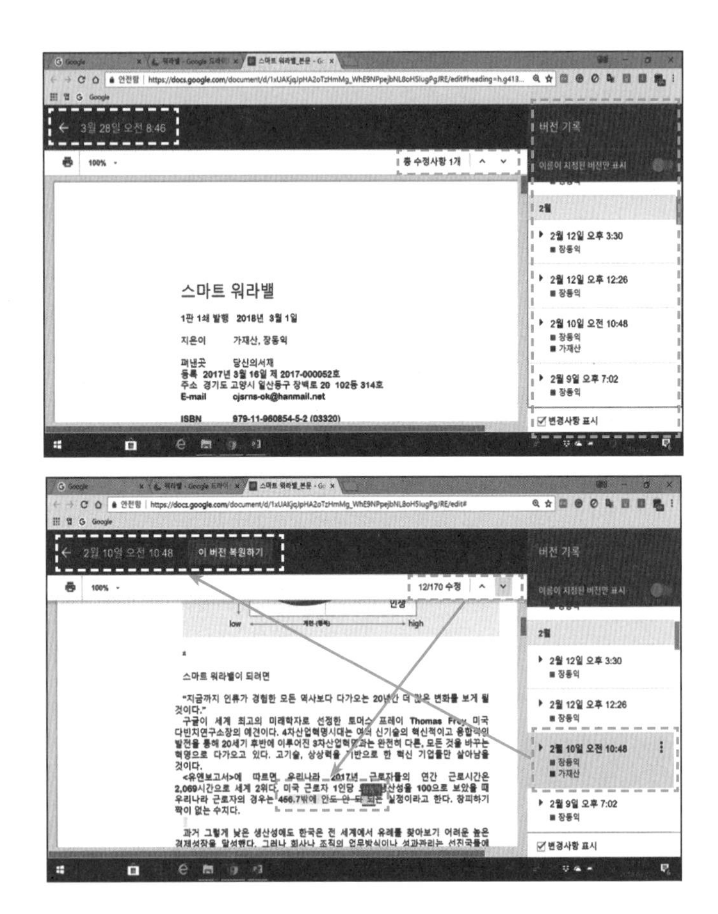

그림〈12〉 구글 문서 공동작업시 자동저장/버전기록관리/원본 복원

신속하고 정확한 자료 검색

당신은 혹시 필요한 자료가 어디 있는지를 몰라 장시간 찾다가 결국 못 찾은 경험을 해 본 일은 없는가? 대부분 사람이 경험하는 일이다. 그러나 구글 드라이브는 활용하는 기법을 잘 알기만 하면 그런 일이 발생하지 않는다. 구글 드라이브에 아무리 많은 자료가 저장되어 있다 할지라도 검색란에 말로 필요한 키워드를 입력하는 즉시 빠른 시간 내에 문서의 제목만이 아니라 저장된 문서의 내용을 모두 훑어 같은 키워드를 포함한 제목이나 내용에 같은 키워드가 들어가 있는 문서들을 모두 찾아준다.

아래 사례는 내가 2018년 6월 마지막 주 '스마트폰 고수되기' 세미나에 나의 친구 몇 명이 참여했는데 그중 한 명의 이름을 검색란에 말로 입력하여 그 이름을 담고 있는 문서들을 구글 드라이브가 즉시 모두 찾아주는 모습을 보여주었더니 참여한 모든 사람이 '와우'하며 놀라 했던 경험이 있어 개인적인 사례이기는 하지만 재미있는 사례이기 때문에 소개한다. 나는 여러 가지 구글 시트를 처와 함께 공유하기 때문에 처는 별도로 정보를 준비할 필요가 없다. 갑자기 나의 한 친구에 대한 것을 알고 싶을 때 구글 드라이브 검색란에서 친구 이름을 말로 하면 그 친구 이름이 포함된 모든 문서를 찾아 주는데 결국 축의금과 조의금 명단들이 나온 화면을 보여주고 있다. 결국 나의 부부는 언제 어디서나 축의금 및 조의

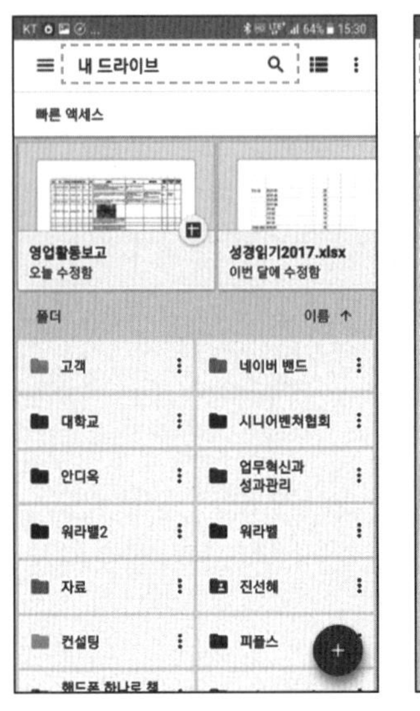

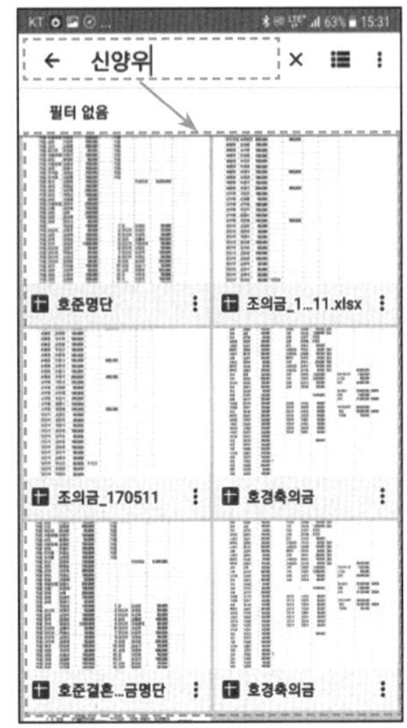

그림〈13〉 키워드 검색: 제목뿐 아니라 문서의 내용을 모두 훑어 찾아 줌

금 낸 사람들, 얼마를 냈는지 금방 찾을 수 있다.

생산성본부에서 조사한 자료에 의하면 우리 기업들 직원들이 자료검색이나 수집에 소모하는 시간이 전체 근무시간의 22.3%에 이른다고 한다. 정말 엄청난 시간이다. 그런데 당신도 경우에 따라서는 자료를 찾다 찾다 실패하고 포기하는 경우도 간혹 경험하였을 것이다. 그런데 구글 드라이브의 검색 기능은 위의 사례와 같이 검색에 필요한 시간을 크게 줄여 준다. 나는 PC에서 활용할 수 있는 애플리케이션으로는

'Void Tool'에서 무상으로 제공하는 'Everything'이라는 툴을 매우 만족스럽게 활용하고 있다. 구글 드라이브와 같이 키워드를 내용까지 훑어 자료를 찾아주지는 않지만, PC에 저장되어 있는 자료뿐 아니라 사용자가 활용하고 있는 모든 클라우드 저장공간에 저장된 모든 자료 중에서 키워드를 포함하고 있는 제목을 가진 자료를 눈 깜짝할 시간 안에 찾아준다.

한 스프레드시트에서 관련 정보 한꺼번에 검색

그림〈14〉는 여러 가지의 관련 내용을 한 스프레드시트에서 볼 수 있도록 조치한 사례를 보여준다. 예를 들어 회사의 설립 시로부터 20년간의 월별 요약재무제표를 한 시트에 저장하고 또한 '하이퍼링크'라는 기능을 활용하면 요약 재무제표에서 상세 항목으로 들어갈 수 있도록 조치할 수 있다. 다시 말해 스마트폰에서 특정 연도의 요약 재무제표에서 '판매비 및 일반관리비' 합계 치를 손가락으로 누르면 바로 그 연도의 당해 월 판매비 및 일반관리비의 상세 항목별 비용을 보여준다.

회의 및 보고서 작성 없이 주요 품의서 결재

그림〈15〉는 앞에서도 사례로 설명했던 품의서 결재하는 모

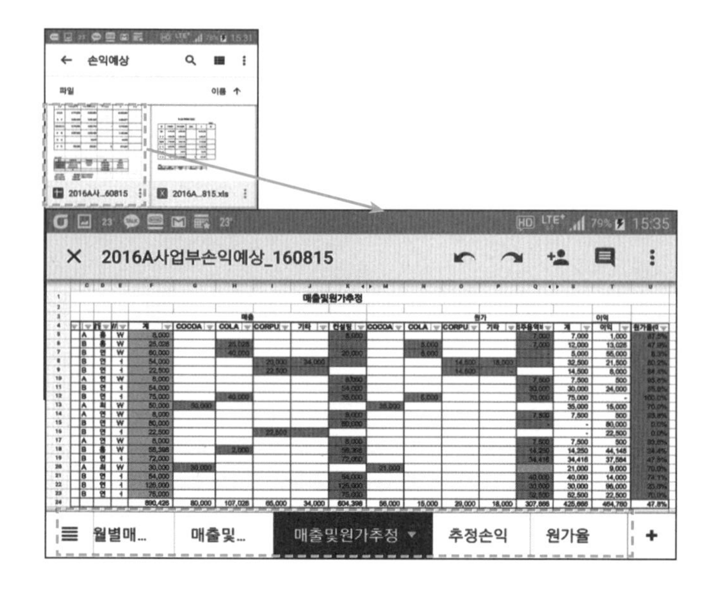

그림〈14〉 한 스프레드시트에서 여러 가지 관련 내용들을 한꺼번에 제공

습을 보여준다. 품의서 작성자가 품의서를 작성하고 곧바로 품의 결재자 모두를 동시에 초청하면 관련자 모두가 댓글을 통해, 그리고 추가로 파악하고 싶은 내용에 대해서는 이미 실시간 의사소통 시스템에 올라와 있는 현황표들을 통해 파악하는 모습을 연상시켜 주는 사례이다. 그런데 다른 대부분의 현황표들은 구글 시트를 활용하는 것이 가장 효율적이지만 품의서나 연구보고서의 경우는 구글 문서를 활용하게 된다.

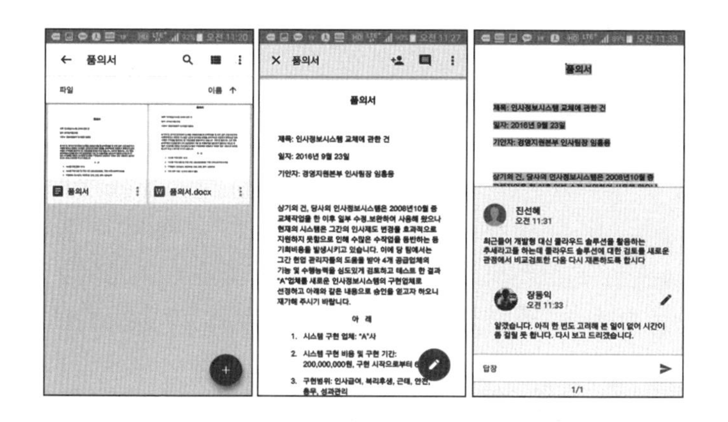

그림〈15〉 품의서 수평적 결재방식

어디서든지 필요한 때 즉시 필요한 데이터 검색

그림〈16〉은 인사 관련하여 수년간 변경되어 온 조직도들, 외부 컨설팅 사업을 영위하는 회사들의 경우라면 프로젝트 인력 투입 현황표, 연도별, 각 팀별, 각 사업부별 인원 변동 현황, 그리고 모든 임직원의 이력카드 같은 인사 관련 기록 등 자료들을 모아 놓은 폴더이다. 예를 들어 이력카드의 경우 각 사업부별 폴더에서 다시 팀별 폴더로 찾아들어가 볼 수 있도록 구성하면 언제, 어디서나 필요한 시점에 바로 그 직원에 대한 상세 내역을 편리하게 파악할 수 있게 된다. 일반적으로 중소, 중견기업들의 경우 직원들의 이력은 입사할 때 이력서를 제출하고 인사시스템에 입력되고 나서는 일부

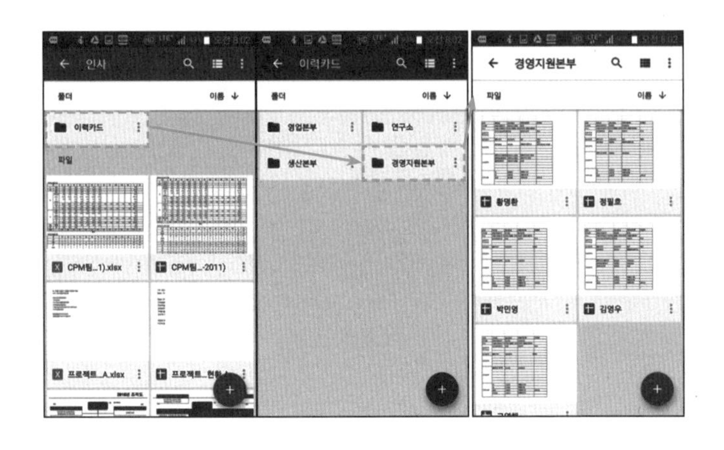

그림〈16〉 인사이력카드 관리

필수항목들을 제외하고는 전혀 업데이트되지 않아 무용지물이 되고 만다. 예를 들어 CEO가 어떤 팀의 모든 팀원과 만찬을 함께 하면서 열린 대화를 시도하는 경우 그 만찬 이전에 그 팀원들의 인사기록카드를 확인하면 그들의 그동안 프로젝트 진행 실적, 가족들에 관한 사항, 과거 경력 등 열린 대화를 위해 기억하고 있으면 도움이 될만한 내용을 먼저 파악하고 난 다음 만찬에 참석하여 열린 대화를 할 수 있게 될 것이다. 이렇게 CEO가 만찬 전에 미리 준비함으로써 얻는 효과가, 그러한 사전 지식이 없이 만찬에 참석하는 CEO가 얻는 효과보다 훨씬 더 클 것은 당연하다.

구글 클라우드를 활용하는 경우 이력카드들은 각자의 이력

사항에 변동이 생겼을 경우 그 즉시 본인이 직접 수정하도록 설계하면 항시 최신의 자료를 파악할 수 있게 된다. 물론 어떤 방법으로 본인이 항시 자진해서 입력하도록 유도하느냐의 문제는 각 사의 형편에 따라 다를 수 있다. 대체로 이력에 변동사항을 발생 즉시 입력하게 되면 무엇인가 그 직원에게 이익이 돌아갈 수 있도록 하거나 반대로 업데이트하지 않으면 상대적인 불이익을 받도록 하는 방법이 효과적이다. 예를 들어 명절 때 회사에서 제공하는 선물을 회사에서 나누어 주지 않고 집으로 배송하는 방법을 택하는 경우 직원들은 그 선물을 제대로 집에서 수령하기 위해 이사할 때 주소지를 이사하자마자 바로 수정하게 될 것이다. 아무리 늦어도 선물이 배송되기 전까지는 수정할 것이다. 이러한 각 개인의 이력에 관한 정보는 CEO나 담당 임원들이나 관리자들이 일 년에 한두 번밖에 보지 않는다고 하더라도 그 효과는 매우 클 수 있다. 특히 핵심 인재들에 관한 내용은 더욱더 그렇다.

외출한 CEO가 갑자기 필요한 보고서 작성법

마지막으로 한 가지 사례만 더 짚고 넘어가 보자. CEO가 고객사의 CEO와 면담하러 가기 위해 KTX를 타고 서울에서 부산으로 이동하는 중에 갑자기 중요한 생각이 떠올라 담당자에게 전화를 건다. "1주일 정도 전에 자네가 고객사의 요구사항에 대한 보고서와 함께 내게 보고한 적이 있는데 그

보고서에 우리가 상의한 결과 결론을 내렸던 것을 보완해서 작성해 바로 보내 주겠나?"라고 지시한다. 실무 담당자가 열심히 그 문서를 찾아 1시간 정도 작업해서 CEO에게 이메일 보내면서 그 문서를 별첨 한 다음 CEO에게 그 사실을 보고한다. CEO는 기차 안에서 스마트폰으로 이메일을 열어 보고 잘못된 부분을 발견하고는 다시 메일로 수정할 부분을 지적해 준다. 담당자는 수정한 내용을 CEO에게 다시 별첨하여 메일을 보낸다. CEO의 전화 한 번, 담당자의 전화 한 번, 담당자의 2시간에 걸친 보고서 및 메일 작성 작업, CEO의 메일 작성을 거쳐 결국 완성되었다. 현재의 IT기술로는 정말 한심한 결과이다.

만일 그 보고서가 구글 드라이브에 올라와 있었다면 CEO는 갑자기 생각이 나는 순간 구글 드라이브에 들어가 그 구글 문서를 열어보고 그 문서의 사본을 만든 다음 그 사본에 직접 수정하면 되는 일이었다. 다시 말해 담당자에게 전화하거나 별도의 수정 작업을 시킬 필요도 없었고 자신이 직접 잠시 작업하면 되는 일이었다. CEO가 직접 작업했더라면 20분가량이면 끝날 작업이었다. 통상 상사가 직접 한번만 작성하면 될 것도 실무자가 지시받아 작성하게 되면 상사의 의중을 정확하게 파악하지 못하여 시간도 오래 걸리고 중복 작업을 하게 된다.

이것이 바로 실시간 의사소통 시스템에 의한 진정한 의미의 스마트워킹이다.

회사에 가장 효율적인 특정 목적의 솔루션을 점진적으로 적용

이제 세계 최고 수준의 앱들을 활용한 실시간 의사소통 시스템에 대해서 정리해 보자.

매월이나 매주 한 번 또는 이슈가 생길 때마다 현황표 작성 책임자는 한 번만 현황표를 작성하여 실시간 의사소통 시스템에 올리거나 시스템의 현황표를 수정 보완하기만 하면 당해 보고자 및 초청되어 있는 관련자들은 그 누구도 같은 내용에 대한 별도의 다른 보고서들을 작성할 필요가 없다. 더 나아가 특히 상위 임직원들은 언제, 어디서나, 무슨 디바이스로든 모든 내용을 즉시 정확하게 파악하고 그에 따른 정확한 의사결정을 내릴 수 있다.

이는 단순히 업무시간 단축만의 문제가 아니라 조기 경보시스템에 따른 문제 조기 해결, 고품질의 의사결정에 따른 생산성 향상; 나아가 부하직원이 무엇을 하고 있는지 언제든 확인할 수 있으므로 그들에게 보다 많은 자율성을 줌으로 인한 자율책임경영 문화 정착과 그에 따른 생산성 향상, 고객 요구사항에 대한 신속한 대응으로 고객 충성도 향상 등 그 효과는 매우 크다.

물론 이 세상에는 이러한 실시간 의사소통 시스템보다 더 좋은 품질의 협업 툴들이 무수하게 많이 개발되어 있다. 그러나 이런 툴들은 대부분 자율책임경영의 문화가 정착되지 않은 상태에서 사용하도록 통제나 감독 기능에 중점을 두고 있다. 특히 외국산을 제외하고는 스마트워킹을 온전히 지원할 수 있는 진정한 의미의 클라우드 솔루션은 아직 찾아보기 힘들다.

따라서 이들 특정 목적의 솔루션들은 실시간 의사소통시스템이 궁극적으로 지향하는 자율책임경영의 정착을 위해서는 크게 기여하기 힘든 한계를 가진다. 특히 지난 8월 31일부로 클라우드 컴퓨팅 규제가 해제됨으로써 점차 시장이 확대되고, 정부 지원이 활성화되면서 국내 솔루션들도 급속도로 늘어나게 될 것이다. 그러나 제법 많은 시간이 소요될 것으로 판단된다. 따라서 특정 목적의 솔루션보다는 활용이 약간은 불편하지만, 실시간 수평적 의사소통 시스템을 당장 구축하고 지속적으로 활용함으로써 스마트워킹을 우선적으로 조직문화로 정착시킬 수만 있다면 점진적으로 많은 경험과 연구를 거쳐 특정 업무에 효율적인 솔루션을 찾아 내 구매하여 활용하는 것을 추천한다.

무료 앱들을 활용한 실시간 의사소통 시스템은 아직까지 워라밸이나 스마트워킹을 위한 준비가 전혀, 또는 거의 되어 있지 않은 기업에게는 단기간 내에 그 효과를 크게 올릴 수 있는 가성비가 매우 높은 솔루션이다.

스마트워킹이 성공하려면

밀레니얼 세대, 또는 Y세대라고 칭하는 사람들은 PC가 소개된 1980년 이후에 탄생한 사람들을 일컫는다. 컴퓨터와 모바일 기기를 잘 다루어 스마트 신인류 시대를 사는 디지털 네이티브Digital native 세대다. 이미 직원들의 반 이상을 점하게 된 이들은 스마트워킹을 위한 별도의 변화관리 교육을 하지 않아도 그 방법을 이미 잘 알고 있다. 그 이전 세대인 임원과 관리자들이 오히려 먼저 자신들이 가지고 있던 패러다임을 완전히 바꾸고 스마트워킹 하는 습관에 앞장설 수만 있다면 성공의 길로 들어갈 수 있다.

스마트워킹을 위한 클라우드 모바일 시스템 구축과 함께 또 한가지 명심해야 할 사항은 스마트워킹의 성과를 명확히 관리할수록 스마트워킹의 성공 가능성은 높다는 점이다. 스마트워킹이 아무리 좋아 보여도 기업에 이익을 가져오지 못한다면 결국 자리를 잡지 못할 것이다.

스마트워킹이 생산성 향상, 직원만족도 증가, 창의력 증진의 성과로 이어지기 위해서는 단순히 사무실 공간을 재배치하거나 자율 근무제를 시행한다든지 실시간 의사소통 시스템을 구축해 놓는 것만으로는 불충분하며, 이러한 제도를 구성원들이 자유롭게 이용할 수 있도록 기업문화 및 근로환경을 조성하는 것이 무엇보다 중요하다. 유한킴벌리가 활용하고 있는 스마트워크 시스템은 이미 오랜 기간 시행해 왔던 이 회사의 핵심역량인 교대 조, 학습 조직화, 가족친화 정책을 기반으로 하고 있어 공간 활용과 정보기술만 강조하는 다른 일반 스마트워크 시스템과 차이가 있다.

예를 들어 유한킴벌리에서는 업무추진 프로세스를 표준화하여 업무의 진행이 선명하고 투명하게 보이도록 했다. 또한 객관적인 업무평가가 이루어질 수 있도록 성과측정 제도를 정비하였다. 이는 결과적으로 상하 간의 신뢰를 끌어냈고 스마트워크가 정착할 수 있는 기반이 되었다. 스마트워크를 통한 비전 달성과 결과는 유한킴벌리의 지속적인 변화와 혁신 노력의 성공적인 사례를 통해 보여주고 있다.

또한 유연근무제는 일과 가정의 양립 및 직원의 만족도를 높이는 것이 분명하다. 출근 시간을 늦춰 어린 자녀를 유치원에 보내거나, 반대로 퇴근 시간을 당겨 퇴원 시간을 맞출 수도 있다. 장기적으로 본다면 육아로 인한 휴직이나 퇴직을 유연 근무제를 통해 줄일 수도 있다. 기업의 입장에서는 일에만 온전히 집중할 수 있는 시간을 늘릴 수 있으며, 외부적인 이미지나 직원의 충성심을 높이는 등의 효과도 얻을 수 있다.

다만 이러한 유연 근무제가 제대로 시행되기 위해서는 앞서 언급한 솔루션뿐만 아니라 사회적 인식의 개선이 필요하다. 기업이 유연 근무제 도입을 꺼리는 이유 중에는 '직원이 일을 제대로 하고 있는지 확인하기 어렵다.'는 응답이 있었고, 반대로 직원이 유연근무제를 활용하지 못하는 이유에는 '눈치가 보여서'라는 응답도 많았다. 즉 직원은 보이지 않는 곳에서도 열심히 일하고, 기업은 직원이 사무실을 비워도 불이익을 주지 않겠다는 상호 간의 신뢰가 우선 필요한 셈이다.

3 스마트워킹을 위한 하우투How to 워라밸

제대로 된 스마트워킹을 위해 무엇을 해야 하나

이제까지 특별히 엄청난 비용을 들이지 않고도 세계 최고 수준의 스마트폰 앱들을 활용하여 단 기간에 구축할 수 있는 실시간 수평적 의사소통 시스템을 활용하여 스마트워킹하는 방법에 대해서 구체적으로 알아보았다.

실시간 수평적 의사소통 시스템을 활용하여 한 영업사원이 고객사의 매우 까다로운 요구사항을 회사에 다시 돌아갈 필요도 없이, 부서별로 갈등을 크게 유발할 수 있는 의제임에도 불구하고 회의 한번 없이, 관련자들 모두의 실시간 댓글을 통해 빠른 시간 내에 해결함으로써 고객마저 크게 놀라게 하는 사례를 보았다. 10억 원이 넘는 예산을 투여해야 하는 프로젝트에 대한 품의를 회의 한 번 없이 매우 단기간에 결재를 끝내는 모습도 보았다. 해외 현지법인에서 매우 큰 사고가 터졌는데도 관련자들의 출장 한번 없이, 함께 모두 모이는 면대면 회의 한번 없이 과거 유사한 사건이 있었던 타 현지법인의 도움으로 신속하게 처리해 가는 놀라지 않을 수 없다.

물론 이 모습은 스마트워킹이 조직문화에 깊이 뿌리내려 전 임직원에게 숙달되어 있는 상태를 보여주는 사례들이다. 그러나 중요한 것은 장시간에 걸쳐 준비하고 큰 비용부담이 따르는 별도의 시스템 구축이 없이도 즉시 스마트워킹을 시작할 수 있다는 점이다.

인공지능 기술 발전에 커다란 족쇄가 되었던 클라우드 관련법도 개정되어 이제는 우리나라도 클라우드가 개방되게 되었다. 클라우드의 효율적인 활용은 우리 기업에 너무나도 큰 성과를 창출해 주었을 텐데 아직 그 어느 기업도 그 혜택을 제대로 보지 못했다. 이제 과연 어떤 기업이 제대로 이해조차 못하고 있는 처절한 상황 속에서 그러한 대박과도 같은 기회를 차지하게 되느냐가 블루오션에 들어가는 첩경이다. 4차 산업혁명의 폭풍은 위기상황임에 틀림이 없지만 지금은 절호의, 그리고 최고의 기회가 될 수 있다.

그러면 과연 그러한 실시간 의사소통 시스템을 활용하여 스마트워킹을 하게 되면 무엇을 해야 할까?

스마트워킹을 수행하기 위한 전제요건이기도 하면서 스마트워킹을 함으로써 얻을 수 있는 이득이 바로 조직문화와 일하는 방식의 혁신이다. 수직적인 조직문화를 수평적인 조직 문화로 바꾸고 일하는 방식을 바꾸어야 한다. 개인은 물론 회사 전체가 일부만 바꾸어서는 성공하기가 쉽지 않다. 일하는 방식은 물론 일하는 장소, 출퇴근 개념이나 일하는 시간관리 개념이 기존 방식과는 다른 변화가 되어야만 개개인들이 스마트워커가 될 수 있다. 이를 요약정리하면 다음과 같다.

첫째, 일과 관련하여 일하는 방식을 혁신하고 직원들은 모두 스스로 사내기업가가 되어 자율과 창의적으로 업무를 수행할 수 있어야 하며, '나' 주식회사 CEO들로서 자발적으로 일에 몰입할 수 있어야 할 것이다.

둘째, 공간적인 측면을 보면, 실시간 수평적 의사소통 시스템과 같은 클라우드/모바일 기법을 최대한 활용하여 수평적으로 소통하며 수평적인 조직문화가 기업 전반에 뿌리내리도록 해야 한다.

셋째, 스마트워킹이 조직문화에 깊이 뿌리내리게 되면 시간의 관점에서 본 유연근무제, 재택근무 및 탄력근무는 자연스럽게 실행할 수 있게 된다. 그 결과 모든 임직원들은 일과 삶의 균형을 찾게 되고 평생학습 시대에 자기 자신의 미래를

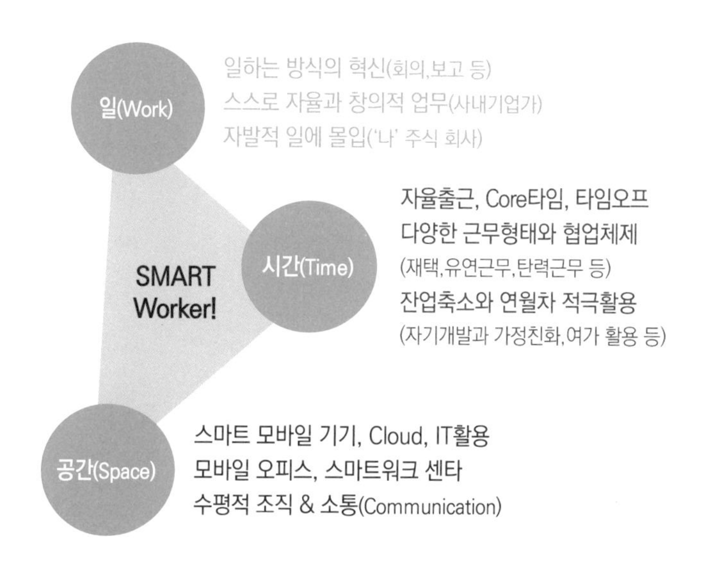

그림〈17〉 스마트워킹을 제대로 하려면 무엇을 해야 하나?

위한 자기계발을 통해 개인과 조직의 성과에 큰 도움을 주게 될 것이다.

개인과 조직의 생산성 향상을 위한 하우투How to 워라밸

이와 같이 워라밸을 시현하려면 업무혁신을 통한 일과 공간과 시간의 관점에서 스마트워킹을 통해 생산성 향상이 중요한데 이를 실행하기란 쉽지 않다. 그 실천방법으로서 할 일들을 1) 직원 개인적 측면 2) 조직적 측면 3) 리더십 측면 등 세 가지의 방향으로 나누어 어떻게 실천하여 업무혁신을 해나갈 수 있는지 구체적인 해답을 찾아보려고 한다. 왜냐하면 워라밸은 사실상 개인과 조직 측면에서 관심사와 이해관계가 늘 상충하게 되며 이 상충하는 이해관계를 조정하고 선도해야 하는 것이 경영자와 관리자들의 리더십이기 때문이다. 이를 좀 더 자세하게 들여다보자.

첫째, 우선 상위자들인 리더들부터 패러다임을 완전히 바꾸어야 한다. 이제는 실시간 수평적 의사소통과 같은 시스템을 활용할 수 있기 때문에 이제는 부하직원이 무엇을 하는지 언제든지 파악할 수 있기 때문에 과감하게 권한을 위임해야 한다. 과거 통제하고 감독하고 평가를 중시하던 리더에서 부하직원의 잠재능력까지도 끌어낼 수 있는 감성 중심의 리더가 되어야 하고 특히 우리만이 가지고 있는 강점들을 극대화할 수 있는 한국형 리더십을 발휘할 때이다.

둘째, 개개인이 모두 스마트워커가 되도록 노력해야 한다. 워라밸은 단지 회사가 부여하는 시혜성으로 인식해서는 곤란하다. 칼퇴근만이 워라밸의 성공요소가 될 수 없다. 개개인이 하는 일에 효율성이 있어야 하고 근무시간이 짧아진 만큼 생산성도 높여야 한다. 4차 산업혁명시대에는 협력하는 괴짜들의 시대이다. 남이 시켜서 일하는 시대가 아니라 내가

나 자신의 미래를 스스로 개척하여 발전해 나가야 하는 시대이다.

이제 더 이상 상사가 시키는 일에 쪼들려 열심히 일하고도 큰 성과를 창출할 수 없었던 하드워커에서 스마트워커로 당장 변신해야 한다. 더구나 이제는 Job Nomad의 시대이다. 나 자신의 발전을 위해 내가 좋아하는 일을 찾아서 하고 그 일에 자발적으로 몰입하여 개개인이 각자 '나' 주식회사 CEO가 되어 사내 기업가정신을 발휘해야 한다.

마지막으로 조직적 측면을 반드시 변화와 혁신을 해야 할 일들을 검토해 보자. 우선 기존의 일하는 관행을 타파하는 일인데 그중에 가장 문제가 회의다. 당장 옛 구습에서 벗어나 각종 회의를 없애거나 줄여 80%를 정도로 감축해야만 한다. 회의가 없어지면 자동으로 보고서도 크게 줄어든다. 나아가 이제는 언제 어디서나 어떤 디바이스로든 내가 필요한 데이터를 즉시 볼 수 있는 스마트워킹이 가능해졌다. 어떤 특정한 상황 속에서 나만을 위해 직원들에게 작성하게 했던 보고서 작성을 모두 없애 보고서 작성 50% 이상을 감축할 수 있다.

이제는 스마트폰만으로도 타지역 열군데와 동시 동영상 회의를 할 수 있는 시대이며 별도의 면대면 회의가 없이도 면대면 회의보다 고품질의 의사결정을 할 수 있게 되었다. 국내 및 해외 출장을 최대한 줄여야 한다. 스마트워킹이 조직

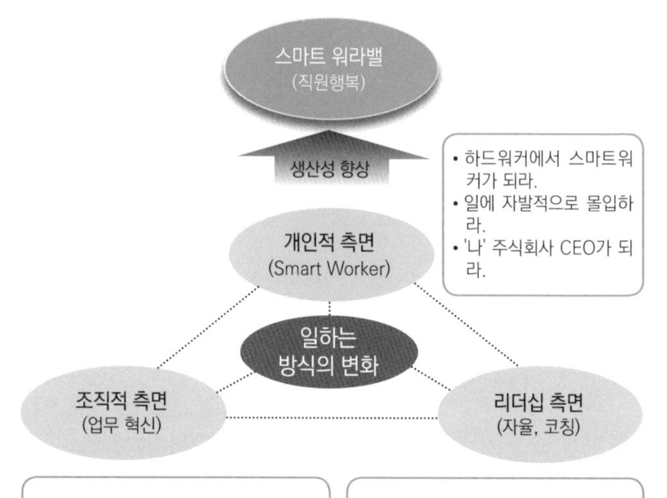

그림〈18〉 생산성 향상을 통해 스마트 워라밸을 달성하기 위해 해야 할 일

문화에 깊이 뿌리내리게 되면 유연근무제, 재택근무 및 탄력근무 등 다양한 근무 형태를 별도의 조치가 없이도 당장 실행에 옮길 수 있게 된다.

본서에서는 제3장부터 제5장까지는 어떻게 스마트 워라밸을 달성해 나갈 수 있을지에 대해 상세하게 다루어보았다. 다시 한번 강조하지만 스마트워라밸을 어떻게 할 것인가 '하우투 워라밸'은 가장 먼저 실행되어야 할 전제 요건은 4차 산업혁명의 기술들을 최대한 활용하여 개인은 스마트워커로 변신하는 것이다. 아울러 조직은 스마트워킹을 실행할 수 있도록 제도나 조직문화를 혁신하는 것이고, 그 전제 요건이 충족되는 동시에 마지막 장에서 다루게 될 리더십 측면의 변화관리가 가장 먼저 선행되지 않으면 안 된다는 사실을 명심할 필요가 있다.

제3장

하우투 How to 워라밸 I

-개인편-

행복한 스마트워커로 변신하라

1 하드워커에서 스마트워커가 되라

워크 하드Work Hard와 워크 스마트Work Smart의 차이

워크 스마트의 근본적인 목적은 조직의 가치와 비전을 달성하기 위해서 기존의 업무 관행과 고정관념에서 탈피하고 업무 선진화와 IT기술을 접목하여 장기적인 관점에서 일하는 방식의 근본적인 변화를 이끌어 냄으로써 개인과 조직의 업무를 효과적으로 실행하는 방법을 제시하는 것이다. 다시 말해 '이제 더 이상 열심히 일하자Work Hard.'가 아니고 '똑똑하게 일하자Work Smart.'이다. 시간을 낭비하지 않고 근무하는 방법을 개발하는 분야이다.

스마트워크가 가능하려면 일하는 사람이 스스로 선택한 전략과 실행력을 바탕으로 현명하게 일하는 워크 스마트가 선행돼야 한다. 과거 산업사회에서 조직 구성원이 일하기 위해서는 직장이라는 물리적인 공간에 출근해야 했다. 업무수행에 필요한 장비, 시설, 비품들이 직장에 있었기 때문이다. 그러나 이제는 창의성이 조직 경쟁력의 핵심이다. 무조건 열심히 일하는 워크 하드에서 벗어나 자율적 환경에서 최신 IT 기술을 최대한 활용하여 현명하게 일하는 워크 스마트로 전환해야 한다.

대부분의 사람에게 일이란 고통이지만 몰입하면 오히려 즐거움이 된다. 대부분의 직장인은 하루 근무하는 시간 동안 고통을 감내해야 한다고 생각한다. 실제로 우리나라에서는 직장이 있는 사람들이 하루 종일 일할 수 있다는 사실만으로도 행운이었다. 그러나 대부분 직장은 직원들에게 하루 대다수 시간을 회사에 맞출 것을 요구해 왔고, 또한 얼마나 오래 일하는지로 성실성을 평가해 왔던 것이 현실이다.

하루 종일 일을 했지만, 저녁에 피곤한 몸을 이끌고 집에 들어와 잠자기 전에 생각해 보면 '과연 오늘 무슨 일을 했지?'라는 의문이 들게 마련이다. '얼마나 오래 일을 했느냐.'가 중요한 것이 아니고 '얼마나 가치 있는 성과를 냈느냐.'로 사고를 전환해야 한다. 극심한 경쟁에서 살아남으려면 창의적으로 일해야 한다. 혁신적으로 발전한 IT 기술 환경 속에서 아직도 아침형 인간, 근면성으로 대표되는 과거 산업화 시대의 열심히 일하는Work Hard 습관에 머물러 있는 사람은 도태될 수밖에 없다. 이제는 효율적인 업무 방식을 선택해 스스로 창조적으로 일하는 워크 스마트 시대다.

이제 반복되는 일은 인공지능이나 로봇에 맡겨라

단순 반복 작업은 기계가 하고 사람은 의사결정을 한다

2017년 7월 24일 미국 뉴욕에서 열린 반도체 기업 인텔의 'SHIFT 2017'에서 앤드루 맥아피 매사추세츠공대MIT 수석 과학자는 기조연설에서 기존의 기업 의사결정권자를 '히포HIPPO'라고 불렀다. '보수를 가장 많이 받는 사람의 의견Highest paid person's opinion'을 줄인 말이라고 했다. 하마처럼 둔해 변화에 느리다는 뜻이다.

맥아피 교수는 이런 시대에서 살아남으려면 첨단기술을 적극 수용해야 한다고 강조한다. "기업이 성과가 나지 않는다면 그건 과거 방식대로 경영해서이다. 살아남기 위해선 지금의 경영방식을 버려라. AI가 사람보다 더 낫다는 것을 인정하라. 이미 20여 년 전 인간과 기계 사이에는 '단순 반복 작업은 기계가 하고 사람은 의사결정을 한다.'는 표준적 파트너십이 형성됐다. 요즘 의사결정은 히포가 한다. 임직원 중 가장 많은 돈을 받는 CEO들은 경험과 직관 등을 바탕으로 결정한다. 그러나 실패가 많다. 사람은 편견과 불완전한 본능을 갖고 있다. 히포는 요즘 큰 적수가 생겼다. 바로 **인공지능이다. 인공지능은** 알고리즘에 기반한 결정이다."(한경 2017.10.26)

단순 반복적인 일은 인공지능에 맡기는 것이 현대 기업들이 살길이라는 말이다. S&P500 기업 중 절반이 10년 내에 사라질 것이란 예상이 나오는 시대다. 컨설팅업체 프라이스워터하우스쿠퍼스PwC는 2018년 모든 업종의 상위 20개 회사 가운데 최소 40%가 디지털 기술로 무장한 신생 경쟁자에 의해 어려움을 겪을 것이라고 예측했다.

카네기 멜런 대학의 교수였던 한스 모라벡Hans Moravec이 한 말이다. "지능 검사나 체스에서 어른 수준의 성능을 발휘하는 컴퓨터를 만들기는 상대적으로 쉬운 반면, 지각이나 이동 능력 면에서 한 살짜리 아기만 한 능력을 갖춘 컴퓨터를 만드는 일은 어렵거나 불가능하다." 사람에게 쉬운 것은 로봇, 인공지능에게 어렵고, 사람에게 어려운 것은 로봇, 인공지능에게 쉬운 아이러니를 표현하는 말이다.

반복되는 단순 작업은 인공지능과 로봇에게 맡기고 인간은 자기 정체성 표현을 지향하는, 보다 고차원적인 창조적인 일에 몰입하게 된다는 것이다. 과거 그리스 시민들이 10배에 해당하는 노예에게 생산을 맡기고 토론과 전쟁에 집중한 사례와 비견될 만하다.

이제 인공지능이 사람보다 훨씬 더 잘할 수 있는 일은 인공지능에게 과감하게 맡기면 짧은 기간 내에 개인과 조직의 생산성을 대폭 상승시킬 수 있다.

인공지능을 장착한 로봇 활용

2017년 11월, 뉴질랜드의 소프트웨어 개발자 '닉 게릿센Nick Gerritsen'이 언론을 통해 처음으로 자신이 개발한 샘SAM이라는 AI 여성 정치인을 공개했다. 당시 SNS 유저들의 반응이 매우 폭발적이었다고 한다. 현재 샘은 페이스북 메신저와 연결되어 페이스북 유저들과 대화를 나누고 다양한 정치 이슈에 대해 답을 한다. 샘은 예를 들어 기후 변화에 대한 질문을 받으면 "기후 변화를 막기엔 너무 늦었지만, 만약 우리가 지금이라도 빠르게 행동한다면 심각한 결과를 막을 수 있다. 그리고 기후 변화를 막을 수 있는 유일한 방법은 온실가스 방출을 줄이는 것이다."라는 식으로 말한다. 2020년 뉴질랜드 총선에 출마하는 게 목표라고 한다. 점차 빠른 진화를 하고 있는 인공지능을 장착한 로봇의 실상이다.

주 52시간 근무제 도입과 관련하여 RPARobotics Process Automation, 로봇프로세스 자동화가 주목받고 있다. RPA는 소프트웨

어를 활용하여 일정한 규칙에 따라 수작업으로 진행하던 단순하고도 반복적인 업무를 자동화하는 솔루션이다.

RPA는 그동안 인간이 담당해 왔던 단순 반복적인 업무를 자동화함으로써, 인간은 보다 고부가가치를 창출하거나 창의적 업무에 집중할 수 있도록 도와준다. 업무 시간을 줄여주고, 인력을 대체할 수 있다는 점에서 기업들의 관심이 크다. 금융권의 경우 고객 서비스 부문에서 자산관리형 가상 비서 및 고객 응대형 감정 인식 로봇, 소액 자산보유 고객을 위한 저비용 자산관리 서비스 등과 같은 단순 반복 내지 중복 업무를 표준화시켜 RPA에 맡김으로써 직원들의 업무시간을 줄여 줄 수 있다.

LG전자는 2018년 초 영업·마케팅·구매·회계·인사 등 12개 직군의 총 120개 업무에 RPA 기술을 도입했다. 데이터를 취합하고 정리하는 단순 작업에 드는 시간을 월 3,000시간까지 절약할 수 있다는 게 LG전자 측의 설명이다. 이번에 RPA가 도입된 업무는 각 부서에서 자동화가 필요하다고 요청한 업무들이다. LG전자는 인공지능AI 기술 또한 사무직 업무에 활용하고 있다. AI가 거래선 채권의 부도 위험을 사전에 알려주는 모니터링 시스템이 대표적이다. 올해 초부터 활용된 이 시스템은 지난 3년간 발생한 채권의 부도 사례를 분석해 부도 위험을 사전에 감지하고 관리할 수 있게 해준다. LG전자는 이 시스템으로 올해 부도난 채권의 65%를 예측했다고 밝혔다. 또한 LS-Nikko 동제련의 경우도 구성원들이 보다 가치 있는 업무에 집중할 수 있도록 비교적 반복적인 업무를 중심으로 업무를 자동화해 처리할 수 있는 RPA를 도입한다고 한다. 이제 기업들이 프로세스의 혁신을 통해 반복적인 업무들은 효율화해 구성원들이 보다 본질적인 업무를 수행할 수 있도록 도와주어야 할 것이다.

인공지능의 최대 수혜 기술인 음성 및 이미지 인식 기술 즉시 활용

스마트워킹을 효율적으로 시행하고 일하는 방식을 바꾸면 업무성과를 최소한 30% 이상 올릴 수 있다. 스마트워킹을 위한 선결과제는 데이터를 클라우드로 이전시키는 일이다. 일단 데이터가 클라우드로 올라가면 스마트워킹을 위해 가장 먼저 숙달해야 하는 것이 바로 인공지능과 딥러닝Deep Learning의 가장 큰 수혜 기술인 음성 및 이미지 인식 기술을 즉시 활용하고 지속해서 습관화하는 것이다. 어려운 일도 아니다. 이제는 스마트폰의 기능과 앱들의 기능이 워낙 발전하여 별도의 하드웨어 없이 스마트폰만 가지고도 스마트워킹, 유연근무, 재택근무를 시행할 수 있다.

배우기 쉬운 어떤 기술도 지속적으로 활용하여 숙달하지 않고 그 효과를 얻어내는 것은 불가능하다. Y, Z세대들이 스마트폰에 문자를 칠 때 두 손의 엄지손가락을 보이지 않을 정도로 빨리 쳐서 PC의 자판을 양손 열 손가락을 활용해서 타이핑하는 것보다도 더 빠를 정도이다. 어릴 때부터 지속적으로 활용해 왔기 때문이다. 나는 그동안 수많은 베이비 부머나 X세대들에게 최근 엄청나게 발전한 음성 및 이미지 인식 기술을 설명해 주었다. 모두 매우 놀라면서 그 기술을 바로 시도해 본다. 그러나 몇 번 활용해 보고는 곧 사용하기에 불편하다는 핑계를 대면서 활용하지 않는다. 사용하지 않고도 잘 살아왔기 때문이다.

맞다. 처음 시작할 때는 스마트폰 마이크에 대고 말을 해도 잘 알아듣지 못해 잘못된 부분이 있고 그 부분들을 하나 하나 어눌한 독수리 타법으로 고치느니 차라리 과거 관습대로 백만 원짜리 스마트폰을 3만 원 기계처럼 사용하고 만다. 손가락이 보이지 않을 정도로 독수리 타법에 능숙한 Y, Z세대들도 당장 숙달되지 않은 말로 하거나 이미지를 사진 찍어 문서 작성하는 것보다는 독수리 타법이 훨씬 편하다고 생각하여 새로운 음성이나 이미지 인식 기술을 활용하려 들지 않는다.

이 두 사례 모두 HIPPO들의 사례이다. 패러다임을 바꾸어야 한다. 기술의 효율성과 효과를 알고 지속적으로 사용하기만 하면 점점 그 효과를 크게 느끼게 되고 숙달하는데 걸리는 시간도 그리 길지 않다. 그런데 이 책자를 통해 모든 임직원이 함께 활용함으로써 얻게 되는 효과는 상상하기 어려운 정도로 크다는 것을 깊이 인식하게 되기를 바란다.

업무에 활용할 수 있는 대표적인 음성 인식 기술은 STTSpeech to Text와 TTSText to Speech 기술이다. 구글 문서나 시트에서는 스마트폰 마이크나 노트북 마이크에, 또는 PC에 단방향 마이크를 부착하고 말을 하면 바로 문자화 시켜 준다. 이 기술을 STT라고 부른다. 말을 문자화 시켜 주는 기술이다. 그리고 안드로이드 폰에서 활용할 수 있는 TalkFree나 아이폰에서 활용할 수 있는 ALOUD와 같은 앱은 텍스트를 옮겨 놓으면 문자를 예쁜 여성의 목소리로 읽어 준다. 속도를 조절할 수도 있다. 이 기술은 TTS라고 부른다. 문자를 말로 변환시켜주는 기술이다.

마이크로소프트 오피스렌즈Office Lens와 같은 앱은 문자를 담고 있는 이미지를 사진 찍으면 바로 문자화해 주고 구글 번역Google Translate은 문자를 담고 있는 이미지를 사진 찍으면 즉시 번역해 문서를 만들어 준다. 이 기술은 ITTImage to Text라고 부른다. 문자 이미지를 글자로 변환시켜주는 기술이다.

최신 스마트 기기의 달인이 돼라

대체로 베이비 부머나 X세대인 시니어들이 이런 엄청난 효과를 낼 수 있는 신기술 응용 기회를 놓치는 사유는 크게 2가지로 취합할 수 있다. 첫째, 수평적 의사소통의 효과를 거두기 위해서는 댓글 달기 기능을 원활하게 잘 써야 하는데 숙달되어 있지 않아 잘 사용하지 않는다. 둘째, 새로운 기술을 숙달할 때까지는 불편함이 따르게 마련인데 그 불편함 때문에 시도 자체를 하지 않는다.

그런데 댓글 달기를 불편해하는 가장 큰 이유는 어눌한 독수리 타법으로 댓글 입력하기가 어려워서이다. 회의 소집하거나 직접 보고받는 것이 훨씬 편하고 더 깊은 내용을 파악할 수 있다고 생각하니 말이다. 그런데 이제는 독수리 타법이 필요 없고 말로 하면 된다. 첫째 댓글 달기의 효과에 대해서는 이 책자의 여러 곳에서 설명되어 있다. 그렇다면 둘째 사유인 불편하다는 측면에 대해 알아보자.

내가 처음 회사를 입사하던 1970년대 초에는 상업고등학교 출신 여직원들이 주판을 손가락이 보이지 않을 정도로 빨리 사용하여 일반인들이 수작업으로 계산하는 것보다 수십 배나 빠르게 계산을 해내었다. 그러나 계산기가 개발되어 나오는 순간 주판 기술은 필요 없게 되었다. 물론 계산기가 나와서도 단기간 내에 주판이 없어진 것은 아니다. 나는 대학생들에게도 종종 AI 관련 신기술을 가르치는 기회가 있는데 그들에게도 이제 아무리 숙달된 독수리 타법도 STT로 당장 바꾸라고 강력하게 조언해 준다.

STT와 TTS 및 ITT가 불편해서, 그리고 댓글을 다는 것이 불편해서 수평적 의사소통을 무시하고 옛 방식대로 회의 소집이나 보고서 작성을 강요한다면 스마트워킹은 일장춘몽의 꿈이 되고 만다.

처음에는 불편하다. 그러나 바로 상위직을 맡은 베이비부머나 X세대들이 잘 활용하기만 하면 손가락이 보이지 않을 정도로 독수리타법을 구현하는 젊은이들보다 스마트폰 활용을 통한 생산성 향상이 훨씬 더 크다는 것을 잊지 말라. 다양한 업무 경험, 판단력 등 말로 표현하기 어려운 정도의 강점들을 가지고 젊은이들의 독수리타법보다 더 신속하고도 효과적으로 활용할 수 있다.

최신 스마트기기의 달인이 되는 것은 어려운 일이 아니다. 내게 필요한 새로운 기술의 효과를 실감하고 그 기술을 지속적으로 활용함으로써 얻어내는 성과가 크다는 것을 인식하면 달인의 길로 들어가게 된다. 스마트기기의 달인이 되면 언제 어디서나 일할 수 있을 뿐 아니라 개인의 업무 생산성도 크게 높아지기 때문에 자신이 쉬고 싶을 때나 가족들과 시간을 함께 보내고 싶을 때는 언제든지 쉬거나 시간을 할애할 수 있다. 진정한 의미의 워라밸을 이루어 내는 가장 기초적인 요건임을 명심하라.

젊은 직원들은 상사들이 활용하기만 하면 별도의 어려운 교육이나 훈련이 필요 없다.

다시 강조하지만, 요즈음의 스마트워킹은 별도의 하드웨어가 필요 없이 데이터가 클라우드에 올라가는 순간 큰 비용 지출 없이도 즉시 시행할 수 있다. 다만 소속 임직원 모두가 함께 활용하지 않는다면 그 시스템은 활용도 Zero에 가깝다. 불편하다고 활용하지 않는다면 엄청난 비용을 들여, 나 또는 내가 소속한 조직이나 회사를 위한 별도의 시스템을 만들어야만 한다. 그런데 그 비용은 엄청나다. CEO와 임원들이 STT, TTS 및 ITT에 숙달되고 댓글 다는데 능숙하게 되는 순간 스마트기기의 달인이 되면서 앞에서 강조한 스마트워킹 및 일하는 방식 변화에 큰 폭풍이 몰아칠 것이다.

일이 재미있어 미치도록 만들어라

한국인들은 전형적인 호모루덴스이다

인간은 원래 일이 없으면 살 수 없는 동물이다. 일에서 얻어지는 즐거움이 그 무엇에 비해서도 크다고 한다. 일을 열심히 하는 사람은 일을 재미있게 하는 사람을 못 이기고, 재미있게 일하는 사람은 미쳐서 일하는 사람을 이길 수 없다. 워라벨은 오전 9시에 출근하여 정확하게 8시간 만을 근무하고 오후 6시에 칼퇴근하는 것만으로 얻어지는 산출물이 아니다. 일로 인해 밤을 새워도 재미있어 그 일에 미쳐서 처리해

내고, 놀고 싶을 때는 언제나 놀 수 있도록 만들어 주는 것이 진정한 의미의 워라밸이다.

호모루덴스라는 말이 있다. 이는 '노는 인간' 또는 '놀이하는 인간'이라는 뜻으로 요한 호이징하Johan Huizinga가 1938년에 출간한 『호모 루덴스Homo Ludens』라는 책에서 놀이는 문화의 한 요소가 아니라 문화 그 자체가 놀이의 성격을 가지고 있다고 말한 데서 유래되었다. 원래 생각하는 인간Homo Sapiens이라는 말에서 만드는 인간으로서의 '의미'를 뜻하는 호모파베르Homo Faber를 거쳐 이제 인간이나 동물에게 다 같이 적용할 수 있으면서도 생각하는 것이나 만드는 것만큼 중요한 제3의 기능이 있으니 그것이 바로 '놀이하는 것'이다.

한국인들은 전형적인 호모루덴스이다. 한국인들은 다른 나라에 비교해 훨씬 다양하고도 독특한 놀이문화를 가꾸어 왔다. 한양대 민족학 연구소장인 조흥윤 교수는 이와 같은 한국인의 놀이문화를 일 속의 놀이, 여가 속의 놀이, 신앙 속의 놀이라는 세 가지의 양상으로 전개되어 왔다고 보았다. 실제 많은 사람이 일을 하지 않고 놀고 있는 동안에는 왠지 불안을 느끼고 경우에 따라서는 권태를 느끼고 있다. 그러나 아기들은 본능적으로 놀이의 대상을 찾는다. 아기들에게는 이 세상 모든 것이 저마다 다른 빛깔과 향기를 지닌 장난감처럼 보인다. 바로 이런 아이들처럼 한국인이 가꾸어 온 다양한 놀이문화 중 일 속에서의 놀이를 찾아낼 수 있다면 어떨까?

일의 3가지 의미

맥킨지McKinsey의 연구에 따르면 우리가 하고 있는 일은 세 가지의 의미로 분류될 수 있는데, 첫째, 현재 일이라고 정의할 수 있는 일 중의 67%를 차지한다고 알려져 있는 목적과 수단이 분리되어 고통을 수반하고 있었던 '노동'이라는 의미와 둘째, 일 중의 4%를 차지하고 있는 미래 자신을 위한 것으로의 의미를 가지고 있는 '일'이라는 의미와 셋째, 일 중의 29%를 차지하고 있는 현재 나를 위한 재미를 담고 있는 '놀이'라는 의미가 그것이다.

그동안 산업혁명 과정을 거쳐 오면서 과거 '노동'이라고 생각했던 것들이 '일'로 변질되었고 이제 인간은 일과 놀이를 순환시키는 호모 파덴스Homo Fadens(만드는 인간, 또는 의미의 인간을 뜻하는 호모 파베르Homo Faber와 놀이의 인간을 뜻하는 호모루덴스Homo Rudens의 복합어이다)로 변신해야 한다. 다시 말해 앞으로 점차 단순 반복적인 '노동'에 해당하는 일들은 모두 인공지능이나 로봇에게 맡길 수 있게 되었고 인간은 나머지 부분인 4%의 '일'과 29%의 '놀이'가 융합하여 인간이 담당하는 일의 100%가 되는 일로 재정의해야 한다. 매우 중요한 관점이다.

스마트 워라밸은 노동시간을 줄이는 게 아니라 일의 재미와 의미를 회복하는 운동이 돼야 한다. 일을 재미있어하는 사람에게 일할 시간을 제한할 이유가 없다. 노동이 고통스럽고, 신성하지 않다는 2차 산업혁명의 사고에서 벗어나야 한다.

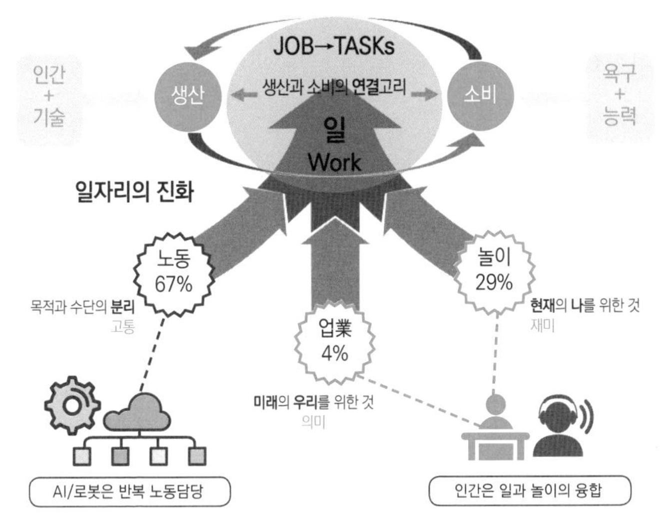

자료원: KCERN

그림〈19〉 일의 3가지 의미

노동시간 단축 자체가 목표가 돼선 안 된다. 개인과 개인이 소속한 조직이나 회사와 궁극적으로 기업의 경쟁력과 행복의 극대화가 목표가 돼야 한다. 단순한 노동시간 단축은 기업과 개인의 경쟁력 저하로 이어질 수 있다. 따라서 근로시간의 감축이 진정한 의미의 워라밸로 이어지고 직원들에게 자율성이 주어짐으로써 일에 대한 책임과 의무를 함께 인식하게 된다. 그런데 호모루덴스로서의 한국인들이 일 자체에 대한 의미를 새롭게 정립하여 노동으로서의 일은 로봇에게 맡기고 일에 대한 의미와 재미를 찾게 된다면 일이 재미있어 미치게 될 것이다.

몰입을 통한 일의 즐거움과 행복 찾기

이제까지 설명한 내용을 잘 이해한 사람들은 자기 자신을 차별화하기 위한 명확한 목표, 꿈Dream을 설정하고 협력하는 괴짜가 갖추어야 하는 자신만의 색깔과 자신만의 가치, 즉 자신의 차별화된 브랜드를 갖춘 사람으로서의 준비가 되었을 것이다. 나아가 인공지능이 인간에게 가져다준 혜택을 최대한 활용하면서 인공지능 및 로봇과 협업할 수 있어 생산성을 크게 올릴 수 있는 괴짜들은 결국 일이 재미있어 미치게 된다. 그런데 진정 일에 미치기 위해서는 몰입의 즐거움과 행복을 느낄 수 있어야 한다.

무엇이 평범한 한 사람의 인생을 값지고 행복하게 만드는 것일까? 종교적 신념? 아니면 돈? 혹은 명예? 누구나 쉽게 풀지 못하는 숙제다. 철학자들은 오래전부터 행복이야말로 인간 존재의 궁극적인 목적이라고 생각해 왔다. 아리스토텔레스도 '행복이 최고의 선'이라고까지 불렀다. 미국의 심리학자 칙센트 미하이 교수는 이 의문을 풀기 위해 '인간은 언제 가장 행복한가?'에 여러 직업군을 관찰했다. 그들이 공통적으로 가장 행복을 느끼는 순간은 자기가 좋아하는 일에 빠져 있을 때였다. 이때는 배고픔도 피곤도 문제가 되지 않았다. 최고의 몰입을 경험하는 순간에는 에너지의 흐름에 따라 아무런 힘을 들이지 않고 자신이 저절로 움직이는 것 같은 느낌이 든다는 것이다.

'물 흐르듯 행동이 자연스럽게 이루어지는 느낌이 드는 순간', 그는 이 상태를 '플로Flow'라 명명하고, 이렇게 결론을 내린다.

"삶을 훌륭하게 가꿔주는 것은 즐거움에 깊이 빠져드는 몰입이다. 몰입을 통해 삶의 질을 한 단계 높일 수 있다."

자기가 좋아하는 일에 몰입하고 있을 때는 그 몰입의 대상과 마치 혼연일체가 된 것 같다고 한다. 완전 몰입이 되면 평소 떠오르지 않던 영감과 아이디어가 저절로 떠오르고, 기분이 아주 좋아져 높은 산의 정상에 오른 것처럼 힘들이지 않고 저절로 생각이 이루어지고, 그 상태를 오래 지속해도 전혀 지치지 않으며, 자신의 두뇌 능력이 극대화되는 슈퍼맨의 상태를 의도적으로 만들 수 있다. 그는 요즘 몰입적 사고를 기업경영과 생산 현장에 적용하는 시도를 활발하게 하고 있다.

실제로 죽음을 무릅쓰고 알프스나 히말라야 정상을 정복한 등산가들을 보면 그들은 추위에 얼어 죽을뻔 하기도 하고 고산병에 시달려 거의 실신 상태가 되는 등 힘들고 스트레스를 상당하게 받지만, 등산가들은 어떠한 추위와 어려움이 있어도 바람이 휘몰아치는 암벽을 오르는 등산가의 희열에 비길 바가 되지 못하기 때문에 도전을 멈추지 않는다. 이처럼 몰입은 놀라운 힘을 발휘한다.

몰입을 위해 회사는 어떻게 직원을 몰입하도록 해야 하는가? 하는 과제가 나온다. 이 물음에 대해 대부분 금전적 보상과 같은 인센티브를 연상하게 된다. 최근 다니엘 핑크라는 경영사상가는 『Drive』에서 우리가 지금까지 믿어온 '성과보상이 사람들에게 동기를 준다.'는 생각에 정면으로 반박한다.

배고픔, 졸림 등 생물학적인 첫 번째 욕구를 동기부여 1.0, 경제적 보상을 추구하고 처벌을 피하고자 하는 두 번째 욕구가 동기부여 2.0인데 이는 인간을 움직이게 만드는 강력한 동기가 될 수 없다는 것이다. 물론 지난 세기 세계 경제가 이 정도로 성장하고, 인간이 발전을 이룬 많은 부분에서 두 번째 욕구, 다시 말해 당근과 채찍이 큰 역할을 한 것은 부정할 수 없지만 개개인의 창의성 발현이 훨씬 중요해진 오늘날 더 이상 이 두 가지의 욕구만으로는 사람들이 스스로 드라이브할 수 있게 만들 수 없다고 강조한다.

이에 대한 해결책으로 누구나 가지고 있는 세 번째 욕구인 '제3의 드라이브'에 주목한다. 내재적 보상, 즉 자발적 내재 동기다. 이 내재 동기를 '동기 3.0'으로 규정하고, 일하는 목적의식을 분명하게 갖고 일에 몰입함으로써 스스로 일의 보람을 찾도록 해주는 것이 최고의 동기부여라는 것이다.

일류기업이라고 해서 수익 창출에만 급급하기보다 직원들이 일에 대한 주인 정신을 가지고 일에 몰입함으로써 행복을 느껴 최적의 성과를 내는 것은 물론, 자신의 잠재력을 끌어올려 자신과 조직이 커나가고 회사에 공헌할 수 있는 것이 다가오는 스마트 시대, 달라지는 세대에 걸맞은 진화된 충성심이다.

일에 대한 몰입이야말로 즐거움을 찾는 길이다. 창의와 창조가 요구되는 시대에는 몰입의 즐거움 속에서 행복이 둥지를 틀고 소리 없이 찾아오게 된다.

자기 충족적 실현의 예언: 피그말리온 효과

세상일은 할 수 있다고 생각하면 이룰 수 있지만 할 수 없다고 생각하면 당연히 이루어지지 않는다. 이를 피그말리온 효과라고 한다. 예를 들어 높이뛰기 선수인 벼룩도 유리컵 속에서 훈련을 시키면 그 유리컵의 높이가 한계가 된다.

엄청난 힘을 가진 코끼리가 조금만 힘을 써도 쉽게 풀어질 조그만 쇠사슬에 구속되는 것도 어릴 적부터 매여 있던 습관이 더 이상의 힘을 발휘하게 하지 못하는 한계로 작용하기 때문이다. 할 수 없다는 생각을 버리고 자신의 한계에 도전하고 스스로 자긍심을 가지고 도전한다면 세상은 성공이라는 문을 열어준다. 따라서 현명한 부모는 아이들에게 자신감을 먼저 심어준다. 심지어 단점마저 장점으로 느끼도록 유도한다.

잭 웰치Jack Welch 전 GEGeneral Electric 회장은 어려서 심하게 말을 더듬었다. 당연히 친구들에게 놀림을 받았다. 하지만 그의 어머니는 "네 머리가 너무 좋아 혀가 따라가지 못하는 것일 뿐 너는 위대한 사람이 될 것이다."라고 격려했다. 그는 진심으로 이 말을 믿었다. 그리고 자신의 단점을 보완하기 위해 열심히 노력했다. 그는 GE를 세계 최고의 기업으로 성장시켰다. 잭 웰치의 '자기충족적 예언'은 그대로 실현됐다.

관리자들은 잭 웰치의 어머니처럼 이제 효과적인 코칭 기법을 숙달하고 부하직원들에게 지속해서 피그말리온 효과를 강조하며 부하직원의 잠재력을 끌어내려 최선을 다해야 할 것이다. 그런데 부하직원 자신이 그러한 피그말리온 효과를 실제 적용하지 않는다면, 회사나 관리자들 노력의 효과는 거의 사라지고 만다. 잭 웰치가 어머니의 격려를 믿지 않았더라면 오늘의 잭 웰치가 없었을 것이다.

어떻게 그렇게 성공할 수 있었는지를 묻는 기자들의 질문에 마이크로소프트 회장 빌 게이츠Bill Gates는 "나는 매일 아침

일어나면 두 가지의 최면을 건다."라고 답했다. 그 하나는 '오늘은 왠지 좋은 일이 일어날 것만 같아.'이고 다른 하나는 '나는 어떤 일도 해낼 수 있는 능력이 있다.'였다고 한다.

나는 17년간의 직장 생활 후에 22년간 영위해 오던 사업을 2015년에 정리하고 나서 지난 3년간 그간 무척이나 원해 왔던 집필 활동, 강의, 컨설팅, 그리고 영어권 지역에 강의 및 컨설팅을 통해 선교 활동을 하고 있다. 내가 코치 자격을 가지고 요즈음은 주로 아프리카 영어권에서 가르치고 있는 Navigatorship 리더십 과정 덕분에 지금 현재 22개의 선명한 버킷리스트도 가지고 있다.

지난 3년 전부터는 대부도로 이사 와서 살고 있다. 오랜 기간 직접 운전하지 않고 다니는 습관으로 인해 집에서 서울로 나갈 때 걷거나 대중교통을 이용하는데 소요되는 시간이 편도로 걷는 시간이 평균 50~60분, 안산역까지 버스 50분, 지하철 70~80분가량이 소요되어 편도 총 3시간가량의 시간이 소요된다. 왕복 6시간이 소요되는 셈이다.

일반인들은 도대체가 불편하기 짝이 없다고 생각할 수 있는 이런 상황이 나에게는 오히려 하루에도 6시간에 걸쳐 스마트워킹을 습관화할 수 있도록 만들어 주었고, 그 결과 업무 생산성이 젊은 사람들에 비해서도 2~3배 이상 높은 수준을 유지할 수 있도록 도와주어 이 책자도 발간할 수 있는 원동력이 되었다. 물론 2004년도에 클라우드 기술의 일환인 SaaS 솔루션을 국내 시장에 처음으로 소개하고 직접 운영하던 회사에서 스마트폰 앱들과 함께 직접 활용한 경험이 주요인이기도 하다.

2017년 5월에 당시로써는 왕초보가 첫 책자를 출간한 이래 이번 책자까지 한글 책자 4권, 영어 번역본 1권, 총 5권을 출간할 수 있었다. 모두 4차 산업혁명 기술을 최대한 활용했기 때문에 가능했던 일이다.

나는 걸으면서도 주로 TTSText to Speach 앱을 통해 필요한 정보나 뉴스를 듣고 필요한 부분은 생각나는 즉시 STTSpeach to Text 앱을 활용하여 문서로 작성해 두고 스마트폰 STT로 작성된 문서 수정은 필요한 경우 지하철이나 지하철 역사의 앉을 만한 장소에서 언제든지 아주 가벼운 노트북을 활용하여 즉시 고친다. 다시 말해 단순 반복적인 고통이 수반되는 일들은 대부분 인공지능을 활용하여 실행하고 있기 때문에 일의 의미와 재미를 함께 하는 호모 파덴스로서의 일을 하고 있다.

나는 제2, 또는 제3의 인생을 살면서 선명한 꿈을 가지게 되었고, 지금 일생동안 가장 하고 싶었던 일을 하고 있으며, 지속적인 스마트워킹을 통해 생산성을 크게 향상할 수 있었기 때문에 지금은 몰입의 행복을 느낄 수 있게 되었다. 꿈을 가지고 자신이 하고 싶은 일을 하며 스마트워킹을 통해 생산성을 높일 수 있으면 몰입할 수 있게 된다는 말이다. 몰입이라는 것도 자동으로 얻어지는 것은 아니다. 몰입의 습관을 들이고 행복을 직접 느끼기까지는 긴 기간 소요된다. 그런데 우선 생각이 중요하다. 몰입의 중요성을 느끼게 되면 그 생각이 행동으로 나타나고 그 행동이 지속됨으로써 습관화되는 것이다.

나는 이제 일로 밤을 새우기에는 좀 나이가 있지만 정말 일이 재미있어서, 그리고 미쳐서 밤을 새우는 경우도 종종 있다. 대신 놀 때는 아무 부담 없이 마음껏 논다. 언제든지 남들보다 빨리 일할 수 있기 때문에 놀면서도 편안하다. 필요한 때는 언제든지 가족들과 함께 의미 있는 시간을 보낸다. 몰입의 행복을 느끼기 때문에 가능한 일이다. 이것이 진정한 의미의 스마트워라밸이 아닐까?

2 '나' 주식회사 CEO가 되라

나는 왜 일을 해야 하는가의 물음

보통 사람들은 '무엇'을 할까에 집중해서 살다 보니 '왜'를 생각하지 않는 경우가 많다. 삶의 가장 중요한 구성 요소 중 하나인 일에 대해서도 그렇다. 경영자들도 마찬가지다. 자신을 찬찬히 돌아보면 '왜?'라는 단어를 잊고 사는 경우가 대부분이다.

누군가 나에게 "무슨 일 What을 하느냐?"라고 묻는다면 거리낌 없이 무언가 하고 있다고 대답할 것이다. 그러나 "왜 Why 그 일을 하느냐?"라고 물으면 쉽게 대답할 사람이 많지 않다. 돈을 벌기 위해? 돈이나 명예, 지위나 출세는 진정한 답이 될 수 없다. 그것은 그 일을 해낸 대상이나 결과인 'What'일뿐이다. '왜?'라는 질문의 답은 당신이 그 일을 하는 근거, 이유, 신념, 진정한 목적이다.

직원의 사기도 높고 생산성도 좋으며 혁신적이고 이직률이 낮은 조직은 '왜'로 무장되어있다. 개인의 '왜?'와 조직의 '왜'가 상호작용하여 한 방향으로 힘을 모아준다. '왜'는 우리 구성원들이 공유하는 비전의 토대를 이룬다. 그 비전이란 대다수 사람이 아침마다 출근하고 싶다는 기분으로 일어나고 회사에서는 불안하지 않고 집으로 돌아갈 때는 자신이 한 일에 성취감을 느낄 수 있는 세상을 제공해줄 수 있는 무한한 에너지를 공급해주기 때문이다.

아마존 최장기 비즈니스 베스트셀러이자 역대 최다 조회 신기록을 경신하면서 유명세를 타고 있는 『왜 나는 이 일을 하는가?』의 저자 사이먼 사이넥Simon Sinek은 이렇게 말한다. "'왜?'라는 하나의 질문에 대한 해답이 우리를 춤추게 하는 근원적 힘이요, 놀랍게도 '왜?'야말로 평범한 다수 중에서 최고를 만들어내는 가장 중요한 경쟁력이 된다. 성공은 '왜?'를 찾아가는 소중한 탐험 과정이다."

'무엇'을 해야 하느냐에 골몰하다 보니 정작 '왜' 이 일을 하고, '왜' 일을 시작했는지에 대해서는 생각하지 않는 경우가 많다. '왜'는 근본이고 우리를 움직이는 동력인데도 말이다.

그는 위에 소개한 책의 서문에서 이렇게 말한다. "왜 일하는지, 무엇을 위해 일하는지 고민도 하지 않고 목표도 없이 사는 이들이 늘고 있어 걱정이 앞선다." 왜 일하는가에 대한 그의 답은 과연 무엇일까? 일본에서 '경영의 신' 중 한 명이라고 일컬어지는 교세라의 설립자인 이나모리 가즈오는 『왜 일하는가』라는 책에서 '일이야말로 삶에 만병통치약이다.'라고 하면서 기본적으로 일을 바라보는 관점을 5가지로 설명했다.

1. 일은 '내적 성찰'과 '성장'을 위해 중요하다.

일의 과정이나 의미보다는 성과가 중요해지고 있는 세상을 살아가는 요즘에 일이 주는 가치를 다시금 생각해 본다. 일은 일하는 사람의 마음을 연마하는 기회를 주며, 인격을 수행할 방법 또한 알려준다. 일을 잘하는 것도 중요하지만, 일을 통해 얼마나 성장했는지, 일하는데 부족한 부분과 잘할 수 있는 부분을 파악할 기회 등 일이 가져다주는 개인적 가치에 대해서 생각해볼 필요가 있다.

2. 일은 최선을 다해서 해야 한다.

일할 수는 있되 잘하거나 완벽하게 하기란 어렵다. 일에 최선을 다하다 보면, 탐욕, 분노, 불만을 줄여갈 수 있으며, 자신이 하는 일에 점점 미쳐야 한다. 여기에 '간절함'과 자신의 전부를 쏟아부을 수 있는 '용기'와 '자세'도 최선을 이끄는 좋은 동기가 된다.

3. 시련은 가장 큰 축복이다.

세상에서 하지 않을 뿐 하지 못하는 일은 없다. 시련이 왔다고 멈추고 방향을 선회하기보다는 시련을 성공에 이르는 하나의 과정으로 보고 지속적이고 끈기 있게 열심히 열정과 성심을 다해서 하다 보면 반드시 시련을 넘어설 방법을 찾을 수 있다. 시련을 미리 두려워할 필요는 없다.

4. 일을 할 때 집중하라.

한 곳에 관심을 집중함으로써 섬세함과 주의가 필요한 일들을 오차와 오류 없이 일을 해결하고 풀어갈 수 있다. 집중이란 오랜 연습과 훈련이 필요하다. 제대로 일할 생각을 한다면 일하는 방법과 일의 목적을 분명히 하는 것도 중요하지만 일에 집중하는 자세가 무엇보다 중요하다.

5. 창조적으로 일을 하자.

반복되는 일이나 새로운 일들 모두 해야 할 일이라면 좀 더 창조적으로 해보자. 일의 순서와 방법에 변화를 줌으로써 같은 일이라도 다른 관점과 방식을 투영해볼 기회를 가져보고, 그러한 경험을 새로운 업무 기회에 활용한다면 더욱 더 좋은 기회가 된다.

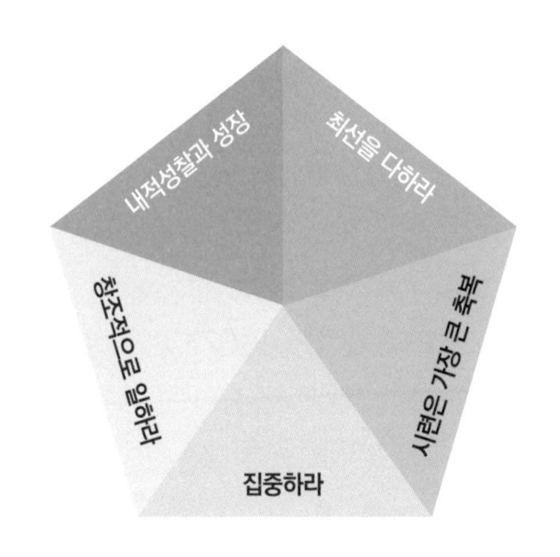

출처: 이나모리가즈오 '나는 왜 일하는가'

그림〈20〉 나는 왜 일하는가?

자기만의 인생의 설계도를 가져라

당신의 인생 설계도가 있는가?

사람들은 원하는 것을 꿈꿀 때 즐거워한다. 좋아하는 일을 할 때 신나게 몰입한다. 그리고 자신이 꿈꾸었던 목표를 달성했을 때 가장 행복해한다. 목표를 세우고, 이의 성취를 위해 노력하고, 그리고 마침내 목표를 이루었을 때 성취감과 더불어 자존감이 커지기 때문이다.

직장인들은 하기휴가 계획을 세우는 데 많은 시간을 투자한다. 1년에 한 번뿐인 절호의 기회를 멋지고 아름답게 보내고 싶기 때문이다. 심지어 1박 2일 주말여행을 떠나는 것도 오랫동안 세심하게 준비한다. 그럼에도 정작 자신의 인생 설계도나 인생 계획표는 작성하지 않는다. 1년에 단 하루도 진지하게 고민하지 않는다. 해외여행을 짜고 사업계획을 잡는 데는 많은 시간을 투자하고 수정에 수정을 거듭하면서도 자신의 인생 설계도를 작성하지 않는다.

작은 집 한 채를 짓더라도 설계도가 있고 조감도가 있기 마련인데 내 인생의 설계도가 없다는 것은 허술한 인생을 살아가는 것이 아닌가? 목적 없는 삶, 계획 없는 인생이 가장 불행한 인생의 행로이다. 바로 지금, 이 순간 내 인생의 설계도를 그려보자. 때가 늦은 것이 아니라 다만 시작이 늦었을 뿐이다. 앞으로 내 인생을 어떻게 살아갈 것인지 진지하게 고민하고 해답을 찾아보자.

무엇이 성공이고 실패인가는 그리 중요하지 않다. 성공의 기준이 각자 다르기 때문이다. 성공한 사람이 모두 행복하다고 말할 수 없고 잠시 실패했다고 모두 불행한 것은 아니다. 살면서 자신의 목표를 위해 최선을 다하는 것이야말로 곧 행복이고 성공이다. 그저 되는대로 살고 의미 없는 삶이 아니라 소중한 자신의 가치를 느끼며 한발 한발 위대한 족적을 남겨보자.

매년 최소한 1주일 정도는 휴가를 내서 자신의 인생 설계도를 그려보고 한 해의 계획을 수립해야 한다. 자신의 인생 설계도대로 경력을 만들어가고 있는지, 자기 브랜드를 완성시켜 나가고 있는지, 진정으로 살고 싶은 방향으로 잘 나아가고 있는지 등도 점검해 봐야 한다. 1년에 7일 정도는 자신만을 위한 시간으로 비워 놓아야 한다. 수많은 기념일이 있듯이 자신만의 기념일을 하나 정해두고 그날은 오롯이 자신만의 날로 기념해도 된다.

좋아하는 일을 찾아 즐겨라

당신의 직장생활은 어떤가? 재미있는가? 일터로 나갈 때 행복한가? 한국 기업 근로자 중 94%가 현재 직장을 퇴사해야겠다는 생각을 심각하게 고려했었다고 한다. 그러나 세상에 쉬운 일은 어디에도 없다. 사람들이 '무엇을 할까?'와 '어떻게 할까?'에만 집중하는 이유는 '왜 할까'의 문제는 당연히 '돈을 벌기 위해서.'라고 이미 정해져 있다고 보기 때문이다. 그러나 성공을 위한 진짜 이유가 '먹고살기 위해서', 아니면 '돈을 벌기 위해서' 때문인가? 그렇지 않다. 진정 우리는 우리가 왜 어떤 일을 해야 하는지에 대한 이유를 명확하게 아는 것이 매우 중요하다. 직업이라는 것은 '생계유지를 위해서 돈 버는 일'이기도 하지만 '일에 대한 보람과 사회 기여의 측면, 더 나아가서는 자신의 가능성을 최대로 구현하는 자아실현의 측면'을 의미하기도 한다.

성공하기 위해 가장 좋은 방법은 좋아하는 일을 찾아서 즐겁게 열심히 하는 것이다. 그래서 2500년 전 공자도 이렇게 말했다. "알기만 하는 사람은 좋아하는 사람만 못하고 좋아하는 사람은 즐기는 사람만 못하다(知之者는 不如好之者오 好之者는 不如樂之者)"

스티브 잡스는 스탠퍼드 대학의 한 졸업식에서 "Keep looking until you find it. Don't settle."이라는 말을 했다. 현실에 안주하지 말고 진정으로 사랑하는 일을 계속해서 찾으라는 말이다. 인생의 진정한 행복을 찾기 위해서는 자신이 진정으로 좋아하고 사랑하는 일을 계속 찾아야 한다. 만약 아침에 일어나 신나게 출근 준비를 하지 못한다면, 아마도 그날은 크게 행복하지도, 또 성공적이지도 않은 그저 그런 삶이 되고 말 것이다.

우리가 우리의 꿈을 향해 진정으로 좋아하고 진정으로 사랑하는 일을 찾는 작업은 누구나 꼭 해야 하는 인생의 중요한 과제이다. 잡스는 위대한 일을 하는 유일한 방법은 그 일을 사랑하는 것이라고 했다. 만약 아직도 못 찾았다면, 현실에 안주하지 말고 계속해서 찾아야 한다. 그런데 만일 찾는 일이 정말 어렵다면 지금 하는 일을 천직으로 생각하고 진심으로 좋아하면 된다. 비록 짝사랑일지라도 진심으로 사랑할 수 있다면 그 일이 좋아질 것이다.

성공하기 위해서는 자신만의 특별한 재능을 갈고닦아야 한다. 타고난 선천적 재능도 중요하지만, 노력으로 만들어지는 후천적 재능도 중요하다. 끊임없이 생각하고 준비하면 특별한 재능이 나타날 수 있다. 발레리나 강수진은 타고난 재능과 후천적인 노력으로 자신만의 색깔을 확립했다. 그녀의 지독한 연습과 치밀한 자기 관리는 이미 너무나 잘 알려진 것이었지만, 잠자는 시간을 제외하곤 온종일 연습실에서 자신의 한계와 싸웠다.

운동선수나 음악가나 예술 분야에서는 재능이 90%, 노력이 10%이다. 하지만 중요한 건 10%의 노력을 하지 않으면 90%가 없어진다는 데 있다. 행운이란 준비와 기회가 만나는 것이라고 말한 오프라 윈프리도 준비의 힘을 잘 알고 있는 인물이다. 재능이 많다고 하더라도 이를 갈고닦는 사람만이 그 재능의 힘을 느낄 수 있다.

협업하는 기술을 터득하라

앞에서도 강조했듯이 4차 산업혁명시대는 협업하는 괴짜들이 회사의 미래를 좌우하게 될 것이다. 우리가 사는 시대는 서로 다른 기술, 전문성, 강점이 만나 새로운 결과물을 만들어내는 초연결과 융복합의 시대다. 정보통신기술과 바이오 기술이 융합되고 인문학과 자연과학, 한방과 양방, 뇌과학과 신체과학 등 서로 합쳐지기 어려울 것 같은 분야에서 통합적인 방법을 찾아내고 있다. 통섭은 '소통'과 '전체를 도맡아 다스림'이란 두 가지 의미를 지니고 있다. 서로 이질적인 학문이 섞여 새로운 지식을 창출하는 다이내믹한 과정이다.

지금까지는 경쟁을 잘하는 조직이 살아남았다면 융복합의 시대에는 수평적인 협업 문화를 조성해 협업을 가장 잘해 나가는 조직이 살아남게 될 것이다. 실제 단기간에 글로벌 기업으로 성장한 구글, 애플, 알리바바 등도 모두 협업문화로 성장을 이끌어낸 기업들이다.

모든 것이 빠르게 변화하고 있는 시대에는 서로 다른 일을 하는 구성원들이 지속해서 최대한의 자율성과 탄력성을 가진 새로운 팀의 구성원이 되어 일하며 실시간으로 서로 간에 수평적 의사소통을 하고 최대의 성과를 창출해 내는 것이 관건이다. 각 구성원이 함께 일 하면서 수평적 의사소통을 통해 단순히 서로의 의견을 실시간으로 주고받는 것이 아니라 의사소통의 시너지를 창출함으로써 협업에 따르는 결과물을 창출할 수 있느냐가 문제다.

이러한 창의력은 개인과 부서, 조직, 사업 간에 적극적인 교류와 소통을 통해 시너지를 창출해야 얻어낼 수 있다. 협업의 시대는 이미 시작되었다. 이런 변화의 속도는 더 빨라질 것이다. 모바일과 클라우드 기술을 활용한 실시간 수평적 의사소통 시스템은 과거의 수직적 분업으로부터 수평적 협업으로 전환해 협업의 진정한 가치를 창출해낼 뿐 아니라 경영환경 변화에 기업들이 능동적으로 대처함으로써 단기간 내에 업무혁신 효과를 얻어내도록 도와줄 것이다.

네패스는 반도체 및 전자 관련 부품, 전자재료 및 화학제품 제조 및 판매를 하는 기업이다. 이 회사는 독특한 기업문화를 가진 회사이다. 직원들 사이에서 '슈퍼스타'라는 말로 인사하고 아침에 출근해 국내 7개의 모든 사업장에 반주자들이 있어 모두 함께 노래를 부르는 것으로 일과를 시작한다. 감사경영을 하는 것으로도 매우 유명하다.

그런데 이 회사에서는 각종 평가 요소 중 협업 관련 평가요소를 70%로 운영하면서 혁신을 시행한 대표적인 회사이다. 감사하는 마음은 협력과 합력을 끌어내며 성과를 창출하는 결과를 가지고 온다고 믿고 있으며 실제 그 성과를 얻어내고 있다. 협업의 전도사인 윤은기 회장이 이끄는 한국협업진흥회에서 협업 수준의 평가를 받은 일이 있다. 타사의 평균 협업 점수는 67점 정도였던 반면, 네패스는 71점을 기록했다.

워라밸 조기정착 '효율적 협업'이 열쇠

2004년 주 5일제가 시행된 지 14년 만에 '주 52시간 근무제'의 시행이 발표되며 일과 삶의 균형에 대한 관심이 급증하는 가운데, 워라밸 문화의 조기정착을 위해 '효율적 협업 관리'의 필요성이 점차 높아지고 있다.

실제, 글로벌 컨설팅 기업인 맥킨지와 한국생산성본부의 보고서에 따르면, 지식근로자가 협업 커뮤니케이션과 정보검색에 투자하는 시간은 하루 8시간 중 무료 70%에 해당하는 것으로 나타났다.

이러한 분위기를 반영하듯 전 세계 협업 툴 시장은 매년 큰 폭의 성장세를 기록 중이다. 영국의 시장조사 전문업체인 테크나비오Technavio가 발표한 '글로벌 클라우드 기반 협업 툴 시장조사 보고서'에 의하면, 단순문서 기반 협업 툴부터 소셜네트워크서비스 SNS, 메신저, 업무 흐름 기반 협업 툴에 이르기까지 전 세계 클라우드 방식의 협업 툴 시장은 2016년부터 2020년까지 연평균 11% 규모로 성장할 전망이다. 특히 주목할 부분은 아시아-태평양 지역의 성장률은 전 세계 평균을 넘어서는 연평균 16%의 성장률이 기대된다는 점이다.

또 다른 미국 시장조사 전문업체인 리포트링커ReportLinker 역시 전 세계 협업 툴 시장의 연평균 성장률CAGR을 11%로 전망하며, 올해 345억 달러에서 오는 2013년에는 599억 달러 규모에 이를 것으로 내다봤다.

이처럼 전 세계 협업 툴 시장이 급성장하는 배경에는 기업 간 혹은 기업 내 부서 간 효과적인 의사소통과 데이터 통합 과정 최소화 과정에서 협업 툴의 역할이 크기 때문이다. 한정된 근로시간 내에서 협업 효율성이 높아질 경우 기업 서비스 품질 개선은 물론, 장기적인 관점에서 관리 비용 단축으로 이어질 수 있다는 게 전문가들의 일관된 설명이다. 특히 모바일 기기 확산으로 정보에 접근하는 기기가 다양화되면서 기존 소프트웨어 일변도의 협업 툴도, 웹 기반 서비스나 모바일 앱으로 확장되는 변화도 감지되고 있다.

가장 대표적인 이슈 기반 협업 툴인 '콜라비'를 살펴보면, 실제 업무환경에서 이뤄지는 워크플로우를 그대로 따른다. 팀별로 혹은 프로젝트별로 '프로젝트 공간'을 만들면, 팀원은 누구나 아이디어나 이슈를 토대로 글을 작성할 수 있다. 생성된 이슈 내에는 댓글을 통한 피드백 전달, 할 일 지정, 의사결정 요청, 파일 공유 등 다양한 협업을 수행할 수 있는데, 이처럼 이슈를 해결하기 위한 모든 커뮤니케이션을 1페이지로 확인할 수 있다. 게다가 프로젝트별로 이슈 진행 상황을 열거하는 칸반 방식으로 확인하거나, 뉴스피드 섹션을 통해 본인과 연결된 이슈만 별도로 확인할 수도 있다.

평생 학습하는 능력을 키워라

현대사회는 잡 노마드Job Nomad의 시대라고 한다. 모바일 기기만 있으면 언제, 어디서나 일을 찾아 전 세계를 돌아다니며 일할 수 있는 클라우드 워커Cloud Worker들의 시대라는 말이다. 점차 인간의 일은 기계나 로봇, 인공지능에 의해 대체되어 줄어들 수밖에 없고, 2030년이 되면 현존하는 일 중 70%가 새로운 일로 교체된다고 한다.

기술적으로 급변하는 환경 속에서 모든 직원은 '나' 주식회사 CEO가 되어야 한다. 이제는 자기 자신의 힘으로 홀로서기 하는 능력을 갖추어야 앞으로의 세상에서 살아남을 수 있으며 자기가 과연 좋아하거나 잘할 수 있는 일이 무엇인지를 적극적으로 찾아내고, 만일 찾아낼 수 없다면 현재의 일을 좋아하도록 자신을 변화시켜야 한다. 그런 연후 자신이 찾아낸 그 꿈을 향해 최선을 다해 노력해야 한다. 그래야만 자기 자신이 살 수 있고, 그 결과 조직도 성장할 수 있는 시대가 되었다.

구글의 사내기업가 양성 전략

구글은 1998년 9월 4일 설립되었으니 만 20년밖에 안 되는 짧은 역사를 가지고 있다. 그런데 그렇게 초고속 성장을 하여 기업가치가 세계에서 가장 큰 기업이 될 수 있었던 가장 큰 요인은 바로 사내 앙트프러너십을 가장 1순위의 주요 전략으로 채택했기 때문이다.

구글은 1991년 Deja를 시작으로 200여 건 이상의 인수합병을 진행했다. 매월 1개 이상의 기업을 인수했는데 결과적으로 인수 합병된 기업의 기업가나 경영진에게 해당 사업을 맡기던지, 아니면 내부 임직원 중에서 경영진을 선임하던지, 구글은 2001년부터 매월 1명씩의 사내기업가가 필요했다는 결론이다. 구글의 '사내기업가'가 양성된 데는 회사가 지니고 있는 고유의 '기업전략' 차원과 제도적인 뒷받침이 상대적으로 탁월했기 때문이다.

예를 들어 구글의 20% 타임제는 모든 직원이 업무 시간의 20%는 자신이 원하는 창의적인 프로젝트에 쏟을 수 있게 하는 제도를 말하는데 구글 직원들은 이 제도를 통해 공식 업무와는 관계없는 자신만의 아이디어를 발전시킬 시간을 보장받게 된다. 직원 모두가 개인 프로젝트를 운영하게 되는 셈이다. 이 제도의 핵심은 개인 시간의 20%를 통해 나온 아이디어가 80%의 시간을 투자하는 정식 프로젝트로 발전할 수 있는 구조에 있다. 구글은 이 20% 타임제를 통해 구글 스카이, 지메일, 구글 맵 등 수많은 히트 상품을 개발할 수 있었다.

그런데 이러한 창조의 대가가 금전보다 동료들의 인정이 더 중요하게 작용했었다는 사실에 주목할 필요가 있다. 외재적 동기부여보다는 내재적 동기부여가 훨씬 더 중요한 성과를 나타낸다는 이론을 뒷받침해 준다. 또한 직원이 퇴사 후 새로운 팀을 만들어 스타트업을 한 후, 이 기업을 다시 구글과 합병 또는 매각을 하면서 구글의 사업책임자로 다시 입사하는 경우도 다수 있었다. 구글의 사례에서 우리가 얻을 수 있는 시사점은 다음과 같다.

첫째, 사내기업가 양성은 기업의 성장전략 실행을 위한 가장 핵심적 과제이다.

둘째, 사내기업가 양성은 제도가 아니라 사례가 우선해야 한다는 것이다. 아무리 좋은 제도가 만들어진다고 해도 성공적인 사례가 만들어지지 않으면 조직 구성원들이 자발적 사내기업가 양성 프로그램에 편입되도록 유도하기 쉽지 않다.

셋째, 기업 오너나 경영자들의 철학이 바뀌지 않으면 안 된다. 사업과 기업활동의 생존과 성장이 조직의 창조적 혁신 역량에 기반하고 있음을 깊이 인식할 필요가 있다. 따라서 오너가 인본주의의 철학을 가지고 스스로 사내기업가가 되어야 한다. 우리나라 대부분 대기업의 오너들은 여전히 신격화될 정도의 초고위 관리자 지위에 있다.

이 시대에 필요한 인재상

시대에 따라 인재에 대한 정의는 바뀌어 왔다. 과거 시대를 대표하던 과학자들을 예로 들어 보자. 중세시대에는 레오나르도 다빈치와 같은 천재가 핵심 인재였다. 근대사회에 들어서는 에디슨과 같은 '팔방미인형' 인재를 원했다. 그는 위대한 과학자이자 기업인으로 명성을 날렸다.

그렇다면 4차 산업혁명시대의 핵심 인재는 어떤 사람일까? 대표적인 핵심 인재형으로는 현대사회 혁신의 아이콘이 된 스티브 잡스를 꼽을 수 있다. 그는 '시대 선도형, 기업가형' 인재라 할 수 있다. 미래 사회를 이끌 인재는 기업가정신을 중심으로 창의적 발상을 할 수 있는 '융합·통섭형 인재'라고 할 수 있다. 지금은 기업가정신이 매우 중요한 인재상의 하나이다.

2017년 11월 한국과학기술평가원이 '기업이 바라본 미래 과학기술인재상 변화 및 시사점'이라는 논문에서 각 기업이 향후 성장동력을 확보하기 위하여 요구되는 과학기술인재상의 변화를 살펴보기 위한 기업 인식조사 결과를 발표했다. 매출액 상위 300대 기업을 대상으로 설문 조사를 실시하여 122개 사가 응답하였다.

조사 결과는 다음 4가지로 취합되었다.

첫째, 기업에서 4차 산업혁명을 선도할 과학기술인재의 필요성이 부각되고 있다. 조사 결과에 따르면 기업에서 제시하는 향후 성장동력은 4차 산업혁명의 기술적 변화 동인과 밀접한 관련이 있다. 따라서 기업에서는 성장동력의 확보를 위해 기술적 변화 동인을 선도할 수 있는 과학기술인재의 중요성 및 필요성이 한층 고조되고 있다.

둘째, 기업이 원하는 미래 과학기술인재상은 실전역량과 융합적 지식을 겸비한 인재다. 과학기술인재상(인성, 스킬, 지식)의 변화 조사 결과에 따르면, 스킬(실전역량)과 지식(전공기반 융합지식)에 대한 수요가 증가한다. 업종별로는 제조업에서는 지식, 비제조업에서는 스킬에 대한 수요 증가가 상대적으로 높다. 또한 유형별 과학기술인재상의 중요도 조사 결과, 인재의 유형은 실전경험 중심에서 실전경험+융합지식 중심으로 중요도가 변하고 있다.

셋째, 미래 과학기술인재상의 가장 중요한 덕목은 여전히 인성이다. 인성의 중요도가 낮아질 것으로 인식되고 있으나, 스킬과 지식에 비해 상대적으로 중요도가 높다. 이는 인성을 기반으로 스킬과 지식을 보유한 인재가 미래 인재상임을 시사하며, 인성 교육을 배제한 스킬과 지식을 제고하는 교육은 지양해야 함을 의미한다.

넷째, 미래 과학기술인재를 양성하기 위한 우선 과제는 지식 전달 중심의 학습에서 실전 경험 중심의 자기 주도적 학습으로의 전환 확대이다. 이는 강의실 기반 이론 중심의 교육에 머무르기보다, 실전 문제 해결 과정을 통해 습득한 이론 지식의 활용 기회를 확대하여 습득한 이론의 이해도를 심화하고, 이 과정을 통하여 실전역량 제고 및 융합적 지식의 배양이 필요함을 시사한다.

조사 결과에 따른 정책 제안의 요점은 '미래 변화에 대응하기 위해 적극적인 역량개발은 우리가 해결해야 할 과제이지만, 이는 무엇보다도 제대로 된 인성 교육을 토대로 추진되어야만 진정 우리가 원하는 인재를 양성할 수 있다. 조사 결과에서도 보았듯이 미래 과학기술인재의 가장 중요한 덕목은 인성이다.'였다.

과거의 인재는 각 지식 분야에서 뛰어난 지적 능력, 즉 '인지능력'을 갖춘 사람들이었다. 그러나 4차산업혁명시대에 들어서는 '비인지적 역량' 부분이 강조되기 시작했다. 지적 능력 외에 개인들 내부에 잠재되어 있는 '인성', '감성' 등이 중요한 역량으로 부각되기 시작했다. 타인을 배려하고 사회적 기여 등도 인재상의 중요한 요소가 되었다.

앞으로는 답만을 잘 쓰는 인재로는 성공할 수가 없다. '왜'라는 질문을 던지며 문제를 출제하고 그 문제를 스스로 해결하는 인재, 새로운 것에 대한 학습능력을 갖추고 자신이 사업가이자 CEO로 성장해 나가는 '나' 주식회사 CEO형 인재들이 필요한 시대가 되었다.

평생대학과 샐러던트Saladent

이제는 회사를 퇴직해도 공부해야 하는 시대이다. 요즘에는 지자체나 대학에 평생교육 과정이 많이 생겨 어렵지 않게 수강할 수 있다. 그러나 입학해 죽을 때까지 평생 가르쳐주는 평생대학은 실제로 없다. 평생대학은 스스로 설립해 경영하는 1인 학교일 수밖에 없다. 이 대학은 본인의 의지가 없으면 설립도 어렵고 학생이 학업을 그만두면 자동 폐교가 되는 특징이 있다. 평생대학은 100세 고령화 시대를 바라보는 요즘 선택이 아닌 필수다.

그래서 'SKY 대학보다 평생대학이 낫다.'라는 말이 있다. 과거에는 한 분야에 오래 있었다는 것만으로 전문가 대우를 받았지만, 이제 새로운 것을 위해 전진하지 않으면 도태되고 낭떠러지를 만나게 된다. 평생대학 학생이 되려면 화려한 과거는 가능한 한 빨리 잊어버리는 철저한 빼기 전략이 먼저 있어야 한다. 아울러 이러한 교육이나 평생 직업을 택할 때는 자기가 좋아하는 일을 찾아야 한다. 자기가 좋아하는 일을 한다는 것만으로도 스스로 긍정 에너지가 솟아난다.

따라서 자신만의 차별화된 고유 브랜드를 만들어야 한다. 어느 분야에서 든 자신만의 것을 찾아야 한다. 자신만의 것을 찾고 나면 그 방향을 향해 최선을 다해 열심히 노력해야 한다. 나이나 학력 등에 상관없이 미래를 준비하고 빠르게 변화하는 시대를 따라가려면 적극적인 자기 경영이 필요하다.

지금 당장의 여유시간을 활용해 무언가를 준비하지 않는다면 그 사람은 5년, 10년 뒤에는 미리 준비한 사람들과의 격차가 확연하게 나타날 것이다.

멀미가 심한 사람도 자기가 차를 몰면 멀미하는 법이 없다. 인생도 마찬가지로 자기가 주도적으로 운전하면 오르막, 내리막이 있어도 멀미를 하지 않는다. 요즈음 'Saladent'라는 신조어가 나왔다. 이는 월급쟁이라는 'Salaryman'과 학생이라는 'Student'의 합성어이다. 이제는 학교를 졸업하고 나서도 끊임없이 공부하고 자기 계발을 해야 하는 시대라는 것을 입증하고 있다. 모든 임직원이 이러한 자기 창조경영자가 되기 위해서는 이런 상황으로 이끌어 주는 파트너가 필요하며 그 파트너 역할에 가장 알맞은 사람이 바로 숙련된 코치로서의 상사가 되어야 한다. 그런데 그러한 효과적인 코칭 조직문화를 상사와 함께 합력하여 만들어가고, 또한 성과를 만들어나가기 위해서는 부하직원 역시 상사에 대한 믿음과 존경심을 바탕으로 마음 문을 열어주어야 한다. 상사는 자신이 알지 못하는 한 방이 있다는 것을 항상 염두에 둘 필요가 있다.

지금은 '나' 주식회사 CEO 시대이며 전문가를 존중하는 시대이다. 하지만 '나' 주식회사 CEO가 되는 길이 그리 쉬운 것은 아니다. 아무리 잘 나가는 전문가라 할지라도 실력이 있다고 자만하고 기본 인성을 갖추지 못하면 아무 소용없다. 남의 문화에 대한 이해도가 높고, 약속을 철저히 지키는 배려 형 인재만이 전문가로서 인정을 받게 된다.

자기 계발을 하지 않으면 도태된다는 불안감으로 인해 책에 제시된 이론이나 혹은 많은 사람이 하는 방식 그대로를 따라 해서는 성공적인 결과를 얻기 어렵다. 자기만의 방식을 찾아내는 노력이 결국 성공적인 인생이 되는 지름길이다.

앞에서 소개한 우아한형제들 사옥에 들어가면 입구에 이렇게 쓰여있다. '평생직장 따윈없다. 최고가 되어 떠나라!'

제4장

하우투 How to 워라밸 II -조직편-

일하는 방식의 변화를 통해
업무시간 30%를 감축하라

최신 IT기술을 활용하여 스마트워킹을 하면 '일하는 방식의 변화New change of work'를 통해 업무혁신을 어떤 다른 수단과 방법들보다도 효율적으로, 또한 효과적으로 시행할 수 있게 된다. 그간 컨설팅해 온 기업들을 대상으로 회의 및 보고서 작성과 그 준비를 위해 사무직 1인당 소모하는 시간을 조사한 적이 있다. 회사의 성격이나 업무의 성격에 따라 약간의 차이는 있었지만 1인당 1일 평균 3~6시간이었다. 상위 관리직으로 올라갈수록 더 많은 시간이 소모되었다.

일하는 방식을 바꾸어 회의와 보고서 작성을 줄여서 절감할 수 있는 시간은 1일 3시간 이상이 된다. 직원들의 평균 연봉을 3천만 원 정도로 낮게 계산한다고 하더라도 총비용을 연봉의 2배로 계산하면 1인당 연 17백만 원가량(3천만 원×2×3시간/한국 근로자 1일 평균 근로시간 10.7시간)을 절감할 수 있다. 사무직 100명이 근무하는 회사의 경우 연간 17억 원 이상의 기회비용이 추가 지불되고 있다고 보아야 한다. 나아가 Y세대가 주축을 이루고 있는 직원들의 야근과 주말 근무를 줄여 일과 생활의 균형 문제를 해소하고 자율성을 줌으로써 얻는 생산성 증대 효과는 훨씬 더 클 것이다.

1 사내 회의 80%를 없애라

'일하는 방식의 변화'를 통해 스마트워킹 하는 조직 문화가 뿌리내리면서 앞의 2장에서 세 가지 사례에서도 보았듯이 이제는 모여서 하는 회의가 거의 필요 없는 시대이다. 회의야말로 회의감懷疑感이 드는 시대다. 실시간 수평적 의사소통 시스템을 통해 회의에서 얻을 수 있는 정보나 효과보다 수십 배 많고도 정확한 정보와 효과를 매우 신속하게 얻을 수 있다.

우리가 일반적으로 시행하고 있는 회의는 다음 6가지 형태로 구분될 수 있다.

표〈3〉 회의의 종류 및 내용

처리방법	회의 목적	내 용
최소화	지시/정보전달/공유	회사의 새로운 목표나 정책을 단순히 설명하거나 관리자 및 임원이 자신의 생각을 명확하게 전달하고 직원들과 공유하기 위한 회의
	진척도 확인	주로 주간, 월간 단위로 각 부서별 실적, 계획, 문제점 등을 파악하기 위한 회의
축소	갈등/이해관계 조정	목표 달성을 위해 관련 부서 간에 상호 배치되는 이해관계를 조정하기 위한 회의
	문제 해결	문제가 발생한 경우 그 문제에 대응하는 대책을 세우거나 해결을 위한 회의
	의사결정	주요 사안에 대한 의사결정을 하기 위한 회의
강화	창의적 아이디어 창출	새로운 제도나 제품/상품/서비스개발 등을 위해 아이디어를 창출하기 위한 회의

정보전달, 지시 및 진척도 확인을 위한 회의 축소

결정된 사안을 실행하기 위하여 명령 또는 지시를 내리거나, 추진상황을 보고 받는 것을 주로 하는 회의를 말한다. 또한 직원들이 알아야 하는 사항을 명확하게 전달하기 위하여 개최하는 회의이다. 일반적으로 회사에서 가장 많이 실행되며 주로 정기적인 회의 일정으로 진행되기 때문에 장기 출장이 아닌 한 대부분의 대상자가 참석한다.

그러나 이 회의의 문제점은 다음과 같다.

1. 일반적으로 회의 주재자가 많은 발언을 하고, 기타 참석자들은 자신이 보고할 때 이외에는 발언의 기회가 주어지지 않는다.
2. 자신의 업무와 관련이 없는 사항에 대하여 지시하거나 보고하는 것도 듣고 있어야 하기 때문에 장시간이 소요되므로 회의 몰입도가 매우 낮고 효율성도 매우 떨어진다.
3. 참석자가 주요 질문에 대해 상세한 내역을 기억하지 못하거나 담당자가 아닌 경우 당해 회의에서 정확한 답변을 하지 못하면 그 사안에 대한 결론을 얻어낼 수 없다. 그러면 새로운 회의가 소집되거나 보고서가 작성된다. 더 큰 문제는 잘못된 정보에 근거하여 결론을 내는 경우이다.
4. 관련되는 모든 사람이 참석해야 하므로 소요되는 기회비용이 엄청나다. 이 목적의 회의에 평균 연봉 1억 원의 임원 5명이 주 5시간 자신이 회의를 직접 주재하거나 참석한다고 가정해 보자. 주 규정 시간 40시간보다 더 많은 주 50시간을 근무한다고 보면 10%의 업무시간을 이런 회의에 소모하는 것이다. 회사에서의 실 비용은 연봉의 2배 정도 된다. 따라서 회의에 소모하는 실 비용은 년 1억 원(2억 원×5명×10%)이다. 이 비용은 이런 종류의 회의를 없앤다면 임원들로부터만 줄일 수 있는 실금액인데 실제 이런

회의에 참석하는 사람들은 훨씬 더 많을 뿐 아니라 실시간 의사소통으로 대체함으로써 추가로 얻어지는 성과를 계산한다면 그 기회비용은 이보다 훨씬 더 크다는 것을 명심하기 바란다.

이제는 앞서 설명한 스마트워킹의 세 가지의 사례에서도 보았듯이 실시간 수평적 의사소통 시스템을 활용하면 회의하는 것보다 훨씬 정확하고 신속한 정보를 획득할 수 있다. 최근 IT 기술을 활용한 실시간 수평적 의사소통 시스템을 갖추는 한 이런 종류의 회의는 거의 없애는 것이 너무나도 당연한 일이다.

모바일 영상으로 갈등/이해관계 조정 및 문제 해결

갈등과 문제의 원인을 탐색하고 이를 해결하는 것을 목적으로 하는 회의이다. 갈등은 객관적으로 검증이 가능한 것에 대하여 이견을 가진 경우와 기여도와 같이 객관적인 검증이 어려운 것에 대하여 이견을 가지는 경우에 시행한다.

과연 이와 같은 갈등이나 이해관계 조정과 문제 해결이 꼭 회의를 통하는 것이 효율적인 방법인가? 특히 회의할 때 참석자 모두가 문제 해결에 필요한 상세 내용을 모르거나 즉시 세부 내용을 확인할 수 없을 경우 그 회의에서 결론을 내지 못하고 추가 교신이나 새로운 회의를 소집해야 한다. 앞에서 영업사원이 이슈를 제기하고 해결해 나가는 사례로 설명한 실시간 의사소통 시스템에서 댓글을 통해 교신하고 꼭 필요한 경우 모바일을 활용한 다자간 동영상 통화를 통해 해결한다면 이와 같은 목적을 훨씬 신속하고도 정확하며 효과적으로 달성할 수 있다. 이 목적을 위한 회의 역시 실시간 수평적 의사소통 시스템을 활용함으로써 최대한 줄이는 것이 해답이다.

효율적인 의사결정을 위한 회의방법

집단이 어떤 사안에 대하여 의사결정을 하는 것을 목적으로 하는 회의를 말한다. 계획의 승인, 특정 업무 추진의 결정, 명칭의 결정, 비전의 결정, 평가 기준의 선정, 인사 조치의 결정, 성과 배분의 결정 등을 포함한 회의가 이에 해당한다.

매우 중요한 사안이다. 특히 큰 금액이 관련되는 사안에 대한 의사결정을 하는 경우 그 의사결정을 위한 별도 팀이 구성되거나 수많은 보고서 작성을 수반하는 회의가 소집되게 된다. 그러나 앞에서 설명한 품의 결재를 위한 사례에서 설명했듯이 실시간 의사소통 시스템을 활용하게 되면 의사결정에 필요한 대부분의 데이터는 클라우드에 저장되어 언제든지 어디에서나 어떤 디바이스로도 확인이 가능하다. 추가 질문이 있는 경우 댓글을 달기만 하면 그와 연관된 모든 사람이 답신을 하게 된다. 그리고 직접 대면 대화가 필요한 경우 TV나 내 책상 위의 모니터나 회의실의 빔프로젝터, 혹시 외출 중이라면 스마트폰을 직접 활용하여 언제든지 원거리 화상회의를 진행할 수 있다. 창의력 취합이 필수적으로 요구되는 경우만 참석 대상을 최소화하여 회의를 소집하는 것을 추천한다.

에듀테크 선도자로 기업 온라인 교육업계에서 선두권을 달리면서 지속해서 성장하고 있는 휴넷의 경우 대부분의 중요한 전략이나 사안에 대한 의사결정은 설문서를 통해 이루어지고 있다고 한다. 주요 사안을 위한 의사결정을 위해서 사안에 따라서는 휴넷과 같이 클라우드 설문서를 활용할 것을 추천한다. 임직원들의 의식 조사를 기반으로 의사 결정해야 하는 사안은 많다.

그러나 이제까지는 그러한 설문 조사를 위한 절차나 시간 및 비용이 너무나도 많이 들었기 때문에 실행하지 못했을 뿐이다. 예를 들어 구글 설문서의 경우 사용자의 나이와 상관없이 1~2번 실습만 거치면 20~30분 만에 20개 항목 정도의 설문서를 작성하고 전화 메시지, 카톡, 또는 밴드 등을 통해

한꺼번에 배포하고 답신 대상자들은 스마트폰을 통해 1~2분 정도면 답신 작성을 마칠 수 있다. 답신자들이 스마트폰에서 답신 결과를 저장하는 즉시 배포자 PC나 노트북에서 앱이 자동으로 취합해 주는 스프레드시트와 그래프로 조사 결과를 파악할 수 있다. 하나의 설문서를 작성하고 답신에 대한 분석까지 마치는데 걸리는 시간은 몇 번의 실습을 거친 사람이라면 1~2시간이면 충분하다. 회의보다 훨씬 효율적인 방법이다.

의사결정을 위한 회의 역시 최대한 줄이는 것이 해답이다.

창의적 기획(개발)을 위한 스마트 회의 법

새로운 프로젝트를 개발하거나, 새로운 상품 또는 계획을 수립하기 위한 회의를 말한다. 창의적인 아이디어를 도출하여 최고의 가치를 만들어내는 과정이 매우 중요하므로 회의주재자는 구성원들이 자유로운 생각을 펼치고 서로의 아이디어를 결합하여 상승효과를 낼 수 있도록 도움 주는 것이 핵심이다.

새로운 서비스 개발, 신모델 개발, 특허 기술 개발, 광고 기획, 업무 개선, 제품 개선, 디자인 개발, 이름 짓기 등 새로운 것을 만들거나 기존의 것을 개량, 개선하는 것을 포함하는 회의는 모두 여기에 해당된다.

픽사 · 디즈니 애니메이션 사례

미국의 픽사·디즈니 애니메이션 CEO인 캣멀이 말하는 창의성을 끌어내기 위한 픽사의 회의 모습을 사례로 알아보자. 많은 사람이 픽사와 디즈니 애니메이션의 완성도 있는 작품을 보고, 감독과 시나리오 작가가 번득이는 아이디어로 스토리와 캐릭터를 창조하고, 그에 따라 제작진들이 일사불란하게 작업을 진행할 것으로 생각하는 경우가 많다. 그러나 캣멀은 픽사나 디즈니가 처음 내놓는 스토리나 시제품들이 "너무나 형편없다."라고 강조한다. 그런데 픽사는 그 초안이 "너무나 형편없는 상태에서 괜찮은 상태로, 괜찮은 상태에서 훌륭한 상태로" 지속해서 작품의 질을 개선해나가는 체계적인 제작환경 및 피드백 시스템을 갖추고 있다.

픽사의 이런 시스템 중 하나가 '브레인 트러스트 회의'이다. 픽사는 브레인 트러스트(스토리와 관련해 재능이 있는 스토리부서 팀장, 동료 감독, 시나리오작가 등으로 구성된다)라는 자문단을 구성해 몇 달에 한 번씩 현재 작업하고 있는 작품의 진행 상황을 공개하고, 서로 피드백을 주고받는 자리를 갖는다. 브레인 트러스트 구성원들 사이에 작품 개선에 대한 열기가 너무도 가열되어 이 회의를 처음 보는 외부 사람들은 서로 싸우는 것은 아닌지 오해하기도 한다. 그러나 픽사 직원들은 이 모든 비평과 논의들의 초점이 '사람'이 아닌, '작품의 질'에 맞춰져 있음을 정확히 인지하고 있기 때문에 개인적으로 상처 받는 일이 적다.

피드백을 받아들일 것인지에 대한 여부부터, 작품의 수정을 어떻게 진행할지에 대한 권한은 모두 감독에게 있다. 그럼에도 대부분의 픽사 감독들이 브레인 트러스트의 피드백에 귀를 기울이고, 작품을 개선하는 디딤돌로 삼는다. 이런 과정에서 감독과 제작진의 진 빠지는 노고가 뒤따르지만, 픽사인들은 집단 지성과 집단 창의성이 자율적으로 발산되고, 수렴되는 이 과정을 기꺼이 거친다.

우리 기업들은 이와 같은 창의력을 계발하고 취합해 나가는 회의에는 너무 미숙하고 실제 잘 실행되지도 않는다. 한국 사람들은 질문을 잘할 줄 모른다. 상위 직급의 사람들은 잘 경청하지 못한다. 다른 사람들의 의견을 수용하는 것도 잘 할 줄 모른다. 이제 4차 산업혁명시대의 경쟁에서 살아남기 위해서는 픽사의 사례에서와 같이 집단지성과 집단 창의성이 자율적으로 발산되고 수렴되는 창의적 기획을 위한 회의는 보다 더 활성화되고 어떤 일이 있어도 해답을 찾아내고야

말겠다는 회의가 되어야 한다. 따라서 이와 같은 회의는 오히려 강화되어야 한다.

나는 클라우드 실시간 수평적 의사소통 시스템을 활용하여 스마트워킹하는 습관을 조직문화에 뿌리내려 전체 회의 시간을 80% 이상 줄이도록 강력히 추천한다.

2 보고서 작성 시간을 50% 줄여라

일하는 방식을 바꾸면 보고서는 준다

회사에서는 주로 보고서를 통해서 의사소통이 이루어진다. 보고서로 시작해서 보고서로 끝난다고 해도 과언이 아니다. 새로운 프로젝트를 기획하고 협업을 통해 시행하고 성과를 도출해내기까지 수백 장의 보고서를 작성하게 될 것이다. 보고서를 통해서 주요 업무를 수행하고 있다.

2013년 생산성본부에서 직장인 473명을 대상으로 한 조사 결과에 따르면, 하루 업무에 사용하는 시간 중 문서작성에 29.7%, 자료검색 및 수집에 22.3%, 총 52%의 시간을 문서 작성 및 자료검색과 수집에 사용하고 있다.

직장인들이 근무시간 중 이렇게 많은 비중을 차지하는 보고서 작성을 줄이기 위해 우리는 어떤 노력을 하고 있을까? 앞에서 설명했듯이 각종 회의를 대폭 줄이면 자연히 보고서는 그만큼 줄어들 것이다. 특히 회의를 위한 파워포인트 작성이 크게 줄어들 것이다. 실제 회사 내부용으로는 파워포인트가 없어져야 한다.

임원들이나 관리자들이 자신의 업무파악 목적에 맞도록 별도로 보고서를 작성하도록 지시하는 관습도 철저하게 없애야 한다. 이제는 자신이 원하는 정보는 실시간 의사소통 시스템을 통해 즉시 확인할 수 있고 지금 당장 그 정보가 없다면 댓글을 달기만 하면 역시 댓글로 답신을 바로 확인할 수 있다. 또한 시스템은 사용을 지속해 나가면서 점차 빠른 속도로 개선되어 갈 것이다. 그러한 개선 작업은 전산요원에 의해 개발되는 것이 아니라 현업 담당자에 의해 필요에 따라 수시로 직접 즉시 실행된다.

스마트워킹을 통해 회사 전체의 보고서는 50% 이상 줄일 수 있으며 줄어야 한다.

㈜두산 사례

㈜두산의 경우 2014년부터 VDIVirtual Desktop Infrastructure 기반의 클라우드워킹을 도입하고, 2016년부터는 클라우드 드라이브 기반의 자료 작성 협업체계를 시행하는 등 스마트워킹이 조직문화로 뿌리내리도록 지속적으로 일하는 방식을 바꿔왔으며, 이를 통해 직원들의 워라밸 수준도 크게 개선되었다고 한다.

㈜두산에서 기획부서가 전략 보고서를 작성하는 사례를 보자. 클라우드 드라이브를 통한 스마트워킹이 실행되기 이전에 주요 보고를 한번 하려면 준비하는 데만 한 달 정도 걸리고, 보고가 끝나고 나면 모두가 녹초가 되는 일이 일상다반사였다. 팀장은 팀원들과 회의를 통해 전략 방향성에 대해 논의를 하고 자료 작성을 지시하고 나면, 일주일 정도가 지나서야 가져오는 자료를 처음 보곤 했다.

분명히 처음 회의를 할 때는 서로 이해가 다 되었다고 생각했는데, 방향성도 달라지고, 필요해 보이는 데이터도 부족한 것 투성이였다. 다시 지시를 내리고 고치는 작업이 반복되면서 촉박한 보고 일정에 맞추기 위해 야근과 재작업이 일상이었다. 팀원들 입장에서도 임원/팀장의 지시가 계속 바뀌고 그것 때문에 비부가가치적인 업무를 하고 있다는 느낌을 지울 수 없었다.

그러나 클라우드 드라이브 활용 이후에는 팀원들과 전략 방향성에 대해 회의를 하고 난 후, 팀원들은 클라우드 드라이브에서 전체적인 보고 스토리라인Storyline을 짜고, 임원/팀장들은 그 과정을 실시간으로 같이 보게 된다. 방향성을 맞춰야 하는 부분, 추가적인 데이터가 필요한 부분은 작성 중인 자료 위에 서로 메모로 붙여놓고, 팀원들은 그걸 보면서 수정한다. 필요한 자료를 다른 팀에서 받아야 하는 경우는 협업이 필요한 부서 담당자를 자료 작성자에 추가해서 자료를 직접 수정할 수 있게 해 준다.

보고서 작성에 유관 된 사람 모두가 자료 작성 초기부터 전체 흐름과 상세한 데이터까지 모두 같이 협업해서 작성하기 때문에 자료를 검토하는 시간이나 재작업을 하는 시간도 거의 없고, 서로 불필요한 오해가 생길 일도 없다. 또한 보고와 회의가 스마트해지면서, 본연의 업무 수행에 더 집중할 수 있게 된 부분이 가장 큰 효과라 하겠다.

이러한 변화는 즉시 업무 효율성과 수익성 향상으로 나타났다. 출장 이동, 보고 대기 등에서 발생하는 비효율 업무시간은 40% 이상 감소하였고(두산 내 자체 집계 기준) 2015년 이후 영업이익이 평균 7% 이상 성장(두산 연결재무제표 기준)하는 등 기업의 전반적인 경쟁력이 향상되는 모습을 보여주고 있다.

효율적인 각종 자료 검색 기법

우리 기업 직원들이 회의를 하거나 각종 보고서 작성을 위해 자료 검색이나 수집에 소모하는 시간이 전체 근무시간 중 22%가 넘는다고 한다. 최근 엄청나게 빠른 속도로 발전하고 있는 각종 IT 기술로 말미암아 효과적인 자료 검색이나 수집 기법을 아는 것만으로도 업무 생산성을 크게 향상할 수 있다.

나는 앞에서 이미 내가 이미 모아 놓은 자료 중에서 스마트폰에서 구글 드라이브로 검색하는 기법과 PC나 노트북에서 Everything으로 검색하는 기법을 소개했다. 내가 일반 자료 검색을 하는 경우는 검색 엔진들 중에서 주로 네이버, 다음과 구글을 활용하는데 그중에서도 구글을 더 많이 활용한다. 훨씬 더 풍부하고 정확한 품질의 자료를 제공해 주기 때문이다. 이 책자에서는 구글 검색에서의 두 가지의 활용방안을 제시해 주고자 한다.

첫째, 텍스트 검색 방법이다. 구글에서는 검색을 돕기 위해 다음과 같은 여러 가지의 방법을 제공해 주고 있는데 자신이 찾고자 하는 내용에 알맞게 활용하면 매우 효과적이다.

Site 특별한 서버 혹은 도메인의 페이지에 대해서만 검색

Intitle 문서 제목을 기준으로 검색

Insubject 제목 라인을 검색

Intext 모든 기사의 내용 안에서 검색

Filetype 특정한 파일의 확장자를 검색

2017..2018 설정 기간을 우선으로 검색

+, -, "" 특정한 문자를 포함, 불포함, 온전한 문장

예를 들어 Google 검색창에

기획 intext:전략 filetype:ppt

라고 입력하면 '기획'이라는 주제로 내용 중에 '전략'이라는 말을 포함하는 파워포인트 슬라이드 형태의 자료들만을 검색하여 모두 보여 준다. 그런데 특이한 점은 그렇게 검색해 낸 파워포인트를 내 것으로 수정해서 활용할 수 있다는 점이다. 물론 외부적으로 활용할 때는 지적 재산권 문제를 신중하게 고려해야 한다.

둘째, 구글 알리미의 활용이다. 구글 검색에서 구글 알리미를 입력하면 구글 알리미로 들어갈 수 있는데 아래 표와 같은 방법으로 알리미에 자신이 정기적으로 메일을 통해 받고자 하는 내용을 저장해 두면 지정하는 메일 주소로 정기적으로 관련되는 모든 자료를 보내준다. 나의 경우는 알리미에 4

차 산업혁명 관련, 워라밸 관련 및 구글 관련 키워드 16개를 알리미에 매일 알려주도록 입력해 놓았다. 물론 매일 메일을 받기 때문에 번거로울 경우 주 1회 이하로 지정하는 방법도 있다. 다만 자신이 주로 활용하는 메일 주소가 G메일 주소가 아닌 경우는 구글 드라이브에서 설정 기능을 활용하여 계정을 추가해 놓으면 구글 알리미 수신 위치에 추가한 주소도 함께 나타나게 되어 그 주소를 선택하면 된다.

매일 받는 내용 중 의미 있는 내용은 즉시 모두 복사하여 새로운 구글 문서에 저장한다. 앞에서도 설명했듯이 구글 드라이브 내에서 생성한 구글 문서는 무료 공간에 계산되지 않기 때문에 무한대로 저장할 수 있을 뿐 아니라 어떤 자료가 필

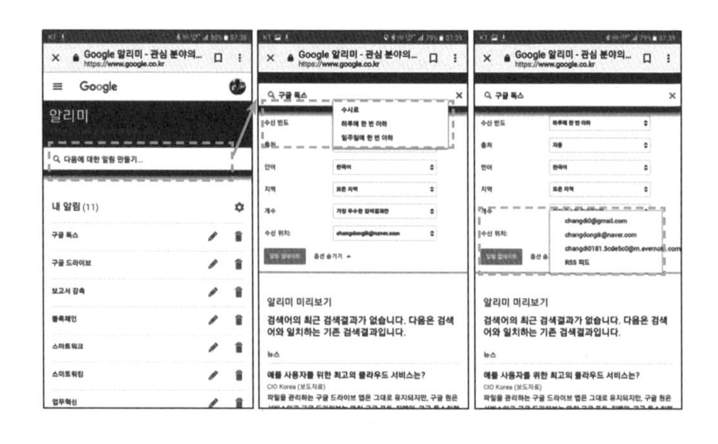

그림〈21〉 구글 알리미

그림〈22〉 메일에 정기적으로 추가되는 모습

요한 때에는 키워드 검색에서 핸드폰 마이크에 대고 말로 키워드를 입력해 주기만 하면 각 문서의 내용까지도 훑어 자료를 찾아 주기 때문에 자료 검색 및 수집에 너무나 편리하다.

3 품의 절차를 수평적으로 바꾸고 보고서는 폐기하라

'품의'라는 한자어는 稟여쭐 품, 議의논할 의라는 의미를 가지고 있다. 윗사람에게 의견을 물어보고 의논한다는 뜻이다. 일반적으로 비용 지출이 매우 큰 중요한 프로젝트의 경우 수많은 회의와 보고를 거쳐 품의의 애초 내용이 변경되는 경우가 많았다. 따라서 굉장히 긴 시간의 회의 및 보고서 작성을 수반했었다. 그렇지만 그러한 논의의 과정이나 변경의 과정이 정리 기록되어 있지 않아 추후 그 변경이 어떤 사유로 어떤 과정을 거쳐 변경되었는지 알 수가 없어 실수에 대한 책임을 묻거나, 다시는 그런 실수가 생기지 않도록 미리 방지하는 기능을 제대로 발휘하지 못했다.

그런데 각종 품의서 결재 방식을 상기 사례처럼 수평적 의사소통 방식으로 바꾸게 되면,

첫째, 품의와 관련된 대부분의 세부사항은 이미 수평적 의사소통 시스템에 저장되어 있기 때문에 필요한 데이터는 언제 어디서나 즉시 검색하여 파악하고, 만일 추가 의문 사항이 있을 경우는 즉시 댓글 교신을 통해 해결해 나갈 수 있으므로 품의 결재를 위한 별도의 회의나 보고서 작성은 거의 필요 없다. 이때 통상 X세대가 점하고 있는 CEO나 임원들의 경우 댓글 다는 것이 숙달되어 있지 않아 적응해 보려는 시도조차 하지 않는 경우가 많다. 그러나 이제 댓글 작성도 PC에서 타이핑을 치거나 또는 스마트폰에서 엄지손가락으로 칠 필요가 없이 스마트폰에 대고 말로 하면 된다. 더구나 언제, 어디서나, 어떤 디바이스로든 생각나는 즉시 실행에 옮길 수 있다.

둘째, 관련된 사람들 각자의 다른 의견들을 실시간으로 충분히 교환하고 수렴할 수 있다. 이제는 회의 시나 또는 보고 시에만 의견을 교환하고 수렴하는 것이 아니라 언제, 어디서나 필요한 즉시 의견을 교환하고 관련자 중 누구든 댓글로 의견을 올리는 즉시 파악하고 논의하고 또한 모든 관련자의 의견을 실시간으로 수렴해 나갈 수 있다. 특히 필요한 경우 구글 설문서를 활용하면 관련된 모든 사람의 의견을 매우 짧은 시간 안에 수렴할 수 있다.

셋째, 품의 재가 이후에도 품의 관련 프로젝트의 진행 상황을 지속해서 연결하여 파악할 수 있다. 이제까지는 일반적으로 품의가 재가되기까지는 CEO를 비롯하여 관련 상위직들이 대단한 관심을 가지고 열정적으로 논의에 참여하지만 일단 품의가 재가되고 나면 품의서가 어디 있는지조차 찾아보지도 않는 상황의 회사들이 많다. 그러나 주요 프로젝트의 품의는 재가까지의 과정도 중요하지만, 그 프로젝트가 시행단계에서 품의 시의 기본 아이디어에 따라 모든 관련 부서들 간의 협업이 잘 이루어지면서 효과적으로 집행되고 있는지를 파악하고 수정·보완·조정해 나가는 것이 더욱더 중요하다. 수평적 의사소통 시스템에서는 일단 품의 재가가 완료되면 CEO나 관련 임원들은 수평적 의사소통 시스템상에서 품의와 관련되는 프로젝트에 대한 새로운 폴더를 만든 후 그 폴더 안에 품의서와 진척상황을 위한 현황표를 함께 저장하면 진척상황을 최종 품의서 원본과 대비하여 언제, 어디서나, 어떤 디바이스로든 파악할 수 있게 된다.

넷째, 수많은 댓글을 확인하거나 또는 구글 문서상에 자동으로 저장되어 있는 수정 내용 추적 기능을 활용하여 어떤 과정을 거쳐 왜 애초 품의서 초안이 수정되었는지를 파악할 수 있기 때문에 실제 프로젝트를 추진하면서 주요 이슈가 발생하는 경우 그 문제의 근원이 어디에 있는지를 즉시 파악할 수 있다. 따라서 그 이슈에 대한 대안 역시 매우 효율적으로 찾을 수 있을 뿐 아니라 추후 같은 실수를 미리 방지할 수 있게 된다.

또한 예를 들어 직원의 경사에 대한 축의금 지급의 경우 회사 사규에 직원이 결혼하면 정액으로 정해져 있는 축의금을 지급하도록 이미 규정되어 있는데 왜 이 지급을 위해 팀장, 본부장을 거쳐 CEO까지 결재해야 하는가? 이제 확인하고자 하는 내용을 언제 어디서나 즉시 파악할 수 있다. 필요 없는 결재는 모두 없애야 한다.

단, 충분한 논의와 결재가 꼭 필요한 품의서들은 수평적 의사소통 시스템상에서 모든 결재자에게 동시에 배포되어 수평적으로 소통함으로써 회의 및 보고서를 크게 감축시킬 뿐 아니라 의사결정의 품질 및 업무성과를 크게 증대시키기 바란다.

4 국내 및 해외 출장을 대폭 줄여라

해외 현지법인이나 지점에서의 혁신적인 의사소통 기법

나는 젊은 나이에 미국 뉴욕의 현지법인장을 하면서 영어를 제법 능숙하게 했지만, 과연 미국인들과의 의사소통은 정말 원활했었나를 되돌아보면 답은 '문제가 많이 있었다.'이다. 과연 수백, 수천, 수만 명까지의 현지 고용인들을 지휘하는 현지 경험이 충분하지 않은 국내에서 파견된 한국인 책임자 또는 관리자들이 얼마나 큰 의사소통의 문제를 가지고 있을까에 대한 걱정을 해 본다.

각종 스마트폰 번역 앱들의 음성 인식과 번역 품질은 날로 좋아지고 있다. 나는 해외법인에 파견되는 한국인 책임자 및 관리자들에게 구글 번역 등 각종 스마트폰 앱을 최대한 활용하여 의사소통의 품질을 혁신적으로 높일 것을 추천한다.

나는 현지법인에서 효과를 창출할 수 있는 다음과 같은 의사소통 개혁방안을 제시한다.

첫째, 그 지역에서 가장 효율적이라고 판단하는 번역 앱을 적극적으로 활용하라. 특별히 뛰어난 현지 앱을 찾을 수 없다면 구글 번역을 활용하면 된다. 모든 임직원들이 잘 활용하면 매우 편리하다.

둘째. 이 책자에서 제시하는 방식의 실시간 의사소통 시스템을 즉시 구축하라.

셋째, 현지인과 회의 시 토크 프리와 같은 TTSText to Speech 기능을 최대한 활용하라. 회의는 가능한 한 없애되 꼭 시행해야 하는 경우 현지인이 참여하게 되는 회의의 한국인 책임자는 우선 회의에서 얻고자 하는 자신의 의도를 구글 문서에 말로 하면 문자화 되며 최종 수정은 PC에서 작업하여 완성한다. 그 한국어로 된 문서를 모두 복사하여 현지 언어로 번역한 다음 토크 프리에 옮겨 주면 토크 프리가 예쁜 여성의 목소리로 현지어로 읽어준다. 이때 자신의 스마트폰을 블루투스 스피커에 연결하면 회의 장소 내에서 모든 현지인들이 들을 수 있도록 토크 프리가 큰 소리로 읽어주게 된다.

또한 필요하다고 판단하는 경우 회의에 참석한 모두가 각자의 스마트폰을 각자의 블루투스 스피커에 연결하면 동시통역 회의를 진행할 수도 있다. 예를 들어 회의 참여자들이 각자 자신의 언어로 말하면 그 사람의 블루투스 스피커에서는 영어로 모두 동시통역되어 들려주게 된다. 그러면 모두가 평균적으로 자신이 직접 구사하는 영어보다는 훌륭한 품질의 영어로 의사소통하게 될 것이다. 앞으로는 동시통역의 품질이 더 나아질 것이다.

넷째, 현지인과의 소통 시 스마트폰의 동시통역 기능을 최대한 활용하라. 아직까지 동시통역의 품질이 만족할만한 수준은 아니다. 그러나 그 품질 개선의 속도는 매우 빠르다. 이제 얼마 되지 않아 국제 전화를 걸 때 한국 사람이 한국말로 말하면 상대 외국인은 자신의 언어로 듣게 될 것이며 상대 외국인이 자신의 언어로 말하면 한국 사람은 한국어로 듣게 될 것이다. 현재 특히 중견·중소기업의 경우 한국에서 파견된 책임자들과 현지인 관리자들의 소통능력이 충분치 못한 상태에서 한국 파견 책임자들과 현지인 관리자들의 어설픈 품질의 회의가 일단 끝나고 나면 그 현지인 관리자들을 통해 현장에서 어떤 일이 어떻게 진행되고 있는지를 그들과의 회의를 다시 소집하기 전에는 깊이 있게 파악하기가 어려운 것이 현실이다.

국내에서도 책임자들이 공장의 생산직과도 잦은 교류를 해야 하듯이 외국 현지법인에서도 파견된 한국인 책임자들이 동시통역 기능을 최대한 효과적으로 활용하여 생산직들이나 일반 직원들과도 직접 교류하지 않는다면 결국 현지인 관리자의 관리능력에 의존할 수밖에 없는 상황이다. 그런데 현지의 관리자들이 최선의 노력을 기울여 주지 않는 상태에서 이런 상황이 지속된다면 외지에서의 경영이 성공을 거두기 어렵다.

다섯째, 구글 행아웃Google Hangouts이나 스카이프Skype 등 스마트폰 영상회의 기능을 최대한 활용하여 해외 현지법인과의 원거리 소통을 극대화하고 해외 출장을 최대한 줄여라. 스마트폰의 화면은 빔프로젝터, TV, PC 모니터에 미러링(혹은 Smart View 기능)하여 볼 수 있다. 이제는 스마트폰 앱만 있으면 비싼 장비가 전혀 없이도 영상 회의에 참여한 모든 사람들이 회의 주재자 한 사람이 넘기는 구글 프레젠테이션(마이크로소프트 파워포인트와 같은 기능 수행) 슬라이드를 보면서, 아니면 상대 지역의 동영상 화면을 동영상 회의에 참여한 모든 사람이 함께 보면서 회의를 진행할 수 있다. 그리고 아직은 직접 출장을 가거나 또는 비싼 장비를 활용하여 회의를 진행하는 것보다는 좀 불편하기는 하지만 이 기능 역시 발전 속도가 매우 빠르다. 점점 더 편리해지고 있다.

많은 회사가 해외 출장비용을 계산할 때 출장여비만을 계산한다. 그러나 출장여비보다 이동 시간에 투자되는 비용도 만

만치 않다는 것을 잊지 말자. 예를 들어 1억 원 연봉의 임원이 1년에 5회 정도 해외 출장을 간다고 하면 1회 최소한 2일은 이동하는 데 시간을 보내게 된다. 그러면 1년에 10일간 이동을 하게 된다. 1년에 200일을 근무한다고 하면 1/20의 시간이 이동 시간이다. 1인당 총비용은 대체로 연봉의 2배 정도 소요되므로 2억 원/20=천만 원이다. 이 금액 역시 출장비에 추가되어야 한다.

이제 출장 대신 필요한 시점에 즉시 스마트 폰 앱과 함께 꼭 필요한 경우 모니터나 TV나 빔프로젝터를 활용하여 다자간 동영상 통화를 시행하라. 처음에는 좀 불편하다. 그러나 자주 실행하여 습관이 되면 쉽고 또한 그 효과를 얻게 된다. 이미 설명한 CISCO의 사례에서 출장으로 인한 비용 감축이 전체 스마트워킹으로 인한 비용 감축 및 생산성 증대 효과의 반가량이나 되었다는 것을 참고하기 바란다.

왜 국내 출장이나 해외 출장이 필요한가? 앞서 설명한 해외 현지 공장 사고를 다룬 사례를 참고하기 바란다.

5 근무형태를 다양하게 바꿔라

구성원의 다양성을 관리하라

세계적인 인력 관련 컨설팅 그룹의 하나인 머서Mercer는 장차 10년 내에 HRHuman Resources 분야에 가장 큰 영향을 미칠 주요한 변화 중의 하나로 기업 구성원들의 다양성을 선정한 바 있다. 이처럼 다양성 문제는 갈등의 원인으로 볼 것이 아니라 적극적으로 관리해서 기업 경쟁력의 원천으로 삼는 지혜가 필요한 시대가 다가오고 있는 것이다.

다문화, 다민족으로 구성된 미국을 비롯한 많은 기업들은 이미 오래전부터 이러한 다양성에 대한 연구와 관심이 제기되어 왔지만, 우리의 경우 지금까지 별로 관심을 두지 않았던 것이 사실이다. 이러한 다양성 증가 원인을 좀 더 구체적으로 찾아본다면,

첫째, 고용 형태의 다양화가 급속하게 진행되고 있다는 것이다. 특히 경력 채용이 늘고 비정규직의 비중이 크게 높아지다 보니 다양한 경력의 소유자, 서로 다른 신분과 처우를 받는 사람들과 같이 일하게 된다.

둘째, 여성 인력이 급격하게 증가하고 있고 특히 여성 경영자와 간부들이 늘어남에 따른 리더십과 부하 관리 등 새로운 질서와 문화를 겪게 된다.

셋째, Y세대, Z세대 등과 같은 새로운 세대의 등장과 더불어 가치관의 변화가 다양성을 증가시키는 큰 요인으로 작용하고 있다. 더구나 디지털 정보화 시대가 되면서 세대 간 가치관의 차이가 예전보다 훨씬 더 커지고 있다.

넷째, 글로벌화가 급속하게 진행되면서 외국인들과 같이 근무하는 경우가 점차 증가하고 있다. 더구나 외국인 근로자들의 경우 이문화 갈등은 물론 외국인 차별 혹은 외국인 학대의 사회적 문제로까지 확대되고 있다.

이제까지는 다양성의 접근은 제도적 차별이나 물리적, 생물학적 차이에 대한 차별 배제로 채용이나 승진의 기회균등, 공정한 대우 등에 관심이 쏠렸으나 앞으로는 다양성을 기업

의 효율과 경쟁력의 측면에서 구성원과의 차이를 수용하고 이를 적극적으로 관리하는 '다양성 관리Managing diversity'가 중요해지고 있다.

다양한 근무제도 유형

'일하는 방식의 변화' 중 하나가 근무 형태를 과감하게 바꾸는 일인데 개정 근로기준법에서 규정하는 유연근무제에는 다음과 같은 근무 유형들이 있다.

시차출퇴근제 주 5일, 1일 8시간, 주 40시간의 소정 근로시간을 준수하면서 출퇴근 시간을 조정하는 제도이다.

선택근무제 1개월 이내의 정산기간(주 단위)을 평균하여 1주 소정근로시간이 40시간을 초과하지 않는 범위에서 1주 또는 1일 근로시간을 조정하는 제도로서 회사에서 반드시 근무하기로 한 의무 근로시간(근로일) 이외의 부분은 근로자 스스로 근무시간(근로일)을 조절 선택하여 업무를 하는 유연근무제도이다.

재량근무제 업무 특성상 근로시간 배분과 업무수행방법을 근로자의 재량에 맡기고 사용자와 근로자가 합의한 시간을 근무한 것으로 인정하는 제도로서 연구개발, IT, 방송, 디자

인 등 법에서 정한 업종에 도입 가능한 제도이다.(근로기준법 시행령 제31조)

재택근무제 근로자가 정보통신기기 등을 활용하여 사업장이 아닌 주거지에 업무공간을 마련하여 근무하는 제도로서 주 1회 이상 근로자의 주거지에서 주어진 업무를 수행하는 방식이다.

원격근무제 주거지, 출장지 등과 인접한 원격근무용 사무실에서 근무하거나, 사무실이 아닌 장소에서 모바일 기기를 이용하여 근무하는 제도로서 주 1일 이상 주거지와 근거리의 원격근무센터 근무, IT에 기반하여 이동이 편리한 원거리 근무를 포함한다.

진정한 스마트워킹을 조직문화에 뿌리내리게 되는 즉시 이 모든 다양한 방안을 모든 업무에 적용할 수 있게 될 것이다. 예를 들어 삼성그룹 계열사들은 2018년 7월 1일부터 삼성전자와 마찬가지로 자율 출퇴근제에서 '선택적 근로시간제'를 도입하고 있다. 사무직과 연구개발R&D 직군의 근로자가 주 단위가 아닌 월 단위로 근로시간을 관리하도록 한다. 근로 시간 관리를 전적으로 직원의 재량에 맡기는 '재량근로제'도 함께 도입했다.

선택적 근로시간제란 한 달 동안 정해진 근로시간에 맞춰 근로자가 출퇴근 시간 및 근로 시간을 자율적으로 정할 수 있는 제도다. 한 달 중 근무일을 22일, 하루 근무 시간을 8시간으로 가정했을 때 한 달 176시간의 근로시간만 지키면 된다. 단, 하루에 최소 4시간, 1주일에 최소 20시간을 근무해야 하는 조건은 기존대로 유지된다. 재량근로제는 업무 특성상 직원이 얼마나 어떻게 일했는지 구분하기 어려울 때 노사 합의로 일정 시간을 근로한 것으로 간주하는 제도다.

British Telecom의 사례

영국의 대표적 통신사인 BTBritish Telecommunication는 스마트워크를 성공적으로 도입하여 운영하는 세계적인 대표 사례로 손꼽히고 있다. BT는 1990년대 초 일자리 공유, 재택근무, 부분 재택근무, 탄력근무, 스마트워크 플레이스 등 5개 프로그램을 도입하였으며, 현재까지도 회사에 직접 출근하여 지정 좌석 없이 필요에 따라 좌석을 이동하며 근무하는 스마트 오피스, 고객이 원하는 곳에서 고객을 지원하며 근무하는 모바일 오피스, 일주일에 하루 이상을 자택에서 근무하는 홈오피스, 스마트워크 센터와 같은 근거리 전용공간을 이용하는 스마트워크센터 근무 등의 가능한 형태의 다양한 스마트워크 유형을 도입하고 있다.

또한 업무량과 개인의 상황에 따라 시간을 조절하는 '계획근무제', 자녀의 방학 동안에는 자녀와 같이 시간을 보낼 수 있도록 일을 하지 않는 '자녀 학기별 근무제' 등을 통해서 직원의 요구와 상황에 맞추어 다양하게 운영되고 있다.

현재 BT 직원은 전 세계적으로 10만 명에 달하는데, 전체 직원들의 약 88%가 어느 한 가지 형태의 스마트워크에 참여하고 있다고 한다. 이들 중 재택근무 참여자는 약 10% 정도이며, 70% 이상의 직원들은 자택이나 스마트워크센터 혹은 사무실 등을 병행하는 탄력적인 형태로 참여하고 있다.

스마트워크 도입 이후 BT는 매년 평균 7억 5천만 파운드(약 1조 3천억 원) 규모의 비용 절감 효과를 거두고 있다고 한다. 스마트워크 도입으로 인한 효과는 단순한 비용절감을 넘어서 여러 가지 부가적인 효과를 거두고 있어서 대표적인 스마트워크 도입 모범 사례로 손꼽힌다.

다양한 근무 형태를 지원하는 인사관리 시스템

이런 가운데 최근 소상공인과 중소기업의 인사관리 업무를 간편하게 바꿔 주는 신생 벤처기업들을 소개하고자 한다.

2015년 창업하여 밴처 캐피털의 투자를 받은 푸른밤은 중소사업자 대상 급여 자동화 서비스인 '알밤'을 개발하여 프랜차이즈, 패션업, 제조업 등을 중심으로 국내외 3만여 개 사업장에 공급했다. 알밤은 위치정보 기술Location based System인 비콘Beacon과 클라우드Cloud를 기반으로 인사관리 업무를 자동화한 서비스로써 직원들이 스마트폰 앱으로 출퇴근 체크를 하면 근무 이력 관리부터 급여 계산까지 알아서 대신해 준다. 주휴수당, 4대 보험료 등을 정확히 계산하고 사업장마다 제각각인 급여 정산 방식을 반영해 맞춤형으로 설정할 수 있다고 한다.

2017년에 설립되어 역시 밴처 캐피탈의 투자를 받은 시프티가 개발하여 출시한 인사관리 솔루션 '시프티' 역시 와이파이와 GPS위치정보시스템를 활용해 직원들의 출퇴근 시간을 기록하여 여러 매장에 흩어져 있는 직원들의 정보를 통합 관리할 수도 있다고 한다. 호주, 캐나다, 싱가포르 등에도 도입되면서 해외 사용자 비중이 10% 안팎을 차지하고 있다고 한다.

다양한 유연근무제 시행에 따른 각종 정부 지원

정부에서는 2018년 2월 28일 개정 공포되어 최대 근로시간이 68시간에서 52시간으로 줄어드는 근로기준법에 따라 영향을 받게 되는 기업들을 위해 다양한 지원책을 마련하여 지원하고 있다.

1. 유연근무제에 대해 간접노무비 지원

직전 연도 말일 피보험자 수의 30% 한도 내(최대 70명, 시차출근제는 50명)에서 유연근무제를 활용하는 근로자 1인당 연 최대 520만 원(1주 10만 원 한도)을 최대 1년간 지원한다

2. 원격근무 인프라 지원

재택근무나 원격 근무를 도입하거나 확대 시행하기 위해 시스템, 설비, 장비 등을 설치하는 우선 지원 대상 기업과 중견기업 사업주에게 인프라 구축 비용을 지원하고 있다. 시스템 구축비는 구축비의 50% 한도 내에서 최대 2천만 원까지 지원하며, 설비나 장비 구축비는 총투자비용의 50% 한도 내에서 최대 5천만 원까지 3년 거치 5년 분할상환 조건으로 연이율 1%(우선 지원대상 기업), 또는 2%(중견기업)로 융자해 준다.

3. 시간 선택제 전환 지원

시간선택제 전환이란 임신, 자기 계발을 위한 학업, 육아, 퇴직 준비, 건강 등 필요에 따라 전일제 근로자가 일정 기간 동안 근로시간을 줄여 시간선택제로 일하고 사유가 해소되면 전일제로 복귀하여 근무하는 제도를 말한다. 근로자 임금 감소액에 대해 사업주가 당해 근로자에게 보전해 준 보전금의 범위 내에서 사업주에게 1인당 40만 원까지 보전해 주고 있

다.

추가로 우선 지원 대상 기업, 중견기업에 전환하는 근로직 1인당 간접노무비도 월 20만 원 지원하며, 대체 인력 인건비도 월 60만 원(대규모 기업은 임금의 80% 한도 내에서 월 30만 원 지원)을 1년간 지원한다.

이외에도 초등학교 자녀를 둔 근로자가 요청에 따라 1일 1시간 단축하여 주 35시간 근로가 되도록 허용하는 회사에는 근로자 임금 감소액을 월 최대 24만 원까지 지원해 준다. 그리고 간접노무비 조로 우선 지원 대상 기업 및 중견기업에 1인당 월 20만 원을 지원해 주고 지원 기간은 최대 1년이다.

시간선택제 신규고용 지원이란 근무체계 개편 또는 새로운 직무개발 등을 통해 고용이 안정된 시간선택제 일자리를 새롭게 창출한 회사를 지원하는 제도이다.

4. 일자리 함께하기 지원

일자리 함께하기 제도란 교대제를 확대하거나, 실근로시간을 단축하거나, 1년 이상 재직한 근로자에게 장기휴가를 주는 대신 신규 인력을 고용함으로써 월평균 근로자 수가 증가하는 기업을 지원하는 제도이다. 이러한 제도를 신규로 도입하거나 확대함으로써 새로운 일자리를 만들어 근로자 수가 증가하는 경우에 증가하는 근로자 1명당 월 40만 원에서 80만 원 지원해 주는 지원제도이다.

6 공유 오피스와 일하는 방식의 혁신

2010년 설립한 위워크WeWork는 뉴욕 맨해튼에서 사무실 하나로 시작해 현재 전 세계 20여 개국에 세계 287개 건물에서 책상 26만 5000개를 임대하는 최대 사무실 공유업체로 성장했다. 위워크의 성공 비결은 단순히 사무실을 다른 업체에 임대하는 것이 아니라 스타트업과 대기업의 만남이나 비즈니스를 창조하는 장소로 창출한 비전에 있다. 위워크가 주로 다루는 것은 부동산 사업이지만 애덤 뉴먼 최고경영자CEO는 자사가 IT 기업이라는 점을 강조하면서 사람과 사람을 연결해 거대한 커뮤니티를 구축하여 스마트워크의 대명사로 변신하고 있다. 노이만 창업자는 삶과 일의 균형을 넘어 '삶의 일'을 영위하는 스마트워크 공간을 만들겠다는 것이다.

위워크 같은 사무실에서는 사람들이 노트북 하나만을 가지고 직급과 관계없이 앉아 있는데 다 각자 아무 데서나 자유롭게 업무를 보는 대신 프린터나 회의실이나 음료수, 간식 이런 건 공용으로 쓴다. 프리랜서들이나 생긴 지 얼마 안 되는 소규모 벤처기업들, 소위 스타트업이라고 하는 곳들이 주로 많이 들어가지만, 외근을 많이 하는 부서나 아이디어가 많이 필요한 신규사업을 위해서 대기업들까지도 많이 사용하고 있다. 기업들이 직원들한테 여러 아이디어를 받고 괜찮다 싶으면 사내 벤처의 형태로 운영하는 곳들이 많은데 특히 이런 사내 벤처라든가, 뭔가 새로운 사업 모델을 좀 고민해야 하는 부서라든가, 이런 특성이 필요한 부서들은 본사 사옥에서 내보내어 자유로운 분위기에서 일해 보라는 의미다.

이러한 스마트워크의 대명사인 공유사무실이 이제 에어B&B, 우버 같은 공유기업은 물론이고 애플, 구글, 마이크로소프트 같은 IT기업 대부분이 자기 자리가 없는 호텔이나 공항 라운지 같다. 이러한 회사들은 사무실의 효율화를 추구하면서도 수평적 소통이 가능한 협업공간은 물론 근무 형태가 원격, 재택근무가 용이하도록 하는 스마트워크 오피스를 위한 목적이다. 더구나 이러한 공유사무실을 통해 과거의 칸막이 사무실에서 수직적인 커뮤니케이션의 대명사인 상사에 대한 보고나 품의에 의한 의사결정, 많은 회의 같은 과거의 일하는 방식을 과감하게 바꾸는 '일하는 방식의 변화New change of work'에 결정적인 계기를 마련한다는데 큰 의미가 있다.

이러한 흐름은 우리나라에서 붐으로 일고 있다. 가장 앞서있는 회사는 유한킴벌리가 스마트워크 사무실로 그동안 각광을 받고 있었는데, 최근에는 벤처기업이나 스타트업 기업들은 물론이고 국내 IT 대기업들도 일부 또는 전부를 공유 사무실로 바꾸고 있다.

최근 SK는 서린빌딩 내 모든 사무 공간에 '공유 사무실' 개념을 도입하기로 해 재계의 관심을 받고 있다. SK그룹은 서린 사옥을 전면 리모델링 전에 그랑 서울 사무 공간을 먼저 공유 사무실로 개조했다. SK그룹이 사무 공간 변화에 나선 것은 최태원 회장이 주창하는 '일하는 방식의 혁신'에 따른 것이다. 최 회장은 2018년 초 신년회에서 "근무시간의 80% 이상을 칸막이에서 혼자 일하고 만나는 사람도 20명이 안 될 것인데 이렇게 일하면 새로운 시도, 비즈니스 모델 변화는 가능할 수 없다."며 변화를 주문했다.

서울 그랑 사무실은 회사나 부서 구분 없이 누구나 어울려 일할 수 있다. 23층 내 라운지는 방문객 접견 장소와 개인 업무 공간이 어우러져 마치 프랜차이즈 카페 같은 분위기를 자아냈다. 직원들은 독서실형, 테이블형, 노트북 전용, 입식 등 다양한 구조의 업무 공간에서 자유롭게 일하고 있다. 정해진 자리가 없어 매일 출근 30분 전에 스마트폰 앱응용프로그램으로 자리를 예약한다. 무거운 자료 등은 개인 사물함에 보관할 수 있다.

7 스마트 팩토리로 획기적인 생산성 향상

4차 산업혁명시대에 생산성 향상을 위해 뺄 수 없는 주요 요소가 스마트 팩토리이다. 최근 아마존은 의류를 소비자 맞춤형으로 제조하고 신속하게 배달할 수 있는 스마트 팩토리 기술에 관한 6건의 미국 특허를 출원했다고 한다. 정보통신기술ICT을 활용해 유통업을 위협하고 있는 아마존이 이제는 제조업까지 넘보고 있다.

우리나라는 제조업이 차지하는 비중이 국내총생산GDP의 3분의 1 정도를 차지할 정도로 매우 높다. 그러나 제조업 근로자 1인당 노동생산성은 미국, 독일, 프랑스 등 선진국의 절반 수준이다. 이런 현상이 지속된다면 앞으로가 더 큰 문제다.

스마트 팩토리Smart Factory는 문자 그대로 '똑똑한 공장'이다. 사람이 일일이 제품을 조립하고 포장하고 기계를 점검할 필요 없이 모든 과정이 자동으로 이뤄지는 공장을 말한다. 이미 국내 큰 공장들은 어느 정도 '자동화'가 이루어져 있다. 스마트 팩토리는 완전히 새로운 개념이 아니라 공장 자동화가 한층 더 진화된 모습이라고 할 수 있다.

공장자동화와 스마트 팩토리는 차별화된 개념이다. 제조에는 관련된 물품 조달, 물류, 소비자 등 다양한 엔티티객체가 존재한다. 공장 자동화는 컴퓨터와 로봇과 같은 장비를 이용해 공장 전체의 무인화 및 생산 과정의 자동화를 이루어내는 시스템을 말하는 반면, 스마트 팩토리는 이 객체들에 각각 지능을 부여하고 이를 IoTInternet of Things로 연결해 자율적으로 데이터를 연결·수집·분석하는 공장을 말한다.

지금까지의 공장은 각각의 공정별로만 자동화가 이루어져 앞뒤 공정에서 무슨 일이 일어났는지 알 수가 없었다. 하지만 스마트 팩토리는 모든 설비나 장치가 무선통신으로 연결돼 정보를 주고받고, 모든 공정을 실시간으로 모니터링하고 분석·판단해 최적의 생산 환경을 만든다. 말 그대로 '지능형 공장'인 셈이다.

이제는 공장이 비용을 줄이는 것은 물론 품질을 획기적으로 높이고 불량률은 줄이는 생산 체계로 바뀌고 있다. 글로벌 제조기업들은 스마트 팩토리 도입에 적극적으로 나서고 있다. 스마트 팩토리 시장은 매년 8~9%씩 성장해, 오는 2020년 2847억 달러(약 321조 원)로 커질 전망이다.

독일의 지멘스Siemens는 스마트 팩토리를 통해 제조기업에서 IT기업으로 변신했다는 평가를 받고 있다. 지멘스는 암베르크 공장 내 설비를 1000여 개의 사물인터넷 센서로 연결해 불량품이 발생하면 즉시 생산라인을 멈추고 부품을 교체할 수 있도록 한다. 그 결과 20여 년 전 100만 개당 500개에 달했던 불량품이 10개로 줄어들었다고 한다.

우리와 경쟁하는 제조 강국들은 전통적인 노동집약적 제조업을 스마트 팩토리로 혁신해 4차 산업혁명의 유리한 고지를 선점하고 있다. 우리나라는 인구감소 및 고령화가 급속도로 진행되고 있는 동시에 주 52시간제까지 시행돼 생산성을 높이지 않고서는 제조업 발전을 기대하기 어려운 상황이다. 삼성, LG 등 일부 대기업들을 제외한 국내 기업들은 로봇, ICT, 빅데이터, 인공지능을 사용하는 높은 수준의 스마트 팩토리를 구축하지 못했거나, 일부 구축된 스마트 팩토리 시스템도 운영하는 데 어려움을 겪고 있다.

스마트 팩토리는 ICT를 접목해, 생산 현장에서 무슨 일이 일어나는지 알아내고 인공지능 등으로 이들 데이터를 분석해 수요자가 원하는 제품을 보다 빨리 제조하는 기술이다. 제품에 따라 일부 공장은 높은 수준의 스마트 팩토리 적용이 어려울 수도 있다. 하지만 고민하느라 쓸데없는 시간을 낭비하기보다는 일단 단순한 시스템을 먼저 접해보는 것을 추천한다. 적정한 규모의 스마트 팩토리는 낮은 설치비용으로도 구축할 수 있기 때문이다. 실패하더라도 별로 잃을 것이 없다.

경쟁국들의 수많은 공장이 스마트 팩토리로 나아가고 있다. 국내 중소기업이 경쟁국 기업들의 스마트 팩토리에 대응할 수 있도록 준비하는 데 주어진 시간은 그리 많지 않아 보인다.

국내 민관합동 스마트공장 추진단에서는 스마트공장 보급 확산사업을 통해 여러 가지의 지원 활동을 하고 있다. 한국은 '한강의 기적'을 일군 제조업 강국이자, 인터넷 및 반도체 강국이다. 국내 여러 기업이 스마트 팩토리 구축을 통해 생산성을 크게 향상시켜 점점 설자리를 잃어가는 제조업이 국제경쟁력을 갖추어 산업현장의 활기를 되찾는 절호의 기회가 되기를 기대한다.

제5장

하우투 How to 워라밸 III -리더/상사편-

4차산업혁명시대에 맞는
한국형리더십을 발휘하라

1 수평적으로 소통하라

수평적 소통과 공감의 힘

'조직의 침묵'이란 말을 들어 보았는가?

나는 20여 년간 중소기업을 중심으로 컨설팅과 CEO 대상으로 많은 강의를 하면서 퇴직률이 높다고 하소연하는 경영자들을 많이 만나보았다. 대개 퇴직률이 대기업보다 40~50% 정도가 많았는데 심지어 80%까지 높은 회사도 있었다. 분명한 것은 이러한 회사들의 공통점은 최고 경영자들이 나이가 많다. 옛날 자신이 성공한 패러다임으로 중앙집권적 커뮤니케이션과 의사결정을 하고 있다는 것이다. 그렇다 보니 회장이나 사장의 눈치와 지시에 묵묵히 따를 뿐 그저 시키는 대로 하고 이에 반하는 의견이나 아이디어는 절대 이야기하지 않게 된다. 모두가 침묵하고 시킨 일만 충실하게 할 뿐이다.

고도성장기의 발전과정에서는 가능했던 방식이다. 이런 조직 분위기에 젊은 사람들이 조직적응하기란 쉽지 않다.

조직의 절반을 차지하는 밀레니얼 Y세대들은 쌍방의 수평적이고 자유로운 소통에 익숙해져 일방적인 지시에 익숙하지 않다. 이들 세대는 사회적 연결망SNS과 앱App서비스를 통하여 자신의 의사 표현을 바로바로 전달하고 각각의 SNS 가입자들에게 즉각적인 관심과 반응을 수용하는 상황에 익숙해져 있다.

밀레니얼 세대는 회사 내에서도 즉각적인 피드백과 일상적인 소통을 기대하고 있다. 그들은 일 년에 한 번으로 정례화된 평가, 피드백 시스템이나 몇 단계를 거치는 의사결정 과정, 일의 결과에 대한 무반응을 이해하지 못하기도 한다. 그래서 이들은 모든 일에 대해서 즉각적인 만족감을 얻는 것을 목표로 하므로 끊임없이 대화하기를 원한다.

이 시대에 기업이 살아남아 성장하기 위해서는 소비자들이 원하는 미세한 차이를 읽어내고 그것을 상품화 또는 제품화해 내는 것인데 그러기 위해서는 창의력과 아이디어가 필요하다. 이 창의력과 아이디어는 개인과 부서, 조직, 사업 간에 적극적인 교류와 소통을 통해 시너지를 창출해야 얻어낼 수 있다.

이제까지 모여야 산다는 것을 강조하면서도 생각이나 행동이나 관습이 같아야지만 살 수 있다고 배웠었다. 그러나 이제는 시각을 바꾸어야 한다. 다른 것들이 하나로 모여서 시너지가 창출되는 시대이다. 이것이 바로 협업 경영이다. 협업 경영의 근본은 수평적인 협업문화를 조성하여 협업의 시너지를 창출하는 것이다.

협업문화를 조성하기 위해서 기본적으로 필요한 것이 각기 다른 일을 하는 직원들이 지속해서 일을 하면서 실시간으로 서로 간에 수평적으로 의사소통함으로써 성과를 창출해 내는 것이다. 그런데 그런 일을 주도적으로 처리해 주어야 하는 '밀레니얼 세대'는 오히려 일방적인 지시에는 익숙하지 않은 반면 쌍방의 수평적이고 자유로운 커뮤니케이션에 익숙해져 있다. 따라서 밀레니얼 세대의 상위 계층인 X세대들이 패러다임을 바꾸고 수평적 의사소통을 이끌어 주기만 하면 된다.

세종의 수평적 소통

조선 시대에는 경연이라는 제도가 있었다. 임금이 학문과 기술을 강론, 연마하고 신하들과 더불어 국정을 협의하던 자리였다. 경연은 태종 때는 단 4회밖에 열리지 않았지만, 세종 때는 1,898회나 열렸다고 한다. 세종은 신하들의 말을 경청하고 이해하면서 새로운 대안을 제시하기 위해 집현전을 통해 통합적인 지식을 지속해서 습득하였고, 세종대왕 자신도 책 읽기를 즐겨하여 엄청나게 공부했다고 한다.

인재를 뽑을 때도 명확한 원칙을 정해서 등용했는데, 현명하고도 능력 있는 인물을 위주로 뽑았다. 현명하고 능력 있는 인재란 첫째, 주어진 일을 잘하는 부류의 인재와 둘째, 창의적이면서도 주체적인 부류의 인재로 구분했다. 일을 잘하는 인재들에게는 구체적이고 뚜렷한 과제를 주었고, 창의적이고 주체적인 인재들에게는 비교적 개방적인 과제를 주고 간섭을 최소화했다고 한다.

세종의 문제 해결 방식은 다음과 같은 단계를 거쳐서 의사결정을 하는 것이었다.

1) 널리 묻는다. 2) 깊이 생각한다. 3) 정밀하게 대안을 추구한다. 4) 전심으로 일관되게 추구한다.

항상 신하들에게 의견을 물었던 세종은 특히 흉년이 들면 정밀한 대안을 마련하기 위해 심사숙고하고 나서 직접 대궐 밖에 나가서 농부들에게 무엇이 필요한지 물어보았다고 한다. 문제를 해결함에 있어 정말 필요한 사람들의 의견을 경청하고, 그 일을 해결하기 위해 가장 적당하다고 생각하는 사람을 선발하며, 왕 자신이 끊임없이 공부해서 신하들이 게을러지지 않게 한 것이 세종의 소통의 리더십이었다.

역멘토링Reverse Mentoring

나는 최근 경영자들을 대상으로 하는 코칭을 하면서 중견 회사의 회장님을 상대로 인사조직에 대한 최근 변화 트렌드를 소개할 일이 있었다. 설명할 자료에는 요즘 젊은이들의 의식과 행동의 변화를 인사제도나 조직문화 그리고 리더십에 반영해야 한다는 내용이 들어 있었다. 너무 중요한 내용이니 후계자로 키우고 있는 자제분과 같이 들으면 좋겠다 하여 자리를 같이했다.

먼저 변화에 대한 이해를 돕기 위해 '요즘 것들 사전'에 나오는 용어 중에서도 자주 쓰는 단어 '덕후, 현타, 꿀잼, 열폭'등 열다섯 개를 회장에게 보여주고 몇 개를 아는지 물어보았다. 예상대로 '꼰대' 하나에 불과하여 점수로 치면 고작 7점이었다. 현재 타이틀은 임원급이지만 실제 차장급 정도인 자제분들에게 물어보자 그 정도 용어쯤은 전부 알고 있었다. 만점을 받은 것이다.

이처럼 요즘 세대들이 쓰는 용어들만 보더라도 기성세대들에게는 전혀 알아듣지 못할 외계인 용어 수준이다. 오죽하면 '요즘 것들 사전'이 나오고 '요즘 것들 신문'이 발간되고 있을까. '팀 지코&딘'이라는 아이돌 그룹이 부르는 '요즘 것들'이라는 노래는 아무리 들어봐도 한마디도 알아들을 수 없다. 그러나 외계인 말처럼 들리는 이 랩 가사를 젊은이들은 흥얼거리며 따라 부르며 열광을 한다. 이들은 기존 세대와 사고나 행동 패턴이 완전히 다르다.

기존 세대들이 효율과 목적 지향적이라면 요즘 세대들은 일과 노는 것Play을 동일시하면서 일의 가치나 의미를 중요하게 생각하는 의미의 세대들이다. 따라서 일의 의미나 가치를 인식하고 흥미를 느끼면 야근은 물론 주말 시간도 반납할 만큼 몰입하고 헌신하는 모습을 보이기도 한다. 그리고 이들은 쌍방의 수평적이고 자유로운 커뮤니케이션에 익숙해져 일방적인 상사의 지시에 익숙하지 않은 반면 결과에 대한 수시 피드백을 원한다.

기존의 경영자나 관리자들이 자신이 살아온 경험과 눈으로 보면, 모든 게 낯설고 공감이 되지 않는 경우가 많을 수밖에 없다. 예를 들어 이들이 밤을 새워 개발한 아이디어를 5, 60

대 경영진들이 자신들의 경험과 잣대만으로 평가한다면 에어비앤비나 우버는 결코 나올 수가 없다. 그러나 나를 내려놓고 그들 입장에서 보면 '틀린 게 아니라 다르다'는 사실을 알게 된다면 전연 다른 이야기가 된다.

더구나 4차 산업의 시대는 창의와 상상력이 중요하며 이들의 참신한 창의력과 아이디어가 중요한 시대에 살고 있다. Y세대들의 이런 속성이 세계를 주름잡고 있는 LPGA 낭자들이나 세계를 강타하고 있는 아이돌 그룹 '방탄소년단' 같은 젊은이들이 전 세계 체육계와 문화계에서 한류 열풍을 일으키고 있는 근본 요인이 아닌가.

요즘 해외기업에서나 운영하고 있었던 역멘토링이 국내 기업들도 도입하고 있다는 소식이 자주 들린다. 역멘토링이란 선배가 후배를 가르치는 기존 멘토링과 반대로 말단 사원이 선배나 고위 경영진의 멘토가 되는 것을 의미한다. 임원이나 선임 직원들이 역멘토링을 통해 젊은 사람들과의 소통방식을 배우는데 그치지 않고 패션, 인터넷, SNS 등 최신 기술이나 트렌드를 공유하며 젊은 소비자들이 원하는 제품을 만들 수 있는 장점이 있다.

미국의 경제경영 전문 월간지인 패스트컴퍼니에 의하면 역멘토링을 실시하고 있는 미국 회사가 전체 기업에 40%를 넘는다고 한다. GE의 CEO 잭 웰치는 우연히 만난 젊은 엔지니어로부터 인터넷의 중요성에 대한 설명을 듣고 자신이 깨닫지 못한 놀라운 혜안을 자기보다 훨씬 나이가 적은 젊은이를 통해 본 것이다. 이후 GE 고위 중역들에게 각자 젊은이와 1대 1로 붙어 인터넷에 대해서 배우라고 지시를 한다. 이렇게 시작된 역멘토링은 선임들에게 페이스북 등의 SNS 사용법과 새로운 스마트 기기들의 사용법들을 멘토링 해주기 시작하면서 IT기업에 급속하게 확산하기 시작했다.

대개 수직적인 전통적 기업구조에서는 쉽게 찾아볼 수 없는 광경이다. 하지만 이러한 고정관념을 깨고 국내에서도 롯데그룹이나 중소기업에서도 세대 간 소통을 강화하고 문화적 가치관 차이를 극복하려는 방안으로 역멘토링 제도를 도입하고 있다. 경영진과 선배들이 젊은 직원들의 새로운 생각을 접하고, 후배 직원은 기성 문화에 휩쓸리지 않고 자신의 존재감을 드러낼 기회가 되어 경직된 과거의 기업문화를 바꾸는 기폭제가 될 것으로 기대된다.

불치하문不恥下問이라는 말이 있다. 논어의 공야장公冶長편에 나오는 사자성어로써 '아랫사람에게 묻는 것을 결코 부끄럽게 여기지 않는다.'는 의미다. 특히 IT기술의 혁신으로 스마트폰의 기능이 날로 발전하고, 인공지능AI 기술이 세상을 바꾸어 놓고 있는 4차 산업혁명이 다가오고 있는 지금 신입사원에게서도 배울 것은 배워야 한다. 더구나 누구든지 나이가 들어갈수록 아들 손자뻘 되는 젊은 선생님을 몇 명쯤은 모셔야 하는 용기와 지혜가 필요한 시대다.

수평적 의사소통을 위해서는

수평적 의사소통을 통해 결과물을 창출해 내기 위해서는 조직원 각자가 우선 '나' 중심에서 벗어나 서로 다르다는 것을 인정하고, 상대방을 먼저 이해해야 한다는 원칙도 잊어서는 안 된다.

수평적으로 의사소통하기 위해서는

첫째, 조직원들 간의 생각을 공유해야 한다.

그러기 위해서는 내가 내 생각을 알려야겠다거나 또는 상대의 생각을 일방적으로 얻어야겠다는 것보다는 소통 상대방과 생각을 나누려는 의지를 확고히 하고 상대의 의견을 경청하는 습관을 들여야 한다. 혁신적인 아이디어는 대개 현장에서 근무하는 직원들에게서 나오는 경우가 많다. 업무를 처리하기 위해 동료와 생각을 공유하는 과정에서 새로운 아이디어가 많이 나오기 때문이다. 또한 그러한 생각을 언제든지 공유할 수 있는 시스템을 갖추어야 한다. 실시간 수평적 의사소통 시스템은 이런 요구사항을 매우 효율적으로 다루어 줄 것이다.

예를 들어 구글에는 Google Labs가 있다.

가장 혁신적인 기업으로 꼽히는 구글은 직원들에게 업무시간 가운데 20%를 회사가 시키는 일이 아닌 자신의 아이디어로 창의적인 프로그램을 개발하는 데 사용하라고 장려하고 있다. 여기서 생겨난 아이디어는 '구글 랩스Google Labs'라는 사내 사이트에 올려진다.

이들 아이디어에 다른 직원들이 얼마나 많은 관심을 보이느냐에 따라 프로젝트의 성패가 달라진다. 많은 관심을 받는 프로젝트는 회사 차원에서 전사적인 지원을 받고, 그렇지 못한 경우는 자연스럽게 폐기된다. 구글은 직원들의 아이디어를 하나로 모으고 공유시킴으로써 혁신을 계속 창조하고 있는 것이다.

삼성전자의 모자이크MOSAIC

삼성전자는 이재용 부회장의 실용주의 경영 행보에 맞춰 2014년 3월에 '나'보다 똑똑한 '우리'의 아이디어를 모으기 위해서 모자이크MOSAIC란 이름의 플랫폼을 개설하여 집단지성을 적극적으로 활용하고 있는 대표적 기업 중 하나다. 일부 개발인력만으로 다양한 소비자 요구를 충족할 수 없게 되면서 임직원들의 보다 많은 지식을 신상품 발굴, 개발에 활용하기 위한 노력을 기울이고 있는 것이다.

언제 어디서나 의견을 올릴 수 있기 때문에 참신하고 다양한 의견 개진이 가능하고 정확한 의사 전달을 토대로 빠르고 효율적인 제도 개선이 가능하다. 모자이크를 활용하면서 인사시스템 개선과 같은 업무도 한결 빨라지고 효율적으로 됐다. 과거엔 인사 시스템을 개편하기 위해선 인사팀이 중심이 돼 방안을 마련하고 주요 부서장을 중심으로 의견을 교환하는 절차를 진행해야 했다. 이 과정에서 수개월의 시간이 걸리는 것은 물론 임직원들의 의견이 제대로 반영되지도 못했었다.

2016년 8월 24일 처음으로 '갤럭시 노트 7'의 배터리 발화 사례가 접수된 이후 1주일 정도밖에 지나지 않은 9월 2일에 최소한 수천억 원대의 손실이 발생하게 되는 전체 물량 리콜과 동시에 배터리만 교체해 주는 것이 아니라 '새 제품 교환'이라는 초강수 정면 돌파를 선언하게 된 것도 모자이크의 수평적 의사소통에 따른 임직원들의 애사심 담긴 의견들이 즉각 반영된 결과라고 할 수 있다.

지난 2014년 개설된 이래 그동안 쌓인 아이디어 제안이 16만 건, 공모전을 통해 발굴한 우수 아이디어가 1,200건, 실행으로 이어진 아이디어는 537건에 달한다고 한다. 지난 10월 1일부터 12일까지 '혁신적인 인공지능 제품과 서비스 개발'이라는 주제의 공모전에서 모자이크에 올려진 아이디어는 8일 현재 벌써 4만 2천 명으로부터 550건의 시나리오에 달한다고 한다.(한경 2018년 10월 8일 자) 그러한 결과들이 모여 오늘의 삼성전자를 만들게 되었다고 생각된다.

둘째, 기존의 관료주의적 문화를 없애고, 창조적인 조직문화를 만드는 것이다. 디즈니의 최고경영자인 마이클 아이즈너 회장은 디즈니를 10년 만에 6배 규모의 초일류 회사로 탈바꿈시켰다. 조직문화를 바꾼 것이 성장의 비결이다. 아이즈너 회장은 자기 자신을 포함, 모든 직원이 직책과 관계없이 서로 이름만 부르도록 했다. 이것은 창의적인 아이디어를 효과적으로 주고받는 데는 가족적 분위기 조성이 필수적이란 판단에서였다.

또, 임원들의 직책명도 일반기업이 아니라, 할리우드 분위기에 어울리게 바꿨다. 예를 들어 '컨셉 개발 담당 부사장'은 '디즈니랜드 프로듀서'로 교체했다. 창조적인 조직 문화를 통해 자신의 능력을 최대한 발휘하고, 조직원들 사이의 의사소통을 활발하게 하기 위해서였다.

"브라이언, 저는 앞으로도 계속 이 정책을 지속하는 것이 좋을 것으로 판단하고 있습니다." 다음카카오에서 직원이 카카오의 창업자이자 이사회 의장인 김범수 씨에게 의견을 말하는 내용이다. 카카오는 사무실에서 서서 일할 수도 있고 킥보드를 타고 다닐 수도 있는 '자유로운 영혼'의 기업문화로 유명하다. 매주 수요일마다 경영진과 일반 직원이 함께하는 전체 미팅을 통해 회사 주요 경영 상황을 투명하게 공개해왔다.

우리나라의 수평적 기업문화는 카카오와 같은 IT 업계, 게임이나 포털 업체들이 주로 활용해 왔던 문화였다. 상사의 눈치만 보는 기업문화로는 대박 신화를 이루어 낼 수가 없고 대신 직원 한 사람이 자유롭게 제시한 아이디어가 대박 신화로 이어질 수 있기 때문이다.

CJ그룹이 국내 대기업 최초로 '님' 호칭 제를 도입했다. 식품에 주력하던 제일제당 시절과 달리 유통, 엔터테인먼트, 미디어 사업으로 확장하면서 직원들의 창의성을 북돋울 수 있는 조직문화가 필요했기 때문이었다. 삼성도 앞에서 소개했듯이 2016년부터 '님'으로 호칭을 통일해서 부르고 있는데, SK그룹과 포스코, 한화그룹 등도 팀장급 이하를 모두 '매니저'라는 호칭으로 통일했다.

당신 조직의 현재 모습은 어떤 모습인가? 조직과 조직 사이에, 상하 직원들 간에 엄청난 벽이 가로막고 있는 것은 아닌가? 관료주의적 조직문화를 개방적이고 수평적인 조직문화로 바꾼다면 우리 조직 내 의사소통은 훨씬 부드러워지고 그를 통한 성과를 나타낼 것이다.

2 과감하게 권한을 위임하라

캐논 코리아의 무간섭 경영

최근에 롯데알미늄의 대표이사였던 김영순 대표의 강의를 듣고 직접 만나 상세한 이야기를 나눈 적이 있다. 그는 과거 캐논코리아에서 근무할 당시 무간섭 경영으로 엄청난 성과를 창출했고 삼성의 이재용 부회장 등 수많은 기업 총수들 및 산하 임원들이 캐논코리아 안산공장을 직접 방문하여 벤치마크하고 실제 김 대표가 적용했던 무간섭 경영을 일부 적용함으로써 성과를 창출하는 것을 경험했다고 한다. 그는 지금보다 확실한 무간섭 경영의 성공사례Reference를 만들기 위해 일본의 한 중견기업을 직접 컨설팅하고 있다고 한다.

김영순 대표가 2001년부터 책임자로 재직했던 캐논코리아 안산공장은 1990년대 말에 그 당시까지 10년 이상 써 오던 컨베이어 벨트를 걷어버리고 국내에서는 거의 최초로 당시 대부분의 생산 현장에서는 낯설었던 셀Cell 생산방식과 기종장제도 CCOCell Company Organization를 생산라인에 적용했다고 한다. 2001년부터 약 10년 사이에 생산량은 19배 늘었고 회사의 수출액은 무려 12배나 커졌다고 한다. 그뿐만 아니라 일본을 제외한 전 세계 캐논 거점 중에서는 유일하게 캐논코리아만이 연구개발 권한을 확보함으로써 판매, 생산, 개발까지의 전 기능을 보유하게 되었다고 한다.

국내 대다수의 기업이 인건비를 절감하여 생산단가를 낮추기 위해 생산기지를 중국 등의 해외에 두고 있지만, 캐논코리아 안산공장은 한국에서 직접 생산을 하면서도 중국에 있는 다른 캐논 관련 공장들보다도 비용이 적게 들었다고 한다. 그런데 직원들이 그 정도의 탁월한 성과를 내려면 굉장히 긴 시간 근무로 인해 엄청난 스트레스가 쌓여 온종일 얼마나 우울한 표정을 짓고 있었을까? 탁월한 성과가 알려지면서 수많은 방문객이 이어졌는데 방문객마다 활기차고 미소로 가득한 직원들의 일하는 모습을 보고 감탄을 자아냈다고 한다.

장애인 고용 문제에 있어서도 일반 기업들의 경우 장애인을 고용하느니 부담금을 내고 말겠다는 것이 현실인데 캐논코리아에는 장애인 고용률이 법정 고용비율보다 훨씬 높다고 한다. 그 이유는 장애인들의 생산성이 비장애인 생산성과 같으면서도 고용장려금을 받기 때문이다.

과연 그 비결은 무엇이었을까? 그 첫째는 서로를 위한 사람 중심의 휴머니즘이었으며, 둘째, 신뢰와 자율 경영이었으며, 셋째, 행복경영을 통한 구성원 감동이었다.

당시 김영순 전무가 가장 먼저 시행한 것은 직원들에 대한 대단히 깊은 배려를 통해 그들로부터 확고한 신뢰를 얻는 것이었다. 그가 사람 중심의 인간존중 휴머니즘 경영을 통해 직원들의 신뢰를 기반으로 기종장 제도가 조직문화에 뿌리를 내렸다고 판단하자 10억 원까지의 예산에 대해서는 모든 권한을 현장에 넘겨주었다고 한다.

한국은행에서도 통화를 담당하는 사람이 돈을 현금으로 생각하지 않고 단지 물건으로 생각하듯 10억 원의 예산을 현금으로 생각하지 않고 생산해야 하는 제품의 수량으로 생각했다고 한다. 따라서 다른 제조회사의 경우 최초 프로젝트나 주문을 위해 상부 결재를 위한 상당 기간이 지나서야 생산이 시작될 수 있었지만, 캐논코리아에서는 현장에서 타당성이 인정되면 즉시 생산에 착수할 수 있을 뿐 아니라 자율성이 확보됨으로 인한 몰입과 신바람 나는 책임경영이 가능해짐으로써 생산성 향상에 지대한 영향을 미쳤다.

시작 초기부터 효과적으로 실행된 것은 아니라고 한다. 문제도 많았다. 그러나 장기간에 걸쳐 꾸준하게 대안을 마련해 가면서 시행한 결과 직원들 자신이 상부에서 시달된 명령대로 일하는 것이 아니라 스스로 책임감과 의지를 갖추고 자신의 최대한의 역량을 발휘하면서 향상되는 생산성과 그에 대한 인정에 보람을 느끼게 되었다. 김 전무와 회사가 자신들을 깊이 배려하는 모습을 피부로 접하면서 자신들의 이익보다는 회사와 고객을 위하는 마인드가 강화된 것이다.

제도나 시스템에 의한 혁신이 아니라 사람에 의한 혁신이었으며 그 근저에는 존중과 신뢰, 자율이라는 기업문화가 자리 잡고 있었다.

공감을 통한 신뢰의 무서운 힘

2013년 6월 방탄소년단은 데뷔 무대에서 "끝까지 살아남겠다."라고 포부를 밝혔다. 어느덧 5년, 데뷔 당시 크게 주목받지 못했지만 촌스럽다던 일곱 소년은 이제 한국을 넘어 세계 시장을 뒤흔드는 스타로 우뚝 섰다.

"젊은이여. 자신을 사랑하자." 2018년 9월 25일 유엔에서 나 자신만의 삶을 추구하자는 방탄소년단이 유엔에서 외친 말이다. 리더 RM 김남준은 이날 약 7분간의 유엔 연설을 통해 젊은 세대들에게 어른들이 만든 세상이 아닌 우리들이 만들어나갈 세상에 대해 자신만만하게 이야기하여 열렬한 박수갈채를 받았다.

'러브 유어셀프: 티어'는 2018년 5월 '빌보드 200' 1위를 차지하더니 9월에는 '러브 유어셀프: 앤써'로 다시 1위에 올라서는 쾌거를 이루어냈다. 신곡 '페이크 러브'는 '빌보드 핫 100'에서 10위로 데뷔했다. 빌보드 음반 차트 1위는 한국 음악계에서 최초의 기록이고 싱글차트 10위 역시 진입 순위로는 역대 최고 결과였다. 그런 빅히트가 최근 업계 관계자들로부터 1조 원 이상 기업가치를 지닌 유니콘 기업의 가능성을 가지고 있다는 평가를 받기도 했다.

그렇다면 과연 이들의 성공 비결은 무엇일까. 전문가들은 이구동성으로 SNS와 유튜브를 꼽지만 이러한 조건은 다른 K-POP 스타들과 동일한 조건이다. 나는 감히 그들의 노래 가사나 신뢰감을 느끼도록 한 일관된 행동이 불러온 '공감이라는 강한 중독성' 때문이라고 생각한다.

그들이 부르는 노래 가사는 어려움을 겪고 있는 10대와 20대의 삶을 그대로 공감하는 내용이 주를 이룬다. 더구나 이름 없는 아이돌 시절 느꼈던 어려움과 차별적 시선을 가사에 잘 녹아내 공감할 수밖에 없는 꿈과 희망, 좌절과 아픔을 새겨 넣었다. 이 중독성 강한 서사는 이름 없는 기획사 출신으로 작은 합숙소에서 동고동락하며 데뷔를 준비하다 끝내 세계무대에 선 성공기와 기막히게 맞물려 떨어졌다. 이것이 한국어로 노래하면서도 세계 각국의 팬에게 편견 없이 사랑받는 가장 결정적인 이유다. 언어, 인종, 국적, 성별도 다른 이들이 방탄소년단을 보고 노래를 들으며 느끼는 공감은 각자의 방식으로 해방감 같은 세계를 지지하며 이에 열광한다.

공감은 신뢰를 얻는 강력한 언어이다. 우리는 어떨 때 상대방에게 공감하고 신뢰를 할까? '공감Empathy'은 공명共鳴하는 것이라고 말한다. 함께 하나가 된다는 마음으로 상처는 상처로, 아픔은 아픔으로, 나약함은 나약함으로 서로의 손을 맞잡는 것이다.

그렇다면 이와 유사한 동감이나 동정심Sympathy과는 어떻게 다를까. 혹자는 이렇게 비유해서 말한다. 거리에 돈을 달라고 남루한 옷을 입은 노숙자가 차가운 땅바닥에 엎드려 있다. 이를 보고 한 사람은 동정심으로 지갑에 있는 1만 원을 통속에 던져주고 지나간다. 또 한 사람은 돈 대신 그 사람의 손을 잡아주며 일으켜 얼마나 배가 고프고 힘드냐고 물으며 인근 식당으로 데려가 따끈한 설렁탕 한 그릇을 사준다. 같은 돈을 썼다 하더라도 앞사람은 단지 동정에 그쳤지만, 뒷사람은 공감을 얻기에 충분하다.

조직의 침묵은 윗사람 혼자 실컷 이야기하고 구성원들은 조용히 듣기만 하며 메모나 열심히 하는 현상을 말한다. 정부

조직이나 기업에서 회의나 업무지시를 하다 보면 혼자 말하고 부하들은 단지 이를 받아 적기만 하는 일들이 비일비재하다. 질문을 하면 눈치를 보다 한두 명이 적당히 대답하고 그 상황을 마무리 짓는다. 공감이 전혀 없는 이러한 침묵은 조직 내에서 창의성이 발휘되기 어렵고 아이디어 교류 기회를 원천 봉쇄해 버린다. 더구나 윗사람의 이야기를 제대로 이해하지 못한 경우 부하들이 질문을 통해 재확인하는 절차가 필요하지만, 혼자 추정하여 알아서 일을 진행하기 때문에 문제가 터지고 만다. 침묵은 냉소주의를 확대 재생산시키며, 조직의 생산성 저하와 같은 부정적인 영향을 낳는다.

여기서 중요한 사실은 한국인들은 공감에 매우 강하다는 것이다. 한국인은 공감하지 않으면 잘 움직이지 않으며 편을 가른다. 하지만 한마음이 되어 공감하면 벽을 넘어 무섭게 결집한다. 금 모으기 운동이나 월드컵 붉은 악마의 응원 같은 것들이다.

요즘 고도성장기라는 정답이 있었던 시대에 발휘했던 '꼰대 리더십'이 큰 저항을 받고 있다. 조직 구성원들의 반 이상을 차지하는 밀레니얼 세대들은 나를 중심으로 생각하며 일방적 지시나 수직적 소통에 익숙하지 못하다. 기존의 경영자나 관리자들이 자신이 살아온 경험과 눈으로 보면, 모든 게 낯설고 공감이 되지 않는 경우가 많을 수밖에 없다. 나를 내려놓고 그들 입장에서 보면 '틀린 게 아니라 다르다'는 사실을 알고 공감을 얻게 된다면 이들은 무서운 힘을 발휘한다.

4차 산업혁명의 시대는 창의와 상상력이 중요하며 협업이 절대적으로 필요하기 때문에 공감 능력은 더욱 빛을 발한다. 공감이라는 힘으로 '방탄소년단'이 한류 열풍을 일으키고 있는 것처럼 공감의 무서운 힘은 4차 산업혁명 시대에 리더들이 가져야 할 최고의 덕목이 아닐까.

자기 주도적 업무환경 조성

자기 주도성이란 학습이 일어나는 모든 공간에서 작용하는 중요한 내재적 요소이며 환경과 사회적인 맥락에서 영향을 받는 개인적인 특성으로 정의된다. 직원이 내적으로 보유한 심리적 특성이자 성향으로써 업무에 대한 태도나 자신의 책임하에 업무를 완수해 내려는 의도와 노력 정도를 의미한다. 따라서 자기 주도성은 직원 자신이 설정한 목표에 달성하려는 노력에 의하여 개인 학습이 자발적으로 이루어지는 계기가 된다.

자기 주도성을 갖추고 있다는 것은 자신만의 경쟁력을 갖추고 있다는 의미로, 조직에서는 그만큼 높은 성과를 가져올 가능성이 높다. 또한 자기 주도성은 각종 문제 해결을 통한 개인의 업무 성과 향상에서도 중요한 역할을 담당하는 인간의 심리적 특성이다. 그런데 어떤 개인이 자기 주도적인 특성을 보인다고 해서 모든 상황에서 자기 주도성을 발휘하는 것은 아니다. 자기 주도성이란 개인이 처해 있는 환경과 상황에 따라서 달라질 수 있다. 따라서 기업에서는 직원들이 바로 이 자기 주도성 발휘를 위한 환경을 조성해 주어야 한다.

우선 조직 구성원의 입장에서 자기 주도적 업무수행을 잘하기 위해 몇 가지 필요한 사항을 정리해보고자 한다.

자기 주도적 업무수행이란, 조직과 구성원 자신에게 주어진 목표를 달성하기 위해 자기의 생각과 의지를 담아 할 일을 직접 계획하고 실행함으로써 성과를 내고 그 성과에 대한 책임을 지는 것이라고 할 수 있다. 그러나 이러한 '자기 주도적'이라는 의미는 자칫 업무를 수행하면서 자기 '독단'에 빠지도록 할 수도 있다는 점을 잊어서는 안 된다.

따라서 직원 개인이 수행해야 할 일의 목표가 무엇인지를 올바로 이해하는 것이 우선이다. 구체적인 수치로 표현되는 목표도 궁극적으로는 중요하지만 그러한 수치가 달성되는 과정이나 개인의 목표 달성을 통해 속해 있는 조직이나 회사가 추구하고자 하는 바가 무엇인지를 이해하는 것이 중요하다. 앞으로 설명하게 될 코칭을 통해 해결할 수 있는 주요 과제이다.

또한 자신이 계획하고 실행하는 과정을 관련이 있는 상사를 포함한 모든 구성원들과 효과적으로 공유하는 노력이 필요하다. 이러한 노력을 효과적으로 지원해 주는 것이 바로 앞에서 설명한 스마트워킹이며 실시간 수평적 의사소통 시스템이다.

갤럽의 리포트에 따르면 많은 기업이 이러한 새로운 방식의 업무환경을 지원하지 않고 있으므로 직원들이 더 자유롭고 창의력과 혁신이 필요할 시기에는 대안을 찾아 새로운 업무환경으로 떠나고 있다고 했다. 아무리 직원들이 자기 주도적인 성향을 가지고 있다고 하더라도 새로운 방식의 업무환경이 지원되고, 또한 직원 개인에게 앞으로 상세히 설명하게 될 자율성이 주어지는 조직문화가 정착되지 않으면 그 효과를 나타낼 수 없다.

필요에 따른 직원 주도형 업무환경의 구성은 기업과 근로자 모두에게 긍정적인 영향을 미칠 수 있다. 즉 사무실 내 새로운 방식의 업무환경 지원을 통해 근로자들의 업무 및 성취 욕구를 증가시킬 수 있음을 의미한다. 그런데 이러한 새로운 업무환경 제공은 경영진들의 급격한 패러다임 변화가 요구되며, 직원들은 점점 조직이 그들이 원하고 추구하는 것을 달성하기 위한 환경을 제공해주지 않는다면 언제라도 떠날 준비가 되어 있다는 것을 이해하는 것이 중요하다. 직원 스스로의 창의성과 동기 부여를 위한 새로운 공간 디자인을 새로운 업무환경에 반영해 주어야 한다.

한국쓰리엠 사례

한국쓰리엠에서는 '어디서 일하든, 얼마만큼 일하든, 언제 일하든 상관없다. 목표도 당신이 세워라.'라고 지도한다. 업무 매뉴얼이나 지침도 제대로 없이 자기 주도적인 업무를 지지하고 존중하고 있다.

회사의 자율출근제 덕분에 직원들은 아이들을 학교에 데려다 주고 좀 늦게 출근할 수 있으며 회사가 정한 '15% 룰'에 따라 업무시간의 15%, 즉 1시간 30분 정도는 자기 계발에 사용할 수 있다. 오후 7시면 모든 사무실은 불이 꺼진다. 일부 직원들은 8시간 근무와 업무에 지장이 없다는 것을 전제로 상사와 상의하여 7시에 출근하여 오후 4시에 퇴근한다. 재택근무도 가능하다. 시스템보다는 업무 효율성을 중시하는 조직문화가 뿌리내려 있다.

신입사원부터 맡은 업무를 자기 주도적으로 계획해 스케줄도 본인이 조정해 가면서 일한다. 결과만 놓고 모든 걸 평가하지도 않는다. 직원들은 통제하지 않고 개개인의 자율에 업무를 맡기니 존중받는다는 느낌도 많이 든다고 한다. 입사 1~2년 차와 15년 차의 업무 기회와 권한이 동일한 경우가 많을 정도로 권한 위양이 잘 되어 있다. 비즈니스 플랜을 짤 때 담당자들이 책임지고 전략까지 수립한다.

한국쓰리엠이 인사에 있어 중요시하는 키워드는 '다양성'과 '포용성'이다. 세대가 소통하고 주니어들의 자기 성장 기회를 제공하는 것 역시 중요한 과제다. 낮은 퇴직률, 이직률로 인해 과장이 막내인 경우가 있다고 한다.

상명하복식의 '시키는 문화'가 아닌 '스스로 문화'이다. 업무, 시간과 같은 부문을 스스로 컨트롤하니 워라밸은 좋아질 수밖에 없다.

직원들의 자발적인 노력을 어떻게 끌어낼까?

성과경영 vs. 자녀교육

성과경영은 자녀교육과 같다. 만일 당신에게 고3 딸이 있다면 그녀가 집에서 공부는 안 하고 친구 집에 가야 한다고 할 때 그 엄마는 쉽게 그녀를 내보낼 수 있을까? 얼마나 걱정이 될까? "집에 오후 5시까지는 들어와라.", "일이 생기면 꼭 전화해라." 그 딸은 엄마의 허락을 받고 빨리 나가는 것이 중요하기 때문에 엄마의 이런 모든 요구사항에 대해 곧바로 철떡 같이 약속을 하고는 집을 나선다. 그런데 오후 5시가 지났는데도 불구하고 집에 들어오지 않을 뿐 아니라 전화 한통 없다. 걱정되어 엄마가 여러 번에 걸쳐 전화를 시도하지만, 딸은 전화도 안 받는다. 엄마가 여러 가지로 머리를 짜내어 전화 접촉을 시도한 결과 겨우 전화 연결이 되었다. 그 딸은 어디선가 놀고 있는 것이 분명한데도 '아직도 친구 집에서 해야 할 공부가 남아 있어 지금은 집에 돌아갈 수 없다.'고 거짓말을 하는 것이다. 엄마도 그 딸의 말이 거짓말인지 눈치로 알게 되지만 어쩌겠는가?

그런데 만일 이와 같은 상황에서 딸이 생각할 때 '내 엄마 아빠는 나를 100% 믿어 주시고 또한 내게 어떠한 일이 발생한

그림〈23〉 자녀교육 vs 성과경영

다고 할지라도 내 편이 되어 도와주시는 분들이다.'라는 확고한 믿음이 있다면 그 딸이 혹시 집에 돌아오기로 약속한 5시 이전에 무슨 문제가 생겼을 때 전화할까? 또한 5시보다 늦어질 상황이 생겼을 때 왜 늦어지는지를 알리기 위해 바로 엄마에게 전화할까? 틀림없이 전화할 것이다.

그런데 반대로 엄마의 경우 딸이 외출하고 나서 그 딸의 일거수일투족을 비디오를 통해 실시간으로 확인할 수 있다면 그 딸을 믿을 수 있을까? 그런데 딸에게 일어나는 상황에 대해서 꼭 비디오 실시간 확인이 아니라 할지라도 혹시 딸이 어디에 있는지만 확인할 수 있어도 그 딸을 믿을 수 있지 않을까?

여기서 중요한 질문이 있다. 이런 상황에서 서로 간의 신뢰를 구축하기 위해 부모가 자식을 먼저 믿어 주어야 할까? 아니면 자식이 부모를 먼저 믿고 걱정하지 않도록 자신의 상황을 열심히 보고해야 할까? 물론 부모가 먼저 바뀌어야 한다. 자식을 믿고 자식에게 자율성을 먼저 주는 것이 우선이다. 그런데 그 자식이 도대체 어디 있는지 정도는 알 수 있는 시스템을 제공해 주어야 하지 않을까? 요즈음 정보기술은 그런 정보를 실시간으로 알 수 있도록 지원해 주고 있다. 그러한 정보기술이 바로 위치정보시스템Location based System과 모바일 기술이다. 그런데 부모가 너무 세세하게 상세한 내용을 알고자 할 때 문제가 생긴다.

신뢰가 열쇠다

이와 같은 상황은 회사에서도 마찬가지로 적용된다. 상사는 부하직원들이 자신을 신뢰할 수 있도록 자신이 먼저 그들을 신뢰하고 그들의 입장에서 도와주어야 할 것이다. 그렇다면 우리 회사 조직 내에서 어떻게 하면 임직원들을 100% 신뢰하고 과감하게 권한을 위임할 수 있을까? 도대체 자율성을 줄 수는 있을까? 이 문제는 바로 앞에서 설명한 실시간 수평적 의사소통 시스템을 구축함으로써 해결된다. 실시간 의사소통 시스템을 갖춤으로써 부하직원들이 무엇을 하는지 언제든 파악할 수 있으므로 상사들은 그들에게 자율성을 보장해 줄 수 있게 되며 그러한 자율성을 기반으로 부하직원들은 상사를 신뢰하고 이슈들을 미리미리 보고하는 조기 경보시스템을 제공하게 될 것이다. 그런데 이때 상사가 부하 직원에게 자율성을 보장해 주는 대가로 너무 상세한 것을 요구해서는 안 된다. 진정한 신뢰 관계가 형성이 된다면 그렇게 자세한 내용을 알 필요도 없다.

내가 만난 베이비붐 세대이거나 X세대인 CEO나 임원진에게 클라우드와 모바일 기술을 활용하여 직원들의 업무를 적절한 부분까지 실시간으로 파악하되 과감한 자율성을 주라고 조언해 주면, 다른 설명을 들어보기도 전에 클라우드 시스템은 너무 투명해서 오히려 직원들이 회사가 자신들을 집중적으로 감시 감독한다고 생각하기 때문에 시행하기가 어렵다고 말한다. 물론 이러한 시각은 특히 우리나라에서만 심각하게 나타나고 있는 클라우드에 대한 잘못된 편견에서부터 시작된 것이기는 하지만 클라우드 실시간 의사소통 시스템이 직원들에게 자율성을 주기 위해 활용되어야지 직원들의 일거수일투족을 감시하기 위한 도구로 활용되어서는 안 된다.

관리자나 임원들이 이러한 실시간 의사소통 시스템을 활용함으로써 직원들의 자율성을 대폭 늘려주는 등 수많은 효과를 매우 단기간 내에 얻을 수 있는데도 불구하고 직원들의 그러한 불만이 두려워 이제까지와 같이 통제 중심의 회의나 일일이 보고받는 행태가 진정 직원들을 더욱 더 위하는 길이라는 말인가? 이제는 베이비붐 세대나 X세대가 회사 구성원의 반 이상을 차지하게 된 Y세대들을 이해하고 믿어주는 자세로 먼저 바뀌어야 하며 그렇게 하기 위해 무엇이 해결해야 할 시급한 일인지를 파악하고 이제까지 가지고 있던 패러다임을 즉시 바꾸어야 한다.

직원들의 자발적인 노력을 어떻게 끌어낼까?

직원들의 자발적인 노력을 어떻게 끌어낼 것인가? 그러한 자발적인 노력을 끌어내기 위한 관리자들의 역할은 과연 무엇인가? 회사 차원에서의 지원은 무엇이 필요한가? 그 자발적인 노력을 어떻게 조직의 성과로 연결할 수 있을까?

여러 가지 질문에 오늘날의 관리자들은 자신이 무엇을 해야 하는지에 대한 교육 훈련은 많이 시행되고 있으나 아직은 조직의 문화가 미흡하다든지, 그 가이드와 조언을 효과적으로 실행할 수 있는 툴들이 제대로 제공되지 않아 일정 기간 시도하다가도 중단하고 마는 상황을 목도하게 된다.

활동적이거나, 적극적이거나, 창의적이거나, 독립적인 구성원들은 조직 내에서 자신의 의견을 제대로 펼칠 수 없을 때 자신의 업무에 대한 불만족이 커지게 된다. Y세대의 특성을 가지고 있는 부하직원이 만일 상사로부터 인정이나 신뢰를 얻지 못함으로 인해 자신은 수많은 직원 중 한 사람에 불과할 뿐이라고 생각한다면 왜 그가 자발적으로 책임을 떠맡아 상황을 개선하고 또한 지속적인 노력을 하겠는가? 아무리 노력을 해도 결과가 별로 달라질 것이 없다고 판단하는 이런 상황은 주로 리더 중심의 조직에서 나타난다. 특히 규모가 큰 조직에서는 어느 한 사람이 노력을 기울이지 않더라도 눈에 바로 띄지 않기 때문에 이런 현상이 더 심하게 나타난다. 수백 대 일의 경쟁을 뚫고 입사한 초대형 기업 사원들이 1년 안에 20~30%가 퇴사하는 것이 지금의 현실이다.

회사가 실시간 수평적 의사소통 시스템을 구축하고 적극적으로 활용하여 모든 구성원이 각자의 업무 상황을 실시간으로 투명하게 공유하게 되고, 나아가 이를 통해 가능한 한 모든 회의와 각종 보고서 작성 및 대면 보고를 없앰으로써 1인당 평균 근로시간을 감축시켜 그들에게 돌려주면 직원들에게 워라밸을 확보해 주게 된다. 그 결과 직원들에게는 자신의 일에 대한 만족도와 행복도를 높여 줌과 동시에 상호 신뢰하는 조직문화를 구축하게 된다.

그러한 조직문화를 기반으로 회사는 더욱 더 많은 권한을 하부조직으로, 부하직원들에게 믿고 맡기는 혁신을 과감하고도 꾸준하게 시도할 수 있게 된다. 또한 관리자들은 부하직원들이 그들의 재능과 아이디어를 한껏 발휘하도록 한 발 물러나 이를 위한 공간을 제공해 주어야 한다. 더욱 중요한 것은 관리자들의 충분한 준비를 통한 꾸준한 코칭과 부하직원 자신의 '나' 주식회사 CEO가 되는 노력이 부합하여 업무에 몰입한 결과 높은 성과를 창출해 냄으로써 자신의 발전과 회사의 성장에 함께 기여할 수 있도록 전개되어야 할 것이다.

자기 주도적 업무환경 조성의 성과

만일 직원들에게 더 많은 권한이 주어지고 그에 비례해 자기 자신이 맡은 업무에 대해 더 책임을 지고 적극적으로 업무수행을 하는 자율적인 조직문화가 형성되게 되면 다음과 같은 여러 형태의 성과를 얻을 수 있게 된다.

첫째, 자기 주도성을 회복하게 된다. 어떤 종류의 업무이건 간에 그 업무를 직접 해 봐야지만 직원들은 자신의 능력을 개발할 수 있게 된다. 자신의 업무를 잘 처리하기 위해서는 다른 사람들과 업무 협조 없이 혼자 시행하기 어렵다는 사실도 알게 되고 그들에게 더욱 더 많은 관심을 기울이게 되고 어떻게 하면 그들과 업무 협력을 잘 이루어 갈지에 대해 효과적인 학습을 하게 된다. 물론 관리자는 필요한 경우마다 그들의 업무를 조정해 줄 수 있다. 그러한 경우 관리자에 대한 필요성과 고마움을 함께 느낄 수 있게 된다.

둘째, 조직 구성원들이 더욱 더 많은 일을 자발적으로 하게 된다. 그러나 직원들이 책임감을 가지고 회사와 자신이 속한 조직의 성공에 자신이 자발적으로 참여하게 만드는 것은 쉬운 일이 아니다. 조직 구성원들이 책임감을 가지고 높은 참여 의식을 가지게 하는 가장 좋은 방법은 그들에게 업무에 관한 권한을 주는 동시에 책임도 함께 져야 한다는 점을 그들이 이해하도록 꾸준히 계도하는 것이다. 단, 실패가 성공의 어머니라는 점을 상하 모두 잊어서는 안 된다. 모든 해답을 제공해 주는 지배적 리더가 관리하고 통제하는 조직에서는 그런 문화가 형성되지 않는다.

셋째, 자신이 가지고 있는 지식, 스킬 등 모든 역량을 자신과 그 조직의 성공을 위해 쏟아붓게 될 것이다. 일반적인 조직에서는 구성원들이 가진 재능과 에너지의 15% 정도만을 일에 쏟는다고 한다. 자신의 나머지 85%의 잠재력의 많은 부분을 사장해 버리고 만다. 매우 긍정적이고 적극적인 활동가 자질을 가진 구성원마저도 리더 중심의 조직에서는 자신의 활동 범위를 제한해 버리고 말게 된다. 또한 자신의 역량을 키우기 위한 노력을 자발적으로 해나갈 것이다. 자발적으로 시행하는 교육과 훈련의 효과는 회사에서 강제적으로 외재적 동기부여에 따른 효과보다 훨씬 높은 것은 당연한 논리이다.

넷째. 구성원들은 적극적이고도 효과적으로 소통하는 방법을 배우고 또한 다른 사람을 경청하는 자세도 배우게 된다. 나아가 자신과 다른 의견에 어떻게 대처해야 하는지를 배우며, 문제가 커지기 전에 미리 대응하여 해결하고자 하는 노력을 하게 될 것이다. 리더 중심의 조직이 가지는 가장 큰 문제가 일 방향 소통이라는 점과 조기 경보시스템을 활성화하기 어려워 어떤 문제가 미리 알려지기만 했어도 해결하기 쉬운 작은 문제임에도 불구하고 공론화되는 시점에는 이미 늦어져 심각하게 곪아 터져 있는 상태라 그에 대한 해결이 매우 어려운 경우가 많다는 점이다.

KTX는 표 검사를 하지 않는다

요즘 지방 출장을 갈 때면 KTX나 SRT를 자주 이용하게 된다. 그러나 입구에서부터 표 검사가 없다. 아무도 체크를 하지 않는다. 내릴 때도 그냥 승강장을 아무 제재나 체크 없이 유유히 빠져나온다. 그런데도 KTX나 SRT를 타면서 탑승권을 사지 않고 타는 사람은 거의 없을 것이다. 왜냐하면 걸리면 30배의 벌금을 물어야 하는데 승무원이 확인하려고 마음먹으면 무임승차를 하고도 피해 나갈 확률이 거의 없기 때문이다.

우리 회사 조직에서도 마찬가지다. 상사들은 실시간 의사소통 시스템을 통해 부하직원들이 실행하고 있는 업무의 진척 상황 및 애로 요인들을 언제, 어디서나 실시간으로 확인할 수 있기 때문에 보다 과감한 권한 위임을 시행함으로써 자율책임 경영문화를 정착할 수 있을 것이다. 그리고 부하직원들에게 더욱 많은 인정의 기회가 부여됨으로 인해 구성원들의 자존감은 커지고 그에 따라 내재적 동기부여 효과가 단기간 내에 커질 수 있다. 이러한 구성원들의 자존감 증대는 모든 임직원이 자기 창조경영자로 성장해 나가는 데에도 기폭제로 작용하게 될 것이다. 일주일 내내 사무실에 들어오지도 않고 스마트워킹을 하는 직원들도 믿을 수 있게 된다.

그런데 KTX의 사례에서도 볼 수 있듯이 워라밸을 구현해 나감에 있어 항시 따뜻함과 함께 엄격함이 존재해야 성공할 수 있다는 사실이다. 업무를 수행하는데 필요한 요소는 세 가지가 있다. 첫째, 그 업무를 수행하기 위한 권한Authority이고, 둘째, 그 업무 수행 결과에 따르는 책임Responsibility이며, 셋째, 그 업무 수행자가 지켜야 하는 의무Duty이다.

그런데 상사들은 일반적으로 부하직원에게 업무를 수행하

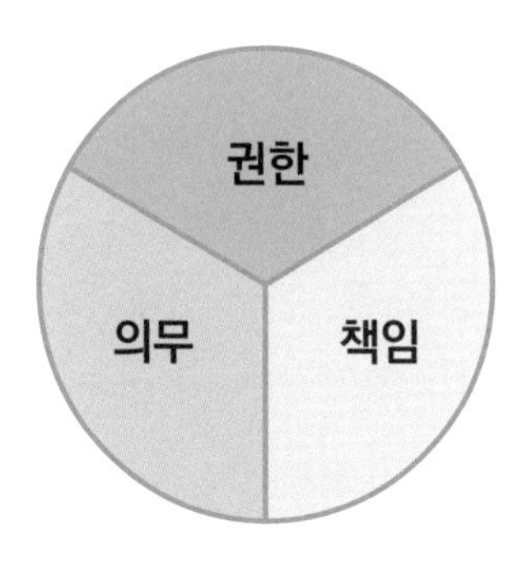

성과관리=상사와 부하직원간의 지속적인 기대치 조정

그림〈24〉 일의 3대 요소

기 위한 권한은 주지 않고 대신 책임과 의무만 떼어 넘기려고 하는 경향이 있고, 부하직원은 책임이나 의무를 떠맡으려 하지 않고 업무를 수행하기 위한 권한만을 가지고 싶어 하는 것이 인간 심리이고 또한 그동안 리더 중심의 조직문화에 길들어 왔던 방어적인 자세의 습관이기도 하다. 이 문제를 푸는 것은 그리 쉽지 않은 과제이며, 또한 하루아침에 바로 변화시키기도 어려운 과제이다. 성과관리란 끊임없이 지속되는 상사와 부하직원 간의 기대치 조정을 해나가는 과정이라고도 할 수 있다.

코넬 대학교의 한 실험 결과는 자율성이 성과에 얼마나 직접적인 영향을 미치는지를 말해준다. 연구팀은 소규모 사업체 320여 개를 두 그룹으로 나누어 조사했다. 한 그룹은 종적인 경영방식, 즉 통제하는 방식을 적용했고 다른 그룹은 직원들에게 자율성과 융통성을 부여하는 방식을 취했다. 결과는 놀라웠다. 자율적인 경영방식을 적용한 회사들은 강압적인 경영방식을 적용한 회사들에 비해 성장률이 네 배 정도 높았다. 직원들의 이직률은 3분의 1 수준으로 낮았다.

4차 산업혁명을 통해 클라우드 빅데이터를 기반으로 인공지능이 만들어내는 아날로그화 6대 기술 중 하나인 블록체인 기술도 이와 유사한 개념이다. 일정한 원칙을 가지고 별도의 운영조직이 필요 없이 구성원들끼리 서로 간의 데이터를 언제든지 투명하게 파악할 수 있도록 조치함으로써 특히 분산되어 있는 IT시스템의 여러 가지 문제점을 해결한 혁신적인 기술로서 피어 투 피어 네트워크Peer-to-peer Network라고 불린다. 기업 내부에도 블록체인 기술이 확산하게 된다면 중앙집권적인 경영시스템이나 제도는 더욱 힘을 잃게 될 것이다.

3 성과관리는 통제하지 말고 코칭하라

성과관리 방식이 달라지고 있다

성과주의 인사제도의 목적은 무엇인가?

우리나라는 해방 이후 50여 년간 일본의 연공주의를 바탕으로 능력주의를 가미한 직능자격 제도와 유사한 인사조직 제도가 깊숙하게 자리 잡고 있었다. 그런데 1997년 외환위기를 극복하기 위한 IMF 지원을 계기로 엄청난 변화가 있었다. 미국식 성과주의 인사시스템이 글로벌 스탠더드로 인식되면서 대기업들을 중심으로 공조직과 중소기업까지 앞다투어 이를 도입하였다.

이에 따라 성과주의 인사관리의 키워드로 등장하였으나 한국적 현실에 대한 검토나 고민 없이 다소 성급하게 도입되었고, 일부 기업에서는 지나친 경쟁과 업적주의가 조직문화 저해요인으로까지 작용하게 되어 제도의 수정이 필요하게 되었다. 이처럼 기존의 성과주의 인사제도에 드러난 문제점을 요약하면 다음과 같다.

첫째, 성과관리가 기업 특성이나 풍토를 감안하지 않은 채 획일적으로 운영되어 우리 사회문화적 특성과 마찰을 일으켰다. 기업마다 사정이 다르고 조직문화에 고려해야 할 변수가 많음에도 불구하고 충분한 준비 없이 유행을 따르거나 운영과정에서 발생하는 문제점들에 대해 적절한 대응을 하지 못했다. 조직문화에 대한 진단과 새로운 제도와의 정합성 검토가 부족했던 것이다.

둘째, 단기적인 재무성과에 집착하면서 많은 문제를 야기했다. 구성원들이 눈앞의 이익과 성과만을 추구하게 되며 자신의 업무와는 관련이 적은 일에는 무관심하고 단기 업적을 둘러싼 경쟁과 기회주의를 유발한다. 또한 일 자체에 대한 보람을 등한시하여 우수인재의 이탈이 나타나기도 하고, 지나친 경쟁으로 부서 간 소통과 협력을 저해하는 문제도 야기되었다.

셋째, 외적인 금전적 보상에 치중하는 과정에서 문제점이 발생하였다. 성과주의는 동기부여를 통해 개인과 기업의 지속

성장과 발전을 도와야 한다. 이러한 측면에서 임직원의 자발적 몰입과 인재육성이 뒤따라야 함에도 단기 보상에 치중하면서 인재육성에 소홀해지는 문제도 나타났다.

마지막으로 기존 결과 중심의 성과주의만으로는 급변하는 환경에 적극적으로 대응하기 어렵다는 것이다. 추격전략Fast follower이 아니라 선도전략First mover이 필요한 시대에는 목표 달성보다 목표 설정 능력이 중요한데 우리에겐 이러한 경험이 절대적으로 부족하다. 초연결Hyperconnectivity과 협력Collaboration이 중요한 4차 산업혁명 시대에는 기업 경쟁력의 원천이 인간의 창의와 창조를 중심으로 하는 인본주의에 있다는 사실에 주목해야 한다. 앞으로의 성과주의는 자발적으로 일에 몰입하여 성과를 창출함으로써 자신은 물론 조직이 같이 성장발전해나가는 방향이 되어야 할 것이다.

선진기업들의 인사 혁신 트렌드와 사례

최근 초일류 기업들은 낡고 오래된 원칙들을 깨고, 그 자리에 새로운 원칙을 세워나가고 있다. 지금까지 세상에 없던 성공의 방식으로 경영은 물론 인사관리 방식을 대전환하고 있다. 고객보다 먼저 직원 만족을 위해 직원들 간에 과도한 경쟁을 금지하고 단기 실적평가를 폐기하는 방향으로 인사관리 방식이 변화하고 있다.

세계 초일류기업인 구글, GE, 삼성 등의 인사제도가 아무리 뛰어나다 하더라도 다른 국가들이 그대로 도입하고 적용해서는 안 된다. 그러한 제도의 탁월성은 그 시대와 상황에 맞아떨어진 하나의 훌륭한 성공 사례일 뿐이고 만병통치약은 아니기 때문이다. 아무리 훌륭하고 뛰어난 발상이나 아이디어라고 하더라도 그 인사제도가 성공하려면 경영환경 변화에 따라 달라지는 제품이나 사업전략의 변화 같은 외부적인 정합성과 기업의 조직문화는 물론 종업원의 의식이나 업무수준 등을 반영해야 하는 내부적인 정합성을 동시에 가져야만 한다. 변화하는 환경에 잘 대응한 삼성의 사례에서 알 수 있다.

삼성의 인사제도는 GE나 도요타, 소니 같은 세계적 기업들도 벤치마킹할 정도로 외부 경영환경 변화나 기술혁신은 물론 내부 구성원의 의식과 문화 수준에 따라 끊임없이 진화되어 왔다. 이병철 선대회장은 창업 이후 50여 년간 주류를 이루었던 순혈주의, 연공주의, 관리를 근본으로 하는 사람 관리 방식과 인사제도를 가지고 있었다. 이러한 인사 철학과 인사제도는 잘만 만들면 팔리는 2차 산업혁명기의 대량생산시대에 '관리의 삼성'을 이끌며 삼성이 한국 최고의 기업으로 발돋움하는 데 기여했다.

그러나 이건희 회장은 달랐다. 1993년 신경영을 통해 3차 산업혁명의 기초가 된 디지털 시대에 신속하게 대응할 수 있는 변화와 혁신을 추진했다. 이병철 회장의 인재경영 성공 패러다임을 깨고 사람과 조직을 근본적으로 바꾸어 성과주의 경영과 인사제도 도입, 외부 핵심인재 수혈에 의한 혼혈주의, 사람과 조직의 글로벌화로 경영의 대전환을 이루어냈다.

한편 2016년 6월부터는 이재용 부회장의 주도로 외적으로는 4차 산업혁명의 변화에 걸맞은 인사 제도와 문화를 구축하고, 내적으로는 젊은 임직원들의 사고와 행동을 창의와 도전정신으로 새롭게 무장하기 위해 '제2의 신경영'이라 할 수 있는 '뉴삼성 컬처 혁신과 인사개혁' 운동이 시작되었다.

"상상하라! 아니면 조직원을 상상하게 하라! 사원들이 하고 싶은 일을 하도록 자유를 줘라!" 이제는 회사가 실현하고자 하는 목표를 벗어나지 않는 범위 내에서 직원들이 즐겁게 일하면서 아이디어를 착안할 수 있도록 경영이나 인사제도를 통해 뒷받침하는 정책이 필요한 시대가 되었다. 이를 대표적으로 실천하는 회사가 구글이다.

구글은 최고에 안주하지 않고 4차 산업혁명 시대에 더 빨리 달리겠다는 결의를 보이고 있다. 구글의 문화는 항상 열려있는 발상과 수평적인 조직 문화가 뒷받침하고 있다. 에릭 슈밋Eric Schmidt 회장은 "구글은 법에 저촉되지 않는 범위 내에서 모든 것을 공유한다."라는 기본 사상을 가지고 이사회에서 협의가 이뤄진 내용까지 직원들에게 설명한다.

구글 문화에서 가장 중요한 것은 사람이다. 첫째도 사람, 둘째도 사람, 셋째도 역시 사람이라는 철학이 구글의 경쟁력이고 문화고 힘이라고 말한다. 구글은 이를 '구글러 Googler'라는 정체성을 통해 만들어간다. 구글러는 구글에서 일하는 직원들을 통칭하는 말로, 구글이 지향하는 기업 문화를 이해하고 이에 동의하는 직원을 의미한다.

구글 이외에도 마이크로소프트, 어도비, 모토로라 등도 기존의 연례 실적평가를 없애고, 직원과 회사의 실적을 동시에 향상하는 더욱 실증적인 평가 시스템을 구축했다. 성과에 따라 평가하고 보상한다는 원칙은 기존 제도와 유사하지만, 구성원들을 상대적으로 비교하여 동기부여 하기보다 개인별 목표 달성에 더욱 집중하게 한다. 또한 관리자와 구성원들이 수시로 피드백을 주고받게 하여 구성원들이 개인 목표에만 매몰되기보다는 조직 전체의 목표 달성에 기여할 수 있도록 하려는 것이다.

성과주의 인사제도가 추구해야 할 행복경영

성과주의의 궁극적 목적은 무엇일까? 성과주의란 결국 조직이 지향하는 전략을 실현하고 성과 창출을 위해 구성원들을 일에 자발적으로 몰입하도록 지원하는 프로세스와 제도라고 할 수 있다. 그러나 우리 기업들의 업무 몰입도는 매우 낮은 편이다. 타워스 왓슨이 한국·미국·영국 등 22개국 직장인 2

만여 명을 대상으로 직원 몰입도를 조사한 결과 한국 직장인은 자신의 업무에 별로 몰입하지 않거나 마지못해 회사에 다니는 비율이 48%에 이르러 세계 평균 수준인 38%를 크게 웃돌았다.

돌이켜보면 과거 회사에서 필요했던 충성심의 핵심은 회사에 대한 애사심이었다. 이러한 애사심을 바탕으로 이른 아침부터 밤늦게까지 열심히 일하는 것이었고 자기 자신보다는 회사의 만족이 우선시 되었다. 그러나 이러한 애사심은 경영환경이나 개인들의 사고방식이 급변한 상황에서 더 이상 작동하기 어려워지고 있다. 설령 작동하더라도 맹목적 애사심이나 충성심은 오히려 회사에 해가 되기도 하고 효과적인 방법도 아닐 수 있다. 이제는 회사나 주인에 대한 애사심 발휘보다는 일에 대한 몰입을 통해서 고객에게 헌신하는 것이 더욱 중요하다.

아울러 단기적인 보상보다는 장기적으로 우수한 인재를 확보하고 이들이 일에 몰입할 수 있도록 만드는 방법이 필요하다. 특히 리더들이 구성원들에게 소명 의식을 심어주고 일에 헌신하고 몰입할 수 있도록 하는 동기부여가 중요하다. 인간은 외적인 보상이 없는 경우에도 자신이 유능하고 자기 결정 능력이 있음을 확인하고 싶어 스스로 어려운 일에 도전하고자 하는 욕구가 있으니 그런 환경을 조성하라는 것이다. 마이다스아이티는 행복경영으로 세계적 히든챔피언이 된 대표

마이다스아이티의 행복경영

마이다스아이티 이형우 사장은 경영의 목적을 '직원의 행복을 돕고, 세상의 행복 크기를 늘리는 것'으로 규정했다. 기업의 매출과 이익 같은 지표는 목표가 아니라 수단에 불과하며, 이보다는 사람을 키우는 것을 근본 목표로 하고 있다. 성과관리와 평가제도도 성과보상을 위한 제도가 아니라 인재를 키우기 위한 평가로만 활용하고 있다. 마이다스아이티는 결국 창업 이후 11년간 매출액이 무려 37배 늘어 해당 시장 세계 1위에 등극하며 히든 챔피언이 되었다.

또한 마이다스아이티는 임직원의 회사 만족도를 높이고 일에 몰입시키기 위해서 최고급 사내식당과 이발소까지 운영하는 등 복지제도에도 힘쓰고 있다. 구성원들의 만족도는 자연히 업무에 대한 몰입도와 성과로 이어진다. 정년도 따로 없다. 열정과 역량만 갖추면 채용에서 무덤까지 고용을 책임지는 '무정년제'를 시행하고 있다. 이외에도 무 스펙, 무 징벌, 무 상대평가라는 4無정책을 쓰면서 이색 경영을 펼치고 있다.

적인 사례이다.

앞으로 성과주의에 인본주의나 인간존중의 인사 철학과 원칙이 반영돼야 한다는 사고는 글로벌 경영환경이 지식 정보화의 가속화와 4차 산업혁명이라는 경영환경으로 변화하면서 더욱 요구되는 경영의 필수요건이다. 기업에서 인간이 가장 중요하다는 전제로 인간존중과 인본주의에 제도의 근간을 두고 무한한 인적 자원의 역량을 발휘할 수 있도록 평생교육과 인재육성의 측면에서 제도가 설계되고 운영되어야 한다. 결국 행복경영의 원리는 간단하다. 행복하게 일하는 여건을 만들어 주면 사원은 행복하게 일하고, 행복하게 일하게 되면 몰입할 수 있고 창조적인 발상이 생겨난다. 당연히 따라오는 것은 높은 생산성과 이익의 증대다. 회사는 월급을 타기 위한 일터가 아니라 개인의 인생 목표를 달성시켜주는 꿈의 실현으로서의 공동체다.

몰입의 대가 칙센트미하이Csikszentmihalyi는 이렇게 말한다. "집중력이야말로 모든 사고의 원동력이라고 할 수 있다." 몰입이 주는 힘은 강력하다. 전보다 몰입 경험을 하는 빈도가 늘어난 청소년들은 공부를 더 많이 하고 수동적 여가에 시간을 조금 투자했으며, 몰입 경험의 빈도가 줄어든 청소년보다 집중력, 자부심, 희열, 적극성 면에서 높은 점수를 얻었다.

통제하지 말고 코칭하라

직원들이 업무에 자발적으로 몰입하도록 하기 위해서는 경영자의 사람 중심 행복경영철학을 기반으로 조직의 모든 리더가 과거, 명령하고 감독하고 평가를 중시하던 역할로부터 부하직원이 가지고 있는 잠재력까지도 일깨워 그들이 업무에 자발적으로 몰입하도록 지원해주는 코치의 역할로 변신하여야 한다. 한국 사람들은 공감이 되지 않으면 파당을 가르고 흩어지지만 일단 공감이 되고 나면 무서운 조직의 힘을 발휘한다는 사실을 잊지 말자.

코칭이란 개인이 가진 잠재능력을 최대한 발휘할 수 있도록 도와주는 일이다. 코칭의 어원은 마차Coach에서 유래했다. 흔히 코칭을 설명할 때 마차와 기차를 비교한다. 기차는 정해진 정거장에 승객을 내려주지만, 마차는 고객이 원하는 곳에 내려준다. 컨설팅, 멘토링, 심리치료 등은 '기차'처럼 정해진 목표와 방법에 따라 문제를 진단하고 처방을 내린다. 반면 코칭은 스스로 문제를 분석하고 목표를 정해 답을 찾아갈 수 있도록 도와준다. 병아리가 쉽게 알을 깨고 나올 수 있도록 어미가 껍데기를 쪼아주듯 코칭 대상자가 자신의 내면의 틀을 깰 수 있도록 도와주는 역할이다.

"넷플릭스는 '오케스트라'라기보다 '재즈밴드' 같은 조직입니다. 둘 다 리더가 있고 아름다운 음악을 연주하지만 재즈밴드는 하나의 테마에 따라 각자 자유롭게 연주할 수 있습니다. 반면 오케스트라는 지휘와 악보에 맞춰 모든 연주가 동시에 이뤄집니다." 제시카 닐 넷플릭스 최고인재책임자CTO가 서울에서 열린 '글로벌 인재포럼 2018'에서 이같이 말했다.

그는 리더가 해야 할 일은 통제가 아니라 코칭라며 일의 맥락과 정보를 제공해 직원들이 스스로 의사를 결정하고 잠재력을 발휘하도록 도와야 한다는 말이었다. 1997년 DVD 우편배송 회사로 시작한 넷플릭스가 온라인 동영상 스트리밍 서비스기업, 다시 세계 최대 콘텐츠기업으로 끊임없이 변화할 수 있었던 배경에는 이 같은 기업문화가 원동력이 됐다는 얘기다.

관리자의 역할을 통제·감독에서 코칭으로

뿌리 깊은 부정적인 요소부터 제거하라

직원들에게 권한을 위임할 수 있게 됨으로써 조직의 문화가 통제 중심에서 자율 중심으로 옮겨가게 되고, 그에 따라 직원들의 내재적 동기부여의 기반이 구축됨과 동시에 관리자들의 역할이 명령과 통제와 평가를 하는 역할에서 부하직원의 잠재력을 끌어내고 공감을 얻어내는 코치로 바뀌어야 한다. 관리자들의 바뀐 역할로 인해 직원들의 내재적 동기부여가 극대화될 수 있으며, 그 결과 더욱 큰 성과를 창출해 낼 수 있게 된다.

과거 통제 중심의 조직문화에서 자율 중심의 조직문화로 이전하면서 내재적 동기부여를 극대화하기 위해서는 가장 먼저 과거의 뿌리 깊은 부정적인 요소를 벗어버리는 노력이 우선되어야 한다. 과거 상명하복의 의사소통문화에 길들어 있는 부하직원들은 일반적으로 상사와 회사에 대해 부정적인 시각을 가지고 있으며, 그러한 부정적인 시각은 조직 내에서 여러 가지 형태로 악영향을 미치고 있다. 아무리 경영철학을 바꾸고 근무시간을 줄여 주고 또한 새로운 리더십을 통한 내재적 동기부여 여건이 갖추어진다고 할지라도 우선 이처럼 조직 내에 깊이 뿌리박고 있는 부정적인 시각을 먼저 제거해 주거나 완화하지 못한다면 새로운 리더십이 그 힘을 발휘하기 어려우며, 결국 이와 같은 혁신 노력은 지속하지 못하고 일회성 이벤트로 끝날 수도 있다.

실험집단의 사람들에게 아무런 약효도 없는 약을 복용하게 하고 그것이 두통을 일으키는 약이라고 말하면 실험에 응한 사람들의 70% 정도는 정말로 두통을 호소한다고 한다. 이런 현상을 '노시보 효과Nocebo Effect'라고 한다. 실제로 독을 지니지 않은 뱀에 물린 사람도 그 뱀이 독사였다는 말을 듣게 되면 두려움에 싸여 사망에 이르기도 한다.

노시보 효과의 반대 현상을 '플라시보 효과Placebo Effect'라고 한다. 아픈 사람에게 약효가 전혀 없는 알약을 지속적으로 주면서 특효약이라고 하면, 그 환자는 아픈 것을 이겨내고 회복하기도 한다는 것이다. 결국 '자신의 생각대로 이루어진다.'는 것을 과학적으로 입증한 것이다.

조직 내에서 노시보 효과를 긍정적인 피그말리온 효과(플라시보 효과)로 변화시킬 수 있다면, 그야말로 관리자들의 새로운 리더십인 코칭을 효과적으로 수행할 수 있는 기반이 다져진 것이다. 아직까지 합리적인 평가 결과를 금전적, 비금전적 보상으로 연결하여 성공했다는 확증 및 연구 결과는 없다. 그러나 사람 중심의 경영철학을 근간으로 코칭 활동을 성공적으로 수행함으로써 직원들의 내재적 동기부여를 끌어 내고, 그들의 잠재력을 일깨워 성과를 창출해 낸 기업들의 성공사례는 점차 많아지고 있다.

잠재력을 끌어내고 공감을 얻어내는 관리자란?

이제까지 우리 기업들은 대부분 합리적인 의사결정에 의거, 더 많은 것을 더 빠른 시간 내에 해내는 효율성에 집중했다.

그러나 이러한 방식은 오히려 기업의 창조성, 품질, 인간관계, 사고 능력을 해치고 시간이 지날수록 성과를 떨어뜨린다. 점차 세계가 저성장 기조에 들어가면서 기대만큼의 매출이나 이익을 얻지 못하게 되고, 이를 이겨내기 위해 '더 많이, 더 빨리' 일하고 있지만 원하는 대로 상황이 나아지고 있지 않을 뿐 아니라, 더 큰 문제는 직원들이 혼자서는 도저히 이겨내기 어려울 만큼 점점 더 강도 높은 스트레스를 견뎌야 한다는 점이다.

점차 변화의 속도가 빨라지고 협력과 협업의 중요성이 증대되면서 새로운 업무들이 갑작스럽게 부과되는 경우들이 과거보다는 훨씬 더 많아졌다. 이제까지는 새로운 프로젝트가 시작되면 그 프로젝트에서 부하직원들 각자가 맡아야 하는 일이 무엇인지 이성적으로, 합리적으로 정확하게 잘라서 부하직원들에게 조리 있게 설명하고 지시하고 명령하고 통제를 잘해 나가는 관리자가 훌륭한 관리자로 인정받았다. 물론 그중에서도 높은 성과를 내는 관리자가 인정을 받았다. 그러나 과연 그 많은 성과라는 것의 기준이 무엇인지를 합리적이고 정확하게 설정하는 것이 매우 어려운 과제였었다.

과거에 기업들을 성공으로 이끌었던 기존의 업무방식은 더 이상 아무런 힘을 발휘하지 못한다. 관리자들이 단순하게 "어떻게 해야 직원들로부터 열정을 끌어내 성과를 낼 수 있을까?"라고 묻는 동기부여를 위한 평가에 초점을 맞추는 대신 "어떻게 하면 직원들의 기본적인 욕구를 충족시켜서 더욱 열정적이고 적극적이고, 창조적으로 일하도록 만들 수 있을까?"라고 직원들의 기본적인 욕구를 채워주어 내재적 동기부여를 함으로써 그들의 잠재력까지 끌어내고 공감을 얻어낼 수 있는 코칭 활동에 초점을 맞추어서 질문해야 한다. 상위자들이 우선 변화되어야 한다.

관리자의 역할이 단순히 부하직원에게 명령을 내리고 평가하고 그 결과를 보상에 연결함으로써 동기부여를 하고자 했던 역할에서, 부하직원의 신체, 감정, 이성을 넘어 궁극적으로는 영적인 욕구를 모두 채워줄 수 있도록 함께 노력함으로써 그들의 내재적 동기유발을 이끌어내고 그들의 속에서 잠자고 있는 거대한 규모의 잠재력의 일부라 할지라도 그것을 끌어내는 코치로 바꿔 주어야 한다는 말이다.

어떤 회사에 근무하는 한 팀장의 실화이다. 그 팀장은 건강이 매우 좋지 않아 하루에 2시간 이상 근무하기조차 어려웠다. 그런데 그 팀의 성과는 매우 좋았다. 그런데 그 이유가 매우 흥미롭다. 팀장이 직접 일하는 시간보다 훨씬 많은 시간을 직원들을 유심히 관찰하는 데 사용했다. 그 결과 부하직원에게 업무를 맡길 때는 그 사람이 가장 잘해서 성과를 낼 수 있는 일을 주었다. 그래서 부하직원 모두가 그 팀장에 대한 불평이 없었다. 이처럼 진정한 리더는 직원들이 자신 있게 일을 해낼 수 있는 일을 찾아서 성취감을 느끼도록 하는 것이다.

직원들의 근원적인 욕구

존 휘트모어John Whitmore가 『성과향상을 위한 코칭 리더십』이라는 책자에서 앞으로 기업들이 성과를 내기 위해서는 다음과 같은 4가지 요소에 주목해야 한다고 강조하였다. 직원들의 근원적인 욕구로 휴식과 재충전에 대한 욕구, 인정과 관계에 대한 욕구, 몰입에 대한 욕구, 일의 가치에 대한 욕구이다.

첫째, 인간은 생존 욕구가 충족되면 다음 지속 욕구인 신체적 욕구를 충족시키고자 한다. 이제까지 이성만을 앞세워 온 경영방식 속에서, 특히 연간 근로시간 세계 2위라는 환경 속에서 우리 직원들은 너무나 지쳐있다. 일을 오랜 시간 하는 것이 성과를 올리는 비법이 아니다. 가장 최신 정보기술의 강점들을 최대한 활용하여 쓸데없이 낭비되는 시간을 철저히 없앰으로써 우선 직원들의 휴식 및 재충전에 대한 욕구불만을 해소해 주어야 한다.

둘째, 신체적 단계를 넘게 되면 인간은 감정적 단계인 안전 욕구를 추구한다. 안전이란 자신의 가치와 역할이 제대로 인정받고, 또한 평가받고 있다고 확신함으로써 느끼는 행복감이다. 조직 구성원의 반가량이나 차지하게 된 Y세대들은 특히 타인 의존도가 높으며 남들로부터 인정받기를 기대한다는 점을 중요하게 받아들여야 한다.

셋째, 신체와 감정에 대한 욕구가 충족되면 이성 단계로 넘어간다. 이 단계에서 인간은 자신의 재능과 기술을 자신의 주변에 자유롭게 드러내고 싶어 한다. 이때 한 가지 주제를 정하고 그 주제에 집중할 수 있을 때 그 욕구는 몰입 상태에 이르고 자기표현 욕구가 충족된다. 사람이 마음속에 가지고 있는 생각들은 우리의 의지와 상관없이 마음대로 움직이기 때문에 이 욕구가 충족되기 위해서는 각각의 생각이 하나의 방향으로 흘러갈 수 있도록 하는 특별한 훈련이 필요하다. Y세대들은 SNS를 통해 교신의 생활화로 인해 자신의 주장을 자유롭게 드러내는 데 매우 익숙해져 있는 세대이다.

마지막으로 신체, 감정, 이성 단계를 넘어 영적 단계로 넘어간다. 영적 단계에서 중요한 것은 의미 욕구이다. 의미 욕구는 원대한 목표를 세우고 그것을 향해 달려가는 가운데 충족시킬 수 있다. 의미 욕구란 자신의 잠재력까지도 끌어내는 최고의 에너지 원천이 된다.

우리 기업에서도 이미 회사 구성원의 절반가량을 차지하고 앞으로 점차 늘어나게 될 Y세대는 물론, 머지않아 구성원이 될 Z세대의 직원들이 자율성을 가지고 회사 업무에 진정한 관심을 가지고 무섭게 파고들도록 하는 고민이 필요하다.

이들은 기존 세대보다 일의 가치나 의미를 중요하게 생각한다. 기성세대가 효율의 세대라 한다면 이들은 의미의 세대다. 기성세대가 목표를 달성하는 게 중요하며 생존에 영향을 받았다고 하면, 20~30대 구성원들은 일의 가치나 의미를 중요하게 여긴다. 밀레니얼 세대는 일의 의미나 가치를 인식하고 흥미를 느끼면 주말 시간도 반납할 만큼 몰입하고 헌신하는 모습을 보이기도 한다.

이들은 쌍방의 수평적이고 자유로운 커뮤니케이션에 익숙해져 일방적인 지시에 익숙하지 않다. 이들 세대는 SNS와 앱 서비스를 통해 자신의 의사 표현을 바로바로 전달하고 각각의 SNS 가입자들에게 즉각적인 관심과 반응을 수용하는 메커니즘에 익숙해져 있다.

자신의 평가 결과에 대해 이해되지 않으면 즉각 상사에게 의사를 표시하고 항의한다. 그게 받아들여지지 않으면 곧장 퇴사로 연결되기도 한다. 그들은 상대평가보다는 절대평가를 원하는데 미국의 IT 회사들 중심의 대기업들이 상대평가를 버리고 절대평가로 바꾸는 가장 큰 이유이기도 하다. 이들은 모든 일에 대해 즉각적인 만족감을 얻는 것을 목표로 하므로 끊임없이 대화하기를 원한다.

Y세대들은 자신이 관심이 있는 분야에는 무섭게 파고드는 특성을 가지고 있다. Y세대들이 자신들이 원하는 일이 무엇인지 찾아내고 그 일에 대한 원대한 목표를 세우고 그 일에 무섭게 몰입함으로써 성과를 창출하도록 하는 것이 코칭 기반의 시스템의 궁극적인 목표이다.

우리나라 기업에서 코칭이 어려운 이유

'좋은 의도'는 코칭을 어렵게 만들 수 있다

우리가 한 발짝 뒤로 물러나 신중하게 생각해야 할 과제가 하나 있다. 우리나라 사람들은 특히 '정'이 많다고들 한다. 그런데 우리는 바로 이 '정' 때문에 많은 문제점을 안고 있는 것도 사실이다. 다른 선진국들이 250여 년간 거쳐 온 1차부터 4차 산업혁명까지의 경험을 단 50여 년만에 모두 거쳐오면서 급하게 성장해 온 우리나라가 다른 선진국들과는 달리 세대 간의 갈등상을 더욱더 심각하게 가지고 있다는 사실도 염두에 둘 필요가 있다.

통상 가족관계, 상하 관계 및 친한 친구 간 의사소통에 있어 문제가 일어나게 하는 가장 중요한 요인이 '좋은 의도'라고 한다. 부모 자식 간의 대화에서도 바로 이 '좋은 의도'는 자식의 생각이나 마음을 헤아리거나 고려하지 않고 자신이 가지고 있는 바로 그 '좋은 의도' 때문에 자식에게 막말을 함으로써 상처를 주는 경우가 많다. 부부싸움도 바로 이 '좋은 의도'로 인해 생기는 경우가 가장 많다고 한다. 바로 '너를, 그리고 당신을 너무나도 사랑하기 때문에'라는 '좋은 의도'로 인해 상대에게 거친 말을 하게 될 확률이 두 배 이상 높아진다고 한다.

그 '좋은 의도'를 가지고 있는 자신으로서는 자신이 하는 말이 당연히 타당성을 가지고 있다고 생각할 수 있지만, 상대에게는 바로 그 '좋은 의도'로 인해 상처가 될 수 있다는 것을 잊어서는 안 된다. '말은 천 냥 빚도 갚을 수 있다.'는 옛

좋은 의도에 따른
도덕적 우월감

좋은 의도의 나쁜 표현: 거친 말을 할 수
있는 가능성 2배 이상 증가

'말은 천 냥 빚도 갚을 수 있다.'

'칼로 베인 상처는 약을 바르면 치유되지만
말로 인해 받은 상처는 일생 동안 지속될 수 있다.'

'말은 세가지 체로 걸러야 한다.' ;
1. 진실이라는 체, 2. 선의라는 체, 3. 중요성이라는 체

반대로 신바람 경영에 잘 적응할 수 있는 우리의 DNA를 잘 활용하자.

그림〈25〉 우리 민족의 독특한 특성 '정'

말도 있다. 칼에 베인 상처는 약을 바르면 치유되지만 말로 인해 받은 상처는 일생 동안 지속될 수 있다. 그래서 말은 세 가지의 체로 걸러주어야 한다는 말이 있다. 첫 번째 진실이라는 체와 두 번째 선의, 즉 좋은 뜻이라는 체와 세 번째 중요성이라는 체로 걸러주라고 했다.

질문할 줄 모른다

유대인 교육 기법에 하브루타 교육 방식이 있다. 2인 1조가 되어 끊임없는 질문과 토론을 통해 답을 얻어 가는 교육 방법이며 그러한 교육 방법이 실제 실험 결과에서도 훨씬 큰 효과를 나타낸다. 코칭에서의 가장 중요한 기본 기법 중 하나가 질문 방식이다.

나는 지난 20여 년 대학에서 강의를 해 왔고 또한 많은 기업을 위한 강의를 했었다. 그런데 강의 시마다 “질문 있습니까?”라는 나의 요청에 수강자들로부터 질문이 이어져서 중단할 수밖에 없는 상황을 경험한 적이 거의 없었다. EBS 방송에서 실제 대학 강의 시간에 재미있는 실험을 했다. 한 학생에게 2시간 지속하는 강의 도중 5개의 질문을 하도록 부탁한 것이다. 2시간의 강의 시간을 고려해 본다면 결코 많은 수의 질문이 아니다. 그런데 실제 상황에서 방송국으로부터 부탁받은 이 학생의 계속된, 그렇지만 5개밖에 안 되는 질문은 급기야 함께 수강하던 50여 명 가량 되는 다른 학생들의 심한 불만을 사게 되었으며 그들이 강의가 끝나고 나오면서 강의가 어떠했는지를 묻는 TV 기자의 질문에 답하면서 토로한 그 불만의 수위는 매우 높았다.

상사가 모든 것을 해결해야 한다는 강박관념

우리는 그동안 상사는 부하직원에게 그들이 가지고 있는 모든 문제에 대해서 답을 주어야 한다는 식의 암묵적인 교육과 훈련을 받아 왔고, 또한 그 결과에 대한 평가를 받아 왔다. 예를 들어 팀에 매우 중요한 프로젝트가 새롭게 주어졌을 때 이제까지 인정을 받아온 훌륭한 팀장이라면 부하직원들에게 현재 주어진 프로젝트에 대한 개요를 조리 있고도 명확하게 잘 설명하고, 각 팀원이 각자 그 프로젝트에서 담당해야 할 업무들을 상세하게 쪼개서 설명하고 이해시킴으로써 모든 직원이 그 상세 내용을 충분히 숙지하고 그 프로젝트를 시작할 수 있게 만들었을 것이다. 그러나 코칭의 관점에서 보면 이런 팀장이 가장 위험한 팀장일 수 있음을 잊어서는 안 된다.

부하직원은 그 상사의 계획과 지시를 잘 이해했기 때문에 팀장의 가이드대로 문제없이 업무에 착수할 수 있을 것이다. 시작의 모양새는 매우 좋다. 그러나 요즈음과 같이 변화무쌍한 환경하에서, 어떤 종류의 일이라도 애초의 계획대로 진행되는 경우는 거의 없다. 무엇인가 일을 추진하는 도중에 성과 달성을 저해할 수 있는 문제가 발생했는데도 불구하고 상사가 시키는 대로 일을 처리해 왔던 부하직원은 갑작스럽게 발생한 그 문제를 상사에게 미리 보고하지도 않는다. 발생 즈음에는 별로 신경 쓰지 않아도 무방한 사소한 문제라 할지라도 미리 적절한 대처를 하지 않는다면 심각한 상태로 발전할 수 있다. 그 문제를 상사에게 보고하지 않으면 안 될 만큼 크게 비화된 시점에는 도저히 해결이 어려울 만큼 심각해져 있는 경우들이 많다.

이러면 부하직원이 자신이 맡은 업무를 실행하는 도중에 상황이 많이 바뀌어 상사가 시킨 대로 자기가 담당한 부분을 열심히 수행했는데도 불구하고 팀장이 애초 예상했던 수준의 성과를 거두지 못하게 된다. 결국 그 부하직원은 그러한 낮은 성과 달성도 때문에 그 업무를 지시한 상사로부터 평가점수를 60점 정도밖에 못 받았다고 가정하면, 그 부하직원은 당연히 "내가 왜 60점이야? 나는 상사가 시키는 대로 열심히 일했는데 무슨 소리야. 잘못된 40점의 부분에 대한 책임은 상사도 져야지!"라고 불평할 것은 당연하다.

결국 상사는 상사대로 부하직원을 열심히 케어해 주고도 뺨 맞는 격이다. 진정 훌륭한 리더는 부하직원이 부하직원 자신의 업무에 대한 의사결정을 직접 하고, 그 결정사항에 대한 책임 역시 자신이 질 수 있도록 가이드해 주는 리더이다. 자신이 모든 것을 상세히 계획하고 지시하는 것보다는 훨씬 많은 시간이 소요된다고 할지라도 부하직원이 그가 직접 기획하고 실행에 옮기도록 하되 그 길을 잘 지원해 주는 리더가 되어야 한다.

적는 습관이 안 되어 있다

효과적인 코칭을 위해서는 많은 기초자료가 필요하다. 그러한 코칭을 위한 기초자료를 얻기 위해서는 기록하는 습관이 무엇보다 중요하다.

많은 전문기관이 코칭에 관한 훌륭한 교육과정들을 시행하고 있다. 아무리 관리자들이 코칭에 관련된 효과적인 교육을 받고 왔다 하더라도 실제 코칭 세션에 활용할 자료를 제대로 확보하거나 가지고 있지 않다면 그 훌륭한 코칭 기법 교육은 무용지물이 되고 만다. 효과적인 코칭을 위해서는 부하직원의 업적에 대한 풍부한 자료와 그들의 평소 행동을 주의 깊게 관찰하여 특이사항들에 대한 기록이 참고되어야 하는데 과연 효과적인 코칭 활동의 기초가 되는 기록들을 많이 확보하고 있는가?

현재 우리 기업들의 경우 코칭을 효과적으로 수행할 수 있는 조직문화도 정착되어 있지 않지만, 임직원들이 적는 습관이 되어 있지 않아 코칭을 위한 기초자료가 매우 미흡하다는 것이 현실적으로 가장 큰 장애 요인 중 하나이다. 코칭을 도울 수 있는 내용은 발견되는 즉시 바로 기록해 두어야 효과적인 코칭이 이루어질 수 있음을 기억해야 한다.

예를 들어 어떤 직원의 업무를 수행하는 데 있어, 의사소통이라는 역량이 매우 중요하다고 가정하자. 상사가 판단하기로는 그 부하직원의 의사소통 역량이 최하점밖에 되지 않는데도 불구하고, 그 부하직원은 자신의 의사소통 역량이 제법 높다고 오판하고 있으면 참 난감한 상황이 벌어지게 된다. 나는 컨설팅 현장에서 이런 경우를 접할 때마다 적자생존이라는 말을 강조해 주었다. 적자생존이란 찰스 다윈Charles Darwin의 적자생존을 말하는 것이 아니고 적는 자만이 살아남는다는 말이다.

이런 경우 가장 좋은 방법은 그 부하직원의 의사소통 역량이 최하점밖에 안 된다는 것을 설명해 줄 수 있는 특이한 행동이 포착될 때마다 바로 그 행동 내역을 간단하게, 그러나 그 부하직원이 듣고 이해할 수 있는 정도만큼은 자세한 수준으로 기록해 두는 것이다. 그 부하직원과의 코칭 세션에서 그 부하 직원에게 언제 그러한 행동들이 나타났었는지에 대해서 그 기록들을 바탕으로 설명해 주면 해결할 수 있는 문제이다.

부하직원 각자에 대한 코칭을 위한 특이사항 기록은 미리 밴드에 각 부하직원의 이름으로 방들을 만들어 놓고 특이사항이 발견될 때마다 해당 직원 밴드 방을 열어 즉시 그 내용을 적어 놓도록 추천한다. 그런데 그것도 스마트폰 마이크에 말로 하면 기록된다. 그리고 각 부하직원과 코칭 세션이 끝나고 나서도 코칭 시 대화한 내용은 구글 문서에 충분히 이해할 수 있는 정도의 내용을, 그러나 가능한 한 요약된 내용을 기록하여 당해 부하직원과 공유함으로써 부하직원도 자신의 의견을 댓글로 달 수 있도록 조치하면 부하직원이 공유하는 각종 현황표와 함께 코칭을 위한 충분한 기초 데이터를 확보하게 되는 것이다.

이처럼 관찰 기록을 기반으로 상하 간의 의견 차이를 극복한다는 것이 단순히 그 부하직원에 대한 객관적인 평가 결과를 얻을 수 있다는 것으로 끝나는 문제가 아니라, 그 부하직원의 향후 성공적인 성과 창출과 자신이 속한 조직의 성과 창출을 위해, 나아가 자신의 지속적인 성장을 위해서 얼마나 큰 영향을 미치게 되는지를 잊어서는 안 된다.

코칭에 대한 올바른 접근법

4차 산업혁명시대 급변하는 경영환경에서 필요한 새로운 리더십이란 자신과 상대의 감성에 대한 이해를 바탕으로 한 관계 형성과 관계 유지를 통해 상대로부터 공감을 얻어내고 공감이 된 구성원들이 열정을 바쳐 직무에 몰입하게 함으로써 높은 성과 창출을 가능하게 하는 리더십이라 할 수 있다. 다시 말해 유능한 코치로서의 역량을 발휘하는 리더십이라 할 수 있다.

리더란 고귀한 가치와 원대한 목표를 분명하게 제시함으로써 모든 구성원들이 개인적인 이익을 넘어서 조직 전체의 발전에 더 많은 관심을 기울일 수 있도록 공감을 얻어내는 관리자를 말한다. 과거의 일반적인 리더들이 성과 달성을 위한 구체적인 전술에 해당하는 '어떻게'로 시작해서 질문을 주로 던지지만, 새로운 리더는 가치와 목적을 의미하는 '왜'라는 질문에 초점을 맞추어야 한다.

코칭은 인정, 칭찬, 지지, 격려라는 도구를 활용하여 상대방에게 긍정 바이러스를 심어가며 경청과 질문을 통해 코칭 대상자가 가고자 하는 목표를 자신이 직접 찾도록 도와주는 파트너십 관계다. 일방적으로 명령하거나 가르친다거나 지시하지 않는다. 상대방이 직접 스스로 깨닫도록 지원해 준다. 멘토링과 다른 점은 멘토는 자신이 물론 멘티에게 본을 보이되 선생님과 같이 상대방에게 조언해 주고, 가르쳐 주는 것이므로 코칭과는 큰 차이가 있다.

그룹 의사결정을 할때도 다수의 수평적 의사가 나 혼자의 의견보다 훨씬 좋다는 원리가 적용된다. 다시 말해 집단 지성이 훨씬 효율적이라는 말이다. 회의할 때에도 회의에 참석한 모든 사람이 수평적인 관계를 유지하기 때문에 주재자는 일방적으로 지시하고 참석자는 받아 쓰는 관계가 아니라 참석한 모든 사람들이 자유롭게 의견을 개진하고 코치형 사회자는 각 참석자의 발언에 대해 오히려 "아주 좋은 아이디어이군요." 등의 긍정 에너지를 주면서 공감적 경청을 한다. 다양한 의견을 수렴하고 결과적으로 집단 지성의 대단한 결과물을 얻게 되는 것이다.

훌륭한 코치는 코칭 상대방이 감동할 정도로 열심히 경청한다. 상대방의 질문에도 자신이 생각하는 최적의 답변을 바로 제공하지 않고 질문형으로 상대방이 올바른 답에 도달할 수 있도록 유도한다. 예를 들어 코칭 대상자가 고객의 일방적인 요구사항에 대한 불만을 털어놓는다. "아니, 고객사의 담당자가 무턱 대 놓고 가스터빈의 납품 일자를 1주일 정도 당겨 주고 그렇지 않으면 공급사를 바꾸겠다고 엄포를 놓는데 이럴 때 어떻게 하면 되지요?"라고 물으면 이제까지 일반적으로 최고로 인정받던 리더들은 통상 이런 경우 질문 즉시 자신의 과거 경험을 예를 들면서 자신이 생각하는 가장 좋은 답을 말해 줄 것이다.

그러나 아무리 훌륭한 리더도 그 고객사와의 관계를 담당자만큼 잘 알지 못하기 때문에 정답을 주기 어렵기도 하지만 코칭의 기본 기능을 최대한 잘 활용하는 리더가 되어야 한다. 즉답을 주기보다는 코칭 대상자에게 상대방이 마음을 터놓고 의견을 제시할 수 있도록 긍정적인 에너지를 계속 불어넣어 주면서 여러 가지 질문을 던질 것이다. 고객이 왜 그렇게 요구한다고 생각하는지? 상황이 어떻다고 생각하는지? 리더 자신이 생각하는 답을 질문 형태로 추천해 보는 등 시간이 더욱 더 많이 걸린다고 할지라도 상대방 자신이 정답에 도달할 때까지 인내를 가지고 경청하고 질문하는 것이 코칭의 가장 중요한 기본 기능이다.

코칭은 긍정 에너지가 흐르는 가운데 코칭 대상자 자신이 깨달음을 거쳐 생각의 변화를 일으키고 마침내 행동의 변화를 가져오기 때문에 강력한 실행력을 유발하고 나아가 명령 불이행이란 있을 수 없다. 직원들에게 탁월한 질문을 통해 언어지는 다양한 사고 및 의식의 확장을 유도하여 그들의 창의력 향상과 상상력의 증대에도 큰 도움을 주게 된다. 지속해서 유지되는 긍정 에너지를 통해 소통 및 관계 향상에도 획기적인 발전을 가져온다.

코칭은 코칭 대상자가 마음을 열고 자신이 생각하고 있는 것을 마음껏 이야기할 수 있도록 환경을 만들어 주는 것이다. 그리고 코칭은 준비, 관찰, 커뮤니케이션, 사후 관리가 필요한 지속적인 과정이다. 바람직한 코치가 되기 위해서는 다음과 같은 원칙들을 지켜야 한다.

코칭 시 일반적으로 저지르는 실수와 그 해결책

1. 지나치게 말을 많이 하는 실수

가장 많은 실수는 코칭 시 자기 자신이 부하직원보다 말을 많이 하는 것이다. 코칭 문화를 정착시켜 나가는 초기 단계에서는 말하고 지시하고 싶은 충동을 무조건 억제하는 훈련을 해야 한다. 자신의 설명을 앞세우기보다는 "어떤 방식으로 시간을 이용하지?" 또는 "무엇이 자네의 발목을 잡고 있나?" 등 필요한 정보를 끌어내기 위해 탐색용 질문을 많이 해서 가능한 한 코칭 대상자가 많은 말을 하고 또한 직접 해답을 찾아 나갈 수 있도록 유도해 주어야 한다.

2. 적극적으로 경청하지 못함

코칭 대상자의 말을 들을 때에는 머릿속에서 다른 생각을 하지 말고 상대방의 말에 집중하여 듣고 그 말 자체를 평가하거나 또는 판단하고자 하는 충동을 억제해야 한다. 대신 부하직원의 핵심적인 발언이나 우려 사항이나 혹은 질문이 필요한 사항이 있다면 코칭 대상자의 말을 끊기보다는 그 내용을 노트에 적어 놓고 코칭 대상자의 말이 끝난 다음에 다시 확인하고 대화해 보는 것이 좋다. 이렇게 적은 내용은 코칭 세션이 끝나기 전에 꼭 코칭 대상자와 함께 확인해야 한다.

3. 간섭을 코칭으로 오해

과거 통제 중심의 조직문화에서는 부하직원이 잘못하는 것을 지적해 주고 가이드해 주는 것이 관리자의 주된 역할이라고 인식되어 상하 간에 서로 방어적인 성격을 나타낸 반면 이제는 코치가 먼저 자신의 마음을 열고 코칭 대상자가 마음을 열 수 있도록 유도하며 그 마음을 얻고 부하직원 자신이 답을 얻을 수 있도록 지원함으로써 상호 개방적인 대화를 할 수 있게 된다.

4. 자기중심적, 권위주의적 모습을 보임

우선 코치가 자기중심적, 그리고 권위주의적인 모습에서 자신의 진실성을 담아 감정을 이입하는 모습으로 변화되게 되면 코칭 대상자도 자신을 인정해 주고 또한 신뢰하고 있다는

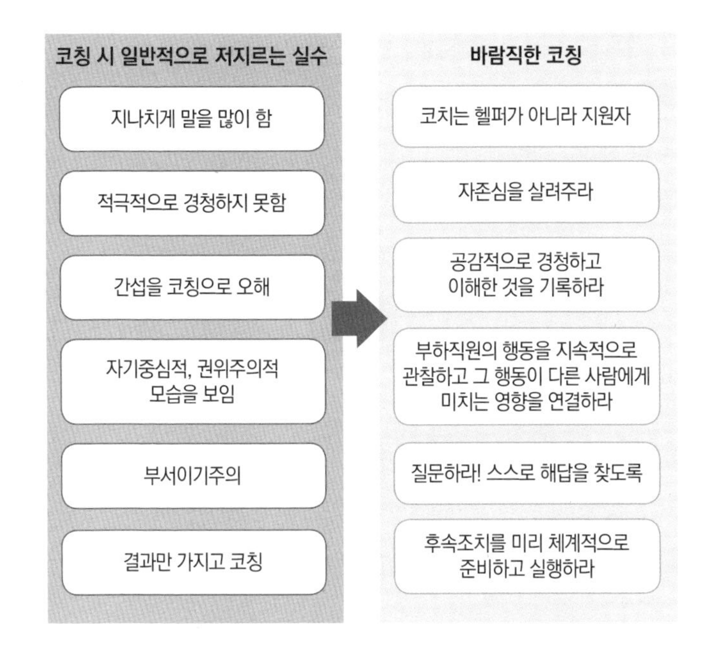

그림〈26〉 코칭 시 일반적으로 저지르는 실수와 바람직한 코칭

믿음 속에 감정이입을 해 주게 된다.

5. 부서 이기주의

과거 자신만을 아는 이기주의 내지 부서 간 싸일로 문화Silos Effect에서 벗어나 이타주의, 다시 말해 최소한 기브 앤 테이크의 조직문화로 들어갈 수 있도록 노력해야 한다.

6. 결과만 가지고 코칭

결과의 잘잘못을 가려주는 활동이 코칭이 아니고 결과를 내기 위한 과정을 지원해 주어 좋은 결과를 낼 수 있도록 유도해 주는 것이 코칭이다. 물론 결과도 중요하다. 코칭이란 결국 성과를 창출하기 위한 목적으로 수행되는 기법이다.

바람직한 코칭

1. 코치는 헬퍼Helper가 되는 것이 아니라 지원자Supporter가 되는 것이다.

헬퍼란 도움 요청자가 무력한 상태에서 지원자가 없어서는

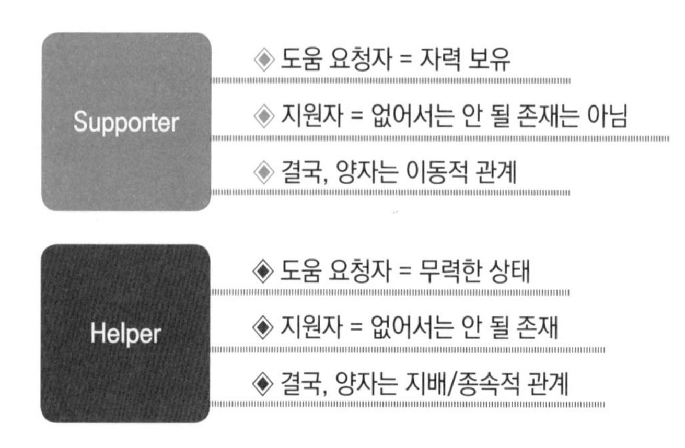

그림〈27〉 코치는 지원Support하는 사람이다

안 되는 존재로 인식되는 관계로서, 결국 양자 관계는 지배, 또는 종속적인 관계가 될 수밖에 없는 관계를 말한다.

반면, 지원자란 도움 요청자도 자신의 능력이 있지만, 지원자가 도움을 주는 관계로서 지원자는 도움 요청자에게 있어 없어서는 안 되는 존재가 아니라 지원자일 뿐이며 결국 양자의 관계가 상호 보완적이면서도 이동적인 관계가 되는 것을 말한다. 코치는 헬퍼가 되어서는 안 되며 지원자가 되어야 한다.

2. 자존심을 살려주어야 한다.

코칭을 받는 사람의 자존심을 살려 주어야 한다. 이를 위해서는

첫째, 그 사람의 어떤 행동이 나타나게 되는 성품이나 성격에 대해서 논의하는 것이 아니라 그 사람이 가지고 있는 문제 자체에 초점을 맞추어야 한다. 그러기 위해서는 그 사람의 행동을 면밀하게 관찰하여 문제점이 있다고 판단되는 행동 양태가 발견될 때마다 즉시 잘 기록해 두어 그 문제점이 있는 행동이 다른 구성원들에게 미치는 영향과 나아가 그 사람과 팀의 성과에 미치는 영향을 알려주고 바로 잡아 주는 것이지 그 사람의 태도나 성품을 건드려서는 안 된다.

둘째. 가능한 한 코칭받는 사람 자신이 진솔하게 인정을 받음으로 인해 얼마나 중요한 사람인지를 느끼게 해 주고, 그 사람이 시행한 일에 대해서도 작은 성과에서부터 큰 성과에

이르기까지 적극적인 지지와 인정을 해 주어야 한다. 칭찬할 때 주의해야 할 점이 마음에서 우러나지 않은 칭찬은 오히려 역효과를 낼 수 있으며 솔직하고 진솔한 마음을 담은 칭찬만이 대상자의 마음을 움직일 수 있다는 것이다.

셋째, 코칭 대상자를 한 인간으로서 존중하며 관심을 가지며 항상 신뢰하고 있다는 것을 표현해 주어야 한다.

3. 공감적으로 경청하고 이해한 것을 기록해 두라.

첫째, 느낌까지 경청해야 한다. 코칭을 받는 사람이 먼저 마음을 열어주도록 기다리기 이전에 코치가 먼저 마음을 열고 인간적으로 다가서야 한다. 상대방과 대화할 때 그 사람이 느끼고 있는 느낌까지도 읽어낼 수 있도록 경청해야 한다.

둘째, 코칭 세션에서 대화한 내용을 요약하고 그 요약한 내용들을 상대방과 함께 확인해야 한다. 코칭 대상자와 대화한 다음 코치가 이해한 부분들에 대해서 결과를 요약하고 부하직원과 함께 확인하라.

셋째, 어떤 상황에서도 코치가 감정적으로 흔들리거나 조급해지지 않으며 인내심을 가지고 끝까지 들어주어야 한다. 자신이 주도하여 말을 많이 하기보다 코칭받는 사람의 말을 많이 경청해 줌으로써 코칭 대상자가 자신이 중요한 사람이라는 느낌이 들도록 해 주라. 어떠한 이야기도 코칭을 받는 사람의 입장에서 따뜻하게 받아주고 들어주며 코칭받는 사람 자신이 스스로 자기 자신을 돌아볼 수 있도록 도와주어야 한다.

4. 부하직원의 행동을 지속해서 관찰하고 그 관찰한 행동이 다른 사람에게 미치는 영향을 연결하라.

코칭을 하기 위해서는 평소에 부하직원의 행동들, 예를 들어 회의 시 태도와 같은 비공식적인 분야라든지, 고객 방문 시 느낀 행동양태 등 공식적인 분야를 지속적으로 관찰하여 잘하는 것과 그렇지 못한 부분을 파악하고, 나아가 코칭 대상자가 가지고 있는 스킬과 그에게 부족한 스킬은 무엇인지를 파악하고 그 파악한 시점에 즉시 꼼꼼하게 기록해 두어야 한다.

그리고 그 관찰한 내용을 코칭 대상자와 공유할 때는 반드시 그 관찰된 행동에 근거하여 상대방의 개인적인 성격이나 동기를 추측하지 말고 그 사람의 실제 관찰된 행동 자체에 대해서만 논의의 초점을 맞추고, 그러한 관찰된 행동의 결과가 다른 사람들에게, 또는 그가 속한 조직에 미치는 영향, 보다 더 중요하게는 그 사람 자신의 성과에 미칠 수 있는 영향에 대해서 심도 있게 논의해야 한다.

5. 상황과 사람에 맞추어 접근해야 한다.

코칭에서는 대체로 지원하는 내용이 다루어지지만, 일부 지시적인 내용도 포함하고 있음을 이해해야 한다. 예를 들어 코칭 대상자에게 훈련이 필요한 스킬들을 지적해 주고 개발하도록 유도한다든지 회사의 미션, 비전 및 전략에 관해서 설명하는 내용이라든지, 코칭 대상자와 함께 고객을 방문하여 영업방법을 가르쳐 주는 등 OJTOn the Job Training를 시행하는 경우는 지시적인 내용이라 할 수 있다.

반면 코칭 대상자가 가지고 있는 문제를 해결해 나가는 방법에서는 시간이 더 걸린다고 할지라도 그 자신이 가지고 있는 문제와 해결책을 자신이 직접 찾을 수 있도록 인내를 가지고 도와주는 것이 바람직하다. 이때 그 부하직원이 그 해결책을 꼭 찾아낼 수 있을 것이라는 코치의 신뢰를 적극적으로 표현해 줌으로써 그 자신이 자신감과 자존감을 가질 수 있도록 지원해 주어야 한다. 가능한 한 대상자에게 필요한 역량을 위한 학습은 내재적 동기부여에 의해 스스로 배울 수 있도록 유도해야 한다. 대신 잘 몰라서 저지르게 되는 실수에 대해서는 특히 관대하게 이해해 주되 부하직원과 함께 깊이 성찰함을 통해 앞으로는 그러한 실수를 다시 범하지 않도록 도와주는 것이 중요하다.

그리고 부하직원에 의해 문제가 보고되면 그 문제 해결을 위해 필요한 가능한 한 많은 정보와 인적·물적 네트워크를 연결해 주어 부하직원 자신이 그 문제를 잘 해결할 수 있도록 도와주어야 한다. 나아가 부하직원이 자신의 상사는 자신을 100% 믿어주며, 어떤 일이 생기더라도 자신의 편이 되어 도와주는 상사라는 믿음을 가지고 문제가 곪아 터지기 전에 미리미리 이슈를 제기하는 습관을 지닐 수 있도록 유도해 주면 현대와 같이 급변하는 경영환경 하에서 언제든지 작은 이슈들이 커다란 문제로 비화함으로 인해 야기될 수 있는 손해의 가능성을 조기에 방지할 수 있는 조기경보시스템을 자동으로 구축하게 될 것이다.

훌륭한 코치 밑에는 보고를 적기에 적절히 잘하는 부하직원이 있게 마련이다. 앞에서도 설명했듯이 상사는 부하직원에게 많은 권한을 위임해 주어 자율책임 경영 환경을 만들어주어야 하며 대신 부하직원은 상사가 필요로 하는 최소한의 정보들은 필요한 때마다 미리 보고할 수 있는 시스템을 구축해 주는 것이 자율책임 경영의 키가 되는 요소이다. 그러기 위해서 이미 설명한 수평적 의사소통 시스템은 꼭 갖추어야 하는 전제 요건이다.

6. 질문하라! 스스로 해답을 찾도록

일방적인 지시보다는 해답을 스스로 찾도록 유도하는 질문을 하라

예를 들어 부하직원에게 대고객 서비스를 더욱 잘 할 수 있도록 코치하고 싶을 때 코치는 "고객에게는 친절해야 한다."라는 일방적인 지시를 하는 것보다는 "어떻게 하면 단골을 늘릴 수 있을까?"라는 질문을 던짐으로써 부하직원이 스스로 해답을 찾도록 하는 것이 좋다.

"왜 고객 방문을 자주 하지 않았나?"라고 과거형으로 야단을 치는 형태의 질문보다는 "영업 성과를 올리려면 어떤 노력이 더 필요한가?", 또는 "지난 분기와는 무엇을 다르게 해 보려고 하는가?"라는 미래형이나 긍정형의 질문을 하는 것이 훨씬 효과적이다.

7. 후속 조치를 미리 체계적으로 준비하고 실행해야 한다.

코칭이 이루어진 다음에는 다음과 같은 후속 조치들을 실행해야 한다.

첫째, 코칭 세션이 끝날 즈음에는 후속 논의를 위한 날짜를 미리 정하는 것이 좋다. 코칭을 효과적으로 하는 데 있어 현실적으로 걸림돌이 되는 것은 서로가 바쁜 일정을 소화해 내는 상황이므로 후속 코칭 세션 일자를 상호 미리 정하는 일이다.

둘째, 부하직원이 달성해야 할 일들에 대한 성과와 특히 관심을 두어야 할 각 직원의 특이 행동들에 대해서는 지속적으로 관찰하고 관찰 결과 특이사항들은 꼭 기록해 두어야 한다.

셋째, 부하직원이 현재 상황에 만족하지 않고 지속적인 자기계발 노력을 하면서 계속 역량 및 성과를 개선해 나갈 수 있도록 도와주어야 한다.

넷째, 자신이 실행하고 있는 코칭 프로세스에서 뚜렷한 잘못이 발견되거나 부하직원으로부터 지적을 받는 즉시 개선 프로세스로 수정 보완하고 특히 평가 및 피드백 코칭 세션 후 정기적으로 1년에 한 번씩은 개선점은 없는지 돌아보아야 한다.

4 직원을 육성하고 전문가로 키워라

4차 산업혁명의 주체는 사람이다

1차 산업혁명은 증기기관의 발명에 의해, 2차 산업혁명은 전기의 발명에 의해 촉발된 혁명으로써 물질 중심의 혁명이었다. 반면 3차 산업혁명은 반도체 칩의 소개로 촉발되었지만, 특히 1990년대 들어 인터넷과 SNSSocial Network System가 소개됨으로써 사람 중심, 그중에서도 '우리'들 사이의 관계를 맺어 준 혁명이요, 4차 산업혁명은 인공지능이 3차 산업혁명에 따라 소개된 클라우드에 축적된 빅데이터에 힘입어 미래에 대한 예리한 예측과 함께 '나'라는 개인에게 최적화된 답을 주는 혁명을 일컫는다. 다시 말해 3차 산업혁명과 4차 산업혁명은 사람 중심의 혁명이다.

특히 4차 산업혁명시대에 사람과 사물 간의 상호작용 속에서 이 세상을 이끄는 주체는 역시 사람이다. 인공지능에 의한 새로운 과학기술이 지속해서 등장하더라도 사람에 대한 근본적인 이해, 다시 말해 기술 혁신의 소용돌이 속에서 기술에 대한 이해와 함께 인간의 욕망에 대한 인문학적인 이해가 필요하다. 이 시대는 인간의 본성을 회복하고 진정한 의미의 '나'를 찾는 것이 매우 중요하다.

4차 산업혁명을 통해 사회를 탈바꿈시킬 주체도 사람이고, 그 결과물을 누려야 하는 주체 역시 사람이다. 디지털화의 가장 큰 잠재력은 '인간의 자발적인 참여를 통한 혁신'이고 사람은 이 혁신을 주도할 핵심 동력이다.

협력하는 괴짜를 키워라

이제까지 우리 기업에서는 특이한 창조성을 가지고 다른 사람들과 차별화된 도전에 성공함으로써 자신들보다 앞서가는 사람들을 마음속으로는 "그 친구, 잘 나가네, 어디 한 번 두고 보자. 저렇게 무모하게 일을 벌이다가는 실패하고 말 거야."라고 생각한다. 그러다 그 사람이 한 번 실패를 저지르는 날에는 "그것 봐. 내가 저럴 줄 알았지. 네가 별수 있어." 라고 모두 이구동성으로 외치게 되고 그동안 한 두 번의 성공에 대해 인정과 사랑을 베풀었던 상사들마저 그를 배척하곤 했다. 조직이나 사회가 괴짜들의 실패를 인정하지 않았고 괴짜들끼리 서로 협력하기가 어려운 조직문화를 가지고 있었다. 어느 누구도 과감한 도전에 나서지 않는다.

그러나 이제는 인간과 인공지능으로 무장한 로봇이 서로 협력하는 시대이다. 미국의 로봇 공학자 한스 모라벡Hans Moravec은 "인간에게 쉬운 일은 로봇에게 어렵고, 로봇에게 쉬운 일은 인간에게 어렵다."라고 했다. 이제 단순 반복적인 일은 인공지능이나 인공지능으로 무장한 로봇이 모두 처리하게 될 것이고 인간은 인간의 미래 삶을 위해 의미를 부여하거나 또는 재미있는 일에 보다 창의적이고 감성적으로 매진함으로써 업무 생산성을 크게 증진해야 한다.

나는 평소에 많은 교류를 하고 여러 측면에서 견해를 함께하면서 배우고 있는 KAIST 이민화 교수의 4차 산업혁명시대의 인재상과 교육에 대한 견해를 옮겨 보고자 한다.

그동안 우리는 한 과목이라도 낙제점수가 없이 평균점수가 높은 인재만을 양성해왔다. 그러나 이제는 다른 모든 과목에서 낙제점을 받더라도 한 과목에서 남들보다 탁월하게 잘하는 인재들이 조직을 성장시킬 것이다. 한 분야의 탁월한 역량을 가진 괴짜들이 협력하는 사회가 평범한 모범생들이 모인 사회보다 훨씬 강하다. 개인의 역량이 아니라 팀과 사회의 역량으로 경쟁하는 시대로 변모한 것이다. 이미 4차 산업혁명시대에 급속한 성장을 끌어낸 아마존, 구글, 페이스북 등 인터넷 플랫폼 강자들이 이를 증명한다.

이제는 일반적인 지식은 별도로 배우지 않아도 구글이나 네이버 등 포털에 들어가면 쉽게 찾아내어 알 수 있는 시대이다. 그러나 우리는 아직도 그런 지식 교육에 몰입하는 실수를 범하고 있다. 이제는 과거의 경험으로 미래를 보지 말아야 한다. 미래는 기하급수적으로 변화하고 있다. 일반적으로 나와 다른 생각에 대해서는 돌연변이와 같이 쓸모없다고 생각할 수 있다. 그러나 돌연변이 일부가 생명의 진화를 촉발했듯이 다른 생각의 일부가 세상을 발전시켜 왔음을 기억하자. 이제 나은 생각을 하는 돌연변이들이 일한다.

이제 지식은 인간의 능력으로 다루기에는 너무나 방대해졌고, 인간보다 지식을 더 잘 다루는 인공지능이 우리를 돕기 위해 급속하게 발전하고 있다. 우리의 교육목표는 지식 자체를 넘어 '지식을 다루는 방법'으로 수정되어야 한다. 그러므로 교육의 목표는 지식(Contents) 교육에서 학습 능력(Context) 교육으로 전환되어야 한다. 직원들에게 물고기를 주는 것이 아니라 왜 물고기를 잡아야 하는지 그 이유를 알려주어야 한다. 직원 스스로 도전하게 하자. 그래서 미래에 대한 꿈을 키우게 하자. 남들이 강제로 시키는 것이 아니라 스스로 주도한 의미를 찾아 도전하는 삶과 그 삶의 재미를 느끼는 직원들이 바로 협력하는 괴짜가 될 것이다.

미래의 교육은 스스로 도전하고, 그 도전에 의해 가치를 창출하는 것을 목표로 해야만 한다. 결국 교육은 학습 능력Learn how to learn과 인성 교육Humanity 중심으로 전환되어야 한다. 교육은 현자가 가르치는 교육Teaching에서 코디네이터가 도와주는 교육Learning으로 바뀌어야 한다. 문제를 찾고, 정의하고, 풀기 위한 힘을 키워야 한다. 인간은 학습 능력과 인성을 바탕으로 한 협력으로 밀림을 헤치고 신천지를 개척한다. 바로 새로운 미지의 세계를 개척해 나가는 프런티어 정신, 즉 기업가정신이 4차 산업혁명을 이끄는 교육의 바탕이 되어야 한다.

단순히 일정한 질문에 대해 정답을 맞히는 교육이 아니라, 정해지지 않은 주제 속에서 문제를 찾아내는 능력과 개방적인 팀워크로 문제를 해결하는 역량을 키우는 교육이다. 자원을 공유하는 개방 협력의 시대에서 내 몫을 키우는 것보다는 전체 파이를 키우는 '호혜적 이기심'의 필요하다.

도전에는 항시 실패가 따르기 마련이다. 따라서 작은 실패를 인정하고 관련자 모두가 함께 그 사유를 파헤쳐 대안을 찾아냄으로써 더욱더 큰 실수를 방지하도록 노력하는 조직문화가 뿌리내려야 한다. 이를 위해 일반적으로 협력하는 괴짜가 되기 매우 어려운 기성세대인 상위 계층이 남들보다 먼저 새로운 환경에 과감하게 도전해 볼 필요가 있다. 물론 실패할 수 있다. 도전에 따르는 새로운 질문을 제기하고 동시에 새로운 대안을 모색해 보라. 반복되는 실패를 통해 새로운 길을 발견하게 될 것이다. 협력하는 괴짜는 태어나는 것이 아니라 학습하는 것이다.

지금 당장 내 괴짜로서의 장점을 키우고 남을 인정하는 협력하는 괴짜를 키워라!

분야별 핵심인재를 키우고 영입하라

이제 기업들은 4차 산업혁명의 소용돌이 속에서 살아남아 지속경영을 가능하게 하기 위해서 미래의 먹거리를 심각하게 고민해야 한다. 그리고 새로운 먹거리를 정했다면 그 새로운 먹거리를 위해 인공지능 및 로봇과도 원활하게 협업하며 서로 간에도 협력하는 분야별 괴짜들을 사내에서 육성하거나 필요하다면 외부에서 영입해야 한다. 그러기 위해서는 4차 산업혁명의 핵심기술을 먼저 이해할 필요가 있다.

4차 산업혁명의 핵심기술은 표와 같이 12가지로 취합될 수 있다. 첫째, 6대 디지털화Digitalization 기술이고 둘째, 6대 아날로그화Analogization 기술이다.

독자들도 이미 잘 알고 있는 기술들이겠지만 12가지의 핵심 기술을 독자들이 쉽게 이해할 수 있도록 아주 간단하게 설명하고자 한다.

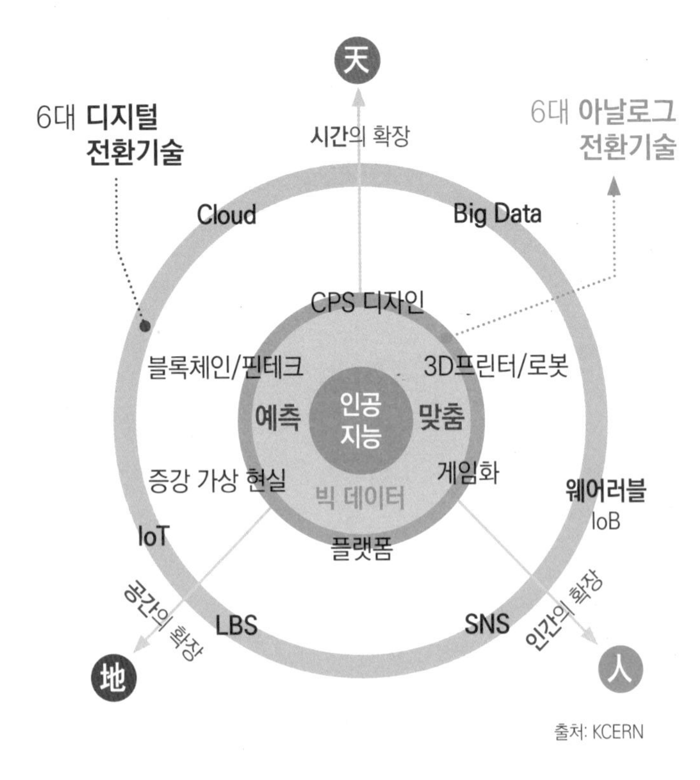

그림〈28〉 4차 산업혁명의 12대 핵심기술

1. 6대 디지털화 기술

클라우드Cloud 현실세계에서의 데이터 저장공간이 아니라 빅데이터를 저장할 수 있는 가상세계의 저장공간을 말한다.

빅데이터Big Data 기존 데이터베이스 관리 도구의 능력을 넘어서는 대량(수십 테라바이트)의 정형 또는 심지어 데이터베이스 형태가 아닌 비정형의 데이터 집합조차 포함한 데이터로부터 가치를 추출하고 결과를 분석하는 기술이다.

웨어러블Wearable IoBInternet of Biometry 시계, 안경, 버클 등 인체에 착용함으로써 생체와 관련된 각종 데이터를 수집하거나 활용하는 기술이다.

SNSSocial Network System 사용자 간의 자유로운 의사소통과 정보 공유, 그리고 인맥 확대 등을 통해 사회적 관계를 생성하고 강화해주는 온라인 플랫폼을 의미한다.

LBSLocation Based System 무선 인터넷 사용자에게, 사용자의 변경되는 위치에 따르는 특정 정보를 제공하는 무선 콘텐츠 서비스들을 가리킨다. 우리가 일반적으로 많이 알고 활용하고 있는 GPSGlobal Positioning System, Wi-FiWireless Fidelity와 Wi-Fi보다 100배가량이나 속도가 빠를 수 있는 새로운 기술인 Li-FiLight Fidelity, Beacon, Geo-Fencing, NFCNear Field Communication 등이 LBS 기술이다.

IoTInternet of Things 각종 사물에 센서와 통신 기능을 내장하여 인터넷에 연결하는 기술로서 무선 통신을 통해 각종 사물을 연결하는 기술을 의미한다.

2. 6대 아날로그화 기술

CPSCyber Physical System디자인 CPS란 서로 다른 가상 환경(컴퓨터 프로그램이 만든 세계로서 계산하고 커뮤니케이션하며 관리되는 디지털 환경)과 물리 체계(시간의 흐름 속에서 운용되며, 물리적 법칙에 의해서 지배받는 자연과 인공의 시스템 환경)에서 모든 정도 Scale과 수준 Level에서 치밀하게 통합하는 시스템을 말한다. 이제는 CPS 디자인을 활용하여 인공지능이 건물을 설계하거나 패션 제품들도 매우 정교하게 디자인한다.

▶ 3D 프린터 3D 프린팅이란 삼차원 형상을 구현하기 위한 전자적 정보를 자동화된 출력장치를 통하여 입체화하는 활동을 의미한다.

▶ 로봇Robot 3차 산업혁명 시작 후 소개된 산업용 로봇을 거쳐, 현재는 인공지능 탑재 로봇이 인간과 친구처럼 대화하던가 심부름 역할을 하고 있으며, 앞으로는 움직이는 로봇뿐 아니라 우리 주변의 물체들이 모두 연결된 네트워크 로봇이 활성화되어 냉장고를 향해 '지금 세탁기 돌려.'라고 이야기하면 세탁기를 돌려줄 것이다.

게임화Gamification 실제 게임이 아닌 현실 세계를 게임화하는 기술로서 현실 세계에서 매우 어려운 이론들도 게임화하면 쉽게 이해할 수 있게 된다.

플랫폼Platform 플랫폼이란 '많은 사람이 쉽게 이용하거나 다양한 목적으로 사용된다.'는 특징을 나타내는 말로 트위터, 페이스북, 카톡과 소셜 플랫폼이나 승용차 공유 서비스를 제공하는 우버, 공간을 공유하는 에어비앤비 등이 플랫폼 사업이라 할 수 있다.

증강현실Augmented Reality, 가상현실Virtual Reality 가상현실이란 컴퓨터 등을 사용한 인공적인 기술로 만들어낸 실제와 유사하지만, 실제가 아닌 어떤 특정한 환경이나 상황 혹은 그 기술 자체를 의미한다. 비행기 조종사의 조종 훈련은 초기 단계에는 더 이상 실제 비행기를 타고 시행하지 않고 비행기 조종할 때와 똑같은 가상현실을 만들어 시행한다. 증강현실은 가상현실의 한 분야로 실제 환경에 가상 사물이나 정보를 합성하여 원래의 환경에 존재하는 사물처럼 보이도록 하는 컴퓨터 그래픽 기법이다.

▷ 블록체인Blockchain 관리 대상 데이터를 '블록'이라고 하는 소규모 데이터들이 P2PPeer-to-Peer 방식을 기반으로 생성된 체인 형태의 연결고리 기반 분산 데이터 저장환경에 저장되어 누구라도 임의로 수정할 수 없고 누구나 변경의 결과를 열람할 수 있는 분산 컴퓨팅 기술 기반의 데이터 위변조 방지 기술이다.

▷ 핀테크Fintech 금융Financial과 기술Technology의 합성어로, 금

융과 IT의 융합을 통한 금융서비스 및 산업의 변화를 통칭한다. 모바일뱅킹과 앱카드 등이 대표적인 사례이다.

기업이 속해 있는 산업군에 따라 미래를 대비하기 위해 필요한 인재가 다를 수 있으나 대체로 상기 12가지의 핵심기술 분야들 중에서 협력하는 괴짜들이 필요할 것으로 예상된다. '이 시대에 필요한 인재상'에서도 강조했듯이 과거의 인재는 각 지식 분야에서 뛰어난 지적 능력, 즉 '인지능력'을 갖춘 사람들이었다. 그러나 4차 산업혁명시대에 들어서는 '비인지적 역량' 부분이 강조되어 지적 능력 외에 개인들 내부에 잠재되어 있는 '인성', '감성' 등이 중요한 역량이 매우 중요하다. 따라서 기본적으로 인성을 갖추고 상기 12가지의 핵심기술 중 각 기업에서 분야별로 필요한 핵심기술을 겸비하고 있는 인재들을 내부 인력 중에서 키우거나 새롭게 영입해야 한다.

특히 지금은 국내에서 상기 핵심기술 분야들 중에서도 산업 전반에 걸쳐 중심이 되는 인공지능, 빅데이터 및 블록체인 기술 분야의 인재 확보가 매우 어려운 상황이다.

5 한국형 리더십을 발휘하라

공감과 신뢰의 '한마음 경영'

최근 구글, GE, 삼성 같은 초일류 기업들은 낡은 원칙들을 깨고, 새로운 제도나 시스템을 도입하고 있다. 지금까지 세상에 없던 방식으로 경영은 물론 인사제도와 문화를 파괴하며 '경영의 대이동'을 시도하고 있다. 직원 만족과 행복경영을 위해 직원 간 과도한 내부 경쟁을 금지하고, 단기 실적평가마저 폐기하고 있다. 인간존중에 기초한 경영, 실행력 중심의 리더십, 상호 자유로운 대화와 토론으로 표현되는 수평리더십, 수직구조가 아닌 수평구조에서 협의로 이어지는 대화 등이 화두가 된다.

이기동 성균관대 유학대학원 교수는 저서 『한마음의 나라 한국』에서 한국과 중국, 일본의 정체성을 설명하면서 한국은 인仁의 문화, 중국과 일본은 지知의 문화를 특징으로 한다며 우리나라는 자신과 타인의 마음을 하나라고 여겨서 의리와 마음을 중요시하는데 이는 단군신화와 관계성을 가지고 있다고 강조한다.

'한마음'이란 '하늘의 마음이자 하나 된 마음'으로 하늘에서 내려온 선인의 이야기인 '단군신화'에 우리 민족의 정서와 삶의 방식이 집약돼 있다는 것이다. 이 교수는 현대 사회를 '몸을 챙기는 시대'라고 표현하며 여기서 '몸'은 곧 '돈'을 의미하며 현대인들의 상당수가 일그러진 자본주의의 논리에 귀속되어 살아가고 있음을 지적한다. 그는 요즘 기업경영에서 '한마음 경영'의 중요성을 역설했는데, 한마음 경영은 물질주의적인 시각에서 경영하는 것이 아니라 인간의 입장과 마음을 고려한 인본 경영 실천을 뜻한다. 서양의 개인주의와는 완전히 반대되는 동양의 철학이 담긴 개념이기도 하다.

우리 한국인들은 서로가 한 뿌리라는 의식을 갖고 있으며 홀로서기보다 같이 있고 같이 해야 안정되며, 남(집단)이 하는 대로 따라 하는 경향이 두드러지는 '우리 의식'이 유난히 강한 민족이다. 그 결과 타 집단에 대해서는 강한 배타성과 적개심을 보이지만 같은 집단에 속해 있다고 인정하면 한국인들은 '모두 다 함께'가 통하는 순간 행복감과 안도감을 가장 많이 느낀다. 즉 관계적 문화가 강하다. '우리 마누라'에서 보듯이 여기에서 우리라는 용어는 너와 내가 경쟁 관계가 아니라 전체를 한 덩어리로 보는 영어의 We와는 의미가 다른 우리말이고 하나이면서 여럿이고 많으면서도 하나인 어우러짐을 의미한다.

이러한 의미에서 본다면 회사가 개인으로서의 사원에게 무엇을 해주어야 하는가에 대한 답이 보인다. 개인의 행복이 회사의 행복과 일치되어야 하고, 일치되어야 행복한 회사가 된다. 개인의 행복이 공동체의 행복과 하나로 일치될 때 생산성과 이익은 극대화된다. 그것이 행복경영이다. 경영학의 대부인 피터 드러커는 기업가정신이 가장 활발한 나라로 한국을 지목했다. 실제로 우리 기업 혁신은 놀라울 정도로 활발했다. 덕분에 우리 경제는 높은 성장률을 기록했다. 이제 새로운 혁신은 바로 한국에서 일어날 수 있다고 본다. 일을 바라보는 관점의 변화가 이미 진행되고 있고, 상당 부분 실험단계를 넘어서 발전하고 있다.

지금 4차 산업 시대에 기업으로서, 국가로서 살아남기 위한 인간의 길은 정해져 있다. 행복경영, 인본 경영이다. 그것이 미국에서는 미국적인 토양으로 전개되었고, 일본에서는 일본적인 토양에서 기업의 문화가 자리 잡았다. 우리 한국에서는 한국적인 정신을 담아서 기업문화, 즉 경영문화를 만들어야 한다. 한국인의 정신 속에 살아있는 인본과 홍익인간 그리고 우리의 자산인 부지런함과 꾸준하게 지속하는 힘이 있다. 여기에 탐구 정신을 빼놓을 수 없다.

우리는 마음이 열려야 뭉치는 민족이다. 한국인은 공감하고 감동하지 않으면 뭉치지 않는다. 아무리 큰 소리로 외쳐보라. 움직이지 않는다. 하지만 공감하고 감동하면 스스로 몰입하고 뭉친다. 협동심도 뜨겁게 발휘된다. 지금도 한마음이 되면 신바람을 일으킬 수 있는 유전자 속에 들어있다. 그중 대표적인 것을 꼽으라면 역사적으로는 두레를 꼽을 수 있고, 신바람 문화는 금 모으기, 한일 월드컵 응원, 태안의 기름 닦기를 들 수 있다.

한·일 월드컵에서 히딩크 매직으로 월드컵 4강 신화를 이룰 때 온 국민들이 한마음이 되어 길거리 응원으로 세계를 놀라게 한바 있는데 그 유전인자를 그대로 베트남에 이식시킨 박항서 매직은 아시아 올림픽 4강에 올려놓으며 베트남 1억 인구를 열광하게 하고 있는 사실도 결코 우연한 일은 아니다.

한국인의 강점 극단의 한국인, 극단의 창조성

한국인들은 무슨 일이든지 한번 마음먹고 시작하면 사생결

단으로 극단적인 지경에 이를 때까지 돌진한다는 것이다. 심지어는 술을 마실 때도 그렇다. 외국인들의 눈으로 보면 끝없이 돌아가는 폭탄주며 회오리주 등 각양각색으로 술 마시는 것을 보고 처음에는 기겁하지만 몇 잔이 돌고 나면서부터 처음 만난 사이라도 서먹서먹하던 마음이 완전히 풀어져 형님, 아우로 돌변하는 모습에 놀랄 수밖에 없다.

세미나에서 만난 한 중소기업 회장님은 바이오 업계에서 글로벌 시장을 석권해 유명해지신 분이다. 국내에서 사업을 하다 모든 자산을 잃어버리고 비관해 자살을 생각하다가 한 번만 더 도전해 보자는 용기를 얻어 친척들의 돈을 모아 해외에서 또다시 사업을 시도하다가 처절하게 실패를 했다고 한다. 결국 해외에서 자살하려다 장례비가 걱정되어 부친 산소에서 약을 먹고 자살을 하기로 결심하고 소주 두 병을 마시면서 못난 자식을 용서해 달라는 하직 인사를 하다가 깜박 잠든 사이에 약 마시는 것을 잊어 죽음에서 새 삶을 시작하게 되었다고 한다. 용기를 얻어 친구들의 연대보증으로 빌린 오천만 원으로 지방의 지하실에서 재기해 오늘날 글로벌 강소기업으로 성공한 스토리를 전해 주었다.

이 극단의 선택과정에 포기하지 않는 새로운 용기와 꿈틀거리는 삶의 희망을 발견하고 재도전해 성공한 내용을 들으면서 무언가 한국인들에게는 극단의 선택과정이 새로운 에너지나 생명력을 용솟음치게 하는 DNA가 숨겨져 있다는 것에 공감하게 된다.

이러한 극단의 한국인을 아주 잘 설명하고 극단의 한국인을 창조의 한국인으로 승화시켜 세계를 주도해야 한다는 주장을 편 한국문화 콘텐츠 연구소 신광철 소장의 주장은 우리의 귀를 솔깃하게 해주고 있다.

『극단의 한국인, 극단의 창조성』은 '극단'이란 열쇳말로 한국인의 기질을 통쾌하게 분석한 책이다. 저자는 "한국인은 서로 대척점에 있는 것들을 끌어안고, 나아가 여러 가지를 용광로에 넣고 융복합해 새로운 것을 뽑아낸다."며 "이것이 한민족이 발전할 수밖에 없는 이유"라고 말하면서 한국인의 위대함은 극단의 수용을 통한 문제 해결 능력과 창조력에서 나온다는 것이다. 다시 말해 극단을 수용하고, 극단을 넘나들고 극단의 중간지대를 만들고 극단을 통합하는 한국인의 기질이 현재의 발전을 가져왔다는 얘기다.

그의 '극단론'은 한국 문화와 역사에 신기하리만큼 딱 맞아떨어진다. 한국인의 냄비근성은 '빨리빨리'를 내세우는 기질을 내포하고, 뚝배기는 은근하고 끈기 있는 한국인의 기질을 내포한다. 그는 "빨리빨리 습성을 평생 동안 은근하고 끈기있게 실행하는 민족은 한국인밖에 없다."라고 주장한다.

한옥도 극단을 수용하는 한민족의 문화가 만들어낸 건축물이라고 말한다. 남방문화인 마루와 북방문화인 온돌이 하나의 건축물에서 만난 희귀한 사례가 바로 한옥이라는 것인데 그러면서 그는 추운 지방의 산물인 온돌과 더운 지방의 방식인 마루가 혼재된 한옥은 개방성과 폐쇄성이 조화된 걸작이라고 한다.

극단의 끝장을 보여주는 단어로 '정情'을 꼽는다. 아름답고 추하고 밉고 고맙고 쌀쌀맞고 따뜻한 감정을 다 끌어안은 개념인 '정'이야말로 극단의 개념을 오가는 것을 넘어 극단을 포괄한다는 말이다.

"극단과 극단을 동시에 수용하는 한국인의 기질적 특성을 살려 창조의 시대를 열어나가야 한다. 극단을 융복합하는 능력이 있었기 때문에 지금까지 생존할 수 있었으며, 앞으로 무한대로 발전할 가능성이 있고 한국인의 기질을 살릴 때 우리는 명실상부한 세계 최고를 향해 나아갈 수 있다."라고 말한다. 결국 한限과 흥興의 한국인, 한국굴기韓國屈起의 시대가 와야 한다.

조직에 한국인 특유의 신바람 문화를 일으켜야

내가 근무했던 삼성자동차가 결국 프랑스 르노에 인수되어 르노삼성이 되었다. 회사 사무실을 이전하면서 금고를 같이 이동하게 되자 한국식으로 고사를 지내게 되었다. 고사를 지내면서 한국식으로 잘생긴 돼지머리와 막걸리까지 준비하고 외국 CEO를 포함한 임원들이 모두 같이 절을 했다. 그러다 보니 모아진 봉투가 꽤 많이 모였는데 이 봉투를 인사 팀원이 주섬주섬 가방에 넣었다. 그러자 외국인 CFO가 그 돈을 어디에 쓰려고 묻자 오늘 수고한 인사팀에 회식비로 쓸 거라고 얘기했다. 깜짝 놀란 그는 이 행사는 업무 중에 회사 행사로 이루어진 것으로 회사 공금이라서 당연히 이 돈을 쓰려면 품의서를 올리라고 하고 자리를 떴다. CFO의 말은 아주 합리적이고 맞는 말이다. 그러나 이 상황에서 품의서를 써야 한다는 생각을 품었을 한국인 직원은 한 명도 없다는 생각이 든다. 이처럼 문화와 가치관은 틀렸다기보다 나라마다 차이가 있고 다르다. 또 한 예로 운동장에서 여러 사람이 함께 달리기 시합을 할 때 미국 사람은 선착순을 생각하지만, 일본 사람은 다 같이 손을 잡고 들어오는 것이 가장 효율적이라고 한다. 개인보다는 집단을 우선시하기 때문이다. 한국사람들의 생각은 어떨까?

두 가지 요소가 상황에 따라 다 같이 작동한다. 그래서 한국 사람은 리그전이나 토너먼트 같은 시합을 통해 개인과 집단이 같이 힘을 발휘하는 것이 맞지 않을까 생각한다.

그 예는 쇼트트랙이나 양궁에서 찾을 수 있다. 동양인의 신체적 특성과 강점 활용은 물론 개인 경쟁을 기본으로 하지만 단체의 힘을 발휘할 때 세계 최강의 파워를 갖고 있기 때문이다. 쇼트트랙이나 양궁 모두 한국형 기술개발 덕분에 개인전보다는 단체전에서 깨기 어려운 연승 기록과 세계 최고의 기량을 보여주고 있다.

그동안은 남의 것을 열심히 배우고 쫓아만 갔으나 이제는 여러 분야에서 외국의 정부나 선진기업들이 우리를 배우려고 하는 움직임들이 곳곳에서 나타나고 있다. 우리나라 위상이 그만큼 달라졌고 자랑스러운 일이 아닐 수 없다. 개인은 물론 조직에서 최고의 힘을 이끌어 성과를 내는 데는 강점과 특성을 잘 살려야 한다. 특히 글로벌 시장에서 경쟁하려면 무시할 수 없는 것이 우리의 전통문화와 국민성이다.

우리 국민성의 약점으로만 알고 있었던 '빨리빨리' 문화와 감성, 조급증Hot temper이 도리어 유연성과 응용력, 순발력과 창의성의 원천이 되어 변화가 빠른 스마트 창조시대에 강점으로 작용하면 우리 국민성이 어느 나라 국민성보다 유리한 면이 얼마든지 있다고 확신한다.

무엇부터 한국형으로 접근할 것인가? 사람, 즉 인재에 대한 문제가 가장 중요하다. 결국 세상은 사람이 중심이 되어 움직이고, 사람에 의해 변화가 가능하기 때문이다. 이러한 의미에서 기업에서부터 사람을 뽑고, 키우고, 관리하는 인재관리에 대한 방식을 우리 한국식으로 재빨리 전환하는 노력을 기울여야 한다. 우리는 그동안 우리 국민들의 '정情'이라는 특성을 잘 살려 정의 부정적인 관점을 신속하게 긍정적인 관점으로 변화시키고 나아가 정의 독특한 강점을 살려 신바람 물결을 일으키면서 클라우드를 적극적으로 활용한 새로운 성과주의 리더십을 창출하고 발전시켜 나간다면 단기간 내에 미국의 근로자 1인당 노동생산성을 오히려 뛰어넘는 정도로, 다시 말해 현재의 생산성을 2배 이상으로 급성장시키는 것이 불가능한 일이 아니다.

K-POP이나 한류의 위력에서 보듯이 남들과는 다른 차이나 특성을 꾸준하게 연구하고 각 분야에서 노력하면 위대한 한국, 한국인을 빛낼 가능성이 얼마든지 있으며 어느 때보다도 성공 가능성이 많다.

특히 우리만의 역사와 민족의 고유한 DNA인 신바람을 일으켜 한국인의 강점을 살려서 한국형 일하기 좋은 일터K-GWP의 모델을 만들어 과감하게 조직문화를 혁신하기 위해 새로운 출발이 필요하다. 이에 우리 문화에 맞게 마음경영. 감성경영, 행복경영 같은 우리 정서에 맞는 새로운 경영방식으로 일하기 좋은 직장을 성공적으로 실천하고 있는 우리 기업들 실천사례가 점차 늘어나고 있다는 것은 매우 고무적인 현상이요 반가운 일이다.

이제는 경영 한류로 나가야 한다

우리나라 인사제도나 조직운영방식은 해방 이후 IMF 이전까지 60년 동안 일본식이었다면 IMF 이후에는 깊은 검토와 검증도 없이 미국의 개인주의나 성과주의의 영향을 과도하게 받다 보니 그림자가 짙게 드리우고 있는 게 사실이다. 이제는 인사관리 방식을 우리 국민성과 조직문화를 충분히 고려한 한국형으로 자리바꿈해야 한다.

급변하는 시대에 우리식 인사 방향을 연구하고 모델을 만들어가야 한다. 같은 조직 속에 근무하는 구성원의 다양한 고용 형태, 급격한 고령화 시대의 도래, 스마트 근무환경 등 인사환경이 하루가 다르게 변하고 있기 때문이다.

한국인은 공감하지 않으면 움직이지 않는다. 하지만 한마음이 돼 공감하면 이해관계나 장벽을 넘어 무섭게 결집한다. 4차 산업혁명에 왜 한류 경영인가. 서로 다른 극단을 끌어안아 융합하고 새로운 것을 창조해내는 한국인의 위대한 DNA가 있기 때문이다.

4차 산업혁명의 핵심은 '융합과 초연결'이다. 여기에 필요한 상상력을 끌어내기 위해서는 창의와 새로운 발상이 필요한 경영기법을 도입해야 한다. 한류가 가진 위대함이 4차 산업혁명과 맞물려야 비로소 세계로 나갈 수 있다. 이제 한국인의 정신과 기질을 살려 나가는 한국형 경영K-Style Management이 필요하다. 여기에 홍익인간弘益人間 사상의 근본인 인본주의와 행복경영을 결합해서 만든 한국적인 경영기법이 한류 경영이다. 경영 한류는 한국화 된 경영기법이 한국에 그치지 않고 한국인이라는 특수성을 벗어나 세계화 측면에서 보편성을 갖추게 돼야만 한국 이외의 나라에 적용되고 확산될 수 있고 그래야만 진정한 한류 경영이라 말할 수 있다.

우리식의 된장 냄새가 나는 인사제도나 경영방식은 꼭 필요하지만, 여기에 그치지 않고 4차 산업혁명이라는 파도를 타면서 세계화에 맞는 보편성과 정합성을 갖춰 한국인 개개인이 행복해지고, 국가가 행복해지고, 인류가 행복해지는 한류 경영을 꿈꿔 본다.

워라밸은 4차 산업을 대비하고 개인에게는 자기 성장과 자발적 몰입을 통한 행복 추구, 기업에는 경쟁력을 갖추도록 하여 '지속 가능 경영'이 대전제가 되어야 한다. 따라서 정치나 이념적 개입이나 이를 위한 목적은 매우 위험한 독소를 품고 있다. 특히 보여주기식으로 포퓰리즘으로 전개되는 것은 더욱 경계해야 한다.

더구나 대한민국호가 이제 추격자Fast follower가 아니라 선도적인 경쟁력First runner을 가지려면 자율과 창의는 물론, 일에 대한 몰입이 절대 필요하다. 자율과 창의 그리고 요즘 이슈가 되고 있는 협업 정신은 기존의 기업문화나 일하는 방식으로는 불가능하다.

이제 경영자는 물론 직장인들은 일과 삶은 분리된 하나가 아니라 일을 통해 삶이 행복해져야만 하고 회사는 일을 통해 자기 자신의 꿈과 욕망을 실현하는 장으로 인식을 달리해야만 한다. 경영자는 직원들을 통제하고 억지로 시켜서 일하는 대상이 아니라 직원들이 사내기업가로서 자신들의 꿈을 실현할 수 있도록 하는 근무환경이나 일하는 방식을 바꾸어 주고 과거와는 다른 리더십을 발휘해야만 한다.

더욱이 직장인들은 이제 아침부터 밤늦게까지 앞만 보고 달리는 하드워커Hard worker가 아니라 스마트워커Smart worker로 변신이 필요하다. 우리가 삶의 대부분을 몸담고 있는 직장은 단순한 직장職場이 아니라 Dream꿈터, Vision비전터, Fun놀이터, Happiness행복터가 되어야 한다.

에필로그

가장 훌륭한 시는 아직 쓰여지지 않았다.

가장 아름다운 노래는 아직 불려지지 않았다.

최고의 날들은 아직 살지 않은 날들.

가장 넓은 바다는 아직 항해 되지 않았고,

가장 먼 여행은 아직 끝나지 않았다.

불멸의 춤은 아직 추어지지 않았으며,

가장 빛나는 별은 아직 발견되지 않은 별.

무엇을 해야 할지 더 이상 알 수 없을 때

그때 비로소 진정한 무엇인가를 할 수 있다.

어느 길로 가야 할지 더 이상 알 수 없을 때

그때가 비로소 진정한 여행의 시작이다.

13년간의 감옥생활을 하고도 희망의 시를 쓴 터키의 혁명가이자 국민 시인인 나짐 히크메트Nazim Hikmet의 '진정한 여행A True Travel'이라는 시다. 이 시에서 보듯이 워라밸은 이제 시작에 불과하며 갈 길에 대해서도 개인이나 기업들도 가보지 않은 낯 설은 미지의 길이다. 그러나 진정한 여행의 시작이라는 명제는 분명하다. 이미 직원 행복경영이라는 '경영의 대이동'이 시작되었고 경영의 축이 고객 만족 이전에 직원 행복이라는 길로 가야만 한다.

2004년 주 5일제가 시행된 지 14년 만에 '주 52시간 근무제'의 시행이 발표되며 워라벨에 대한 관심이 급증하는 가운데, 워라밸 문화의 조기정착을 위해 '생산성 향상'의 필요성이 점차 높아지고 있다. 워라밸은 정시퇴근, 야근 없는 삶, 저녁이 있는 삶이 이루어지려면 생산성 향상, 업무 효율성 증대 및 근로시간 최적화가 필연적으로 요구되기 때문에 더 많은 고민이 필요하다.

더구나 4차 산업혁명의 핵심은 기술이 아니라 '어떻게 일할 것인가?'라는 생각의 혁신을 요구하고 있다. 그동안 무한경쟁에서 앞만 보고 달려왔던 직원들은 너무나도 지쳐 있고 행복하지 못하다. 새벽부터 밤늦게까지 열심히 일하고 있지만 우리나라 근로자의 1인당 노동생산성은 미국의 생산성에 비해 46.4%밖에 안 되는 한심한 수준에 머무르고 있다. 이제 우리 기업들이 사람 중심의 경영철학과 직원 행복경영을 바탕으로 놀랍도록 발전해가고 있는 IT기술이나 인공지능 같은 각종 최신 기술들을 최대한 업무에 적용하여 쉬운 방법으로 업무혁신을 과감하게 시행하여 생산성을 높여야 한다.

너무나도 늦었지만 지난 8월 31일에 클라우드 컴퓨팅 발전 및 이용자 보호에 관한 법률 시행령이 개정되고 곧 후속 조치들이 뒤따를 것이다. 이제는 국가기관에서도 클라우드 컴퓨팅을 활용할 수 있도록 처음으로 길이 열렸다. 아직은 기본법만이 개정되었을 뿐이기 때문에 각 공공기관 및 공기업들이 클라우드 컴퓨팅을 원활하게 선택하여 활용하고 또한 국내 클라우드 컴퓨팅 관련 기업들이 그러한 수요에 맞추어 요구되는 애플리케이션들을 개발하기까지 기본법 개정에 따른 제반 제도 정비 및 지원책을 마련하는 데까지는 많은 시간이 소요될 것이다. 그러나 이제는 일반 기업은 물론 국내 공공기관 및 공기업들이 지금 즉시 클라우드 컴퓨팅을 적법하게 활용할 수 있게 됨으로써 그 확산속도는 매우 빠를 것으로 예상된다. 이와 같은 변혁기에 보다 발 빠르게 변신하는 기업은 경쟁력을 크게 키우게 될 것이다.

CEO의 의지가 확고하고 임원들이 패러다임을 바꾸고 앞장서기만 한다면 스마트워킹이 별도의 고가 하드웨어나 소프트웨어의 당장 구입이 없이도 각종 스마트폰 앱들을 활용하여 업무에 필요한 데이터를 즉시 클라우드에 올리고 그 스마트폰 앱들과 PC 애플리케이션을 동기화시켜 활용함으로써 최하위 직원에 이르기까지 즉시 조직문화에 뿌리내릴 수 있다.

스마트워킹의 활성화는 단 기간 내에 업무혁신 효과를 창출해 내고 직원 1인당 근무시간을 크게 줄여줄 뿐 아니라 직원들에게 업무 자율성을 확보해 줄 것이다. 그 줄어진 근무시간을 직원들에게 돌려주고 자율성을 확보해 줌으로써 직원들의 업무 몰입을 유도하고 과거 지식에 의존한 단순 반복적인 노동은 인공지능과 로봇에게 맡기고 직원들은 일의 의미와 재미가 융합하여 일의 목표가 직원들의 마음을 설레게 만드는 창조적인 조직문화를 만들어 가야 한다.

'빨리빨리'라는 국민성이 한때 큰 약점으로 여겨져 국제 사회에서 무시당하는 일도 있었으나 그 약점을 디지털 시대에 꽃을 피워 디지털 강국으로 만들었다. 우리 국민들의 독특한 '정'이라는 특성을 잘 살려 고유의 근면성과 독특한 공동체 의식이라는 DNA를 가진 '한마음'이 되면 똘똘 뭉치는 우리의 강점을 4차 산업혁명 시대에 신바람의 물결을 다시 일으켜야 한다. 고령화 사회에 접어든 한국이 자칫 성장동력이 계속 떨어져 일본처럼 잃어버린 20년이 되지 않기 위해서 4차 산업의 물결에서 뒤지지 말고 도약해야 할 마지막 절호의 기회를 놓쳐서는 안 된다.

이것이 워라밸 관련한 두 번째 책을 쓰게 된 가장 큰 이유이기도 하다. 우리 기업들이 이 책에서 제기하는 대폭적인 스마트 업무혁신을 신속하게 이루어내고 무늬만이 아니라 제대로 된 스마트 워라밸 경영을 창출해 나간다면 현재의 크게 뒤처져 있는 생산성을 단기간 내에 선진국 수준 이상으로 급성장시킬 수 있다고 확신하면서 이 책을 마무리하고자 한다. 모든 직원이 스마트 워커Smart worker가 되고 '저녁이 있는 삶'을 만들어 주는 데 도움이 되었으면 하는 마음이 간절하다.

마지막으로 여기에 인용되는 많은 자료와 이미지들은 우리나라 4차 산업혁명의 기수이자 이 분야의 해박한 지식으로 민간은 물론 정부의 정책에까지 깊숙하게 관여하시고 선도하고 계신 이민화 KAIST 교수님께서 공유해주신 덕분에 가능했다. 다시 한번 감사드린다. 아울러 이 책이 나오기까지 세상을 조금이라도 바꾸고 변화시키는 데 꼭 필요하다는 생각으로 출판을 적극적으로 권유해주신 노드미디어 박승합 사장님 이하 스태프들에게 감사의 말씀을 드린다.

공저자 장동익 씀

워라밸과 52시간 근무시대를 살아가는 지혜!

일하는 방식의 혁명

발행일 2019년 1월 3일
1판2쇄 2019년 2월 8일

지은이 가재산, 장동익
펴낸이 박승합
펴낸곳 노드미디어

총괄 박효서
편집 김은미
디자인 김은미

주소 서울시 용산구 한강대로 341 대한빌딩 206호
전화 02-754-1867
팩스 02-753-1867
이메일 nodemedia@daum.net
홈페이지 www.enodemedia.co.kr

등록번호 제302-2008-000043호

ISBN 978-89-8458-322-1
정가 15,000원